KB154983

《주역전의(周易傳義)》〈역본의도(易本義圖)〉 역주

《주역전의(周易傳義)》〈역본의도(易本義圖)〉 역주

吳 承 奐

학연문화사

추천사

몇 해 전에 무인(武人)의 기상을 품은 듯한 훤칠한 모습에 의지가 견정해 보이는 눈을 가진 젊은이가 나를 찾아와《승정원일기》번역에 대한 자문을 부탁하면서, 지금까지 자신이 한문공부를 해온 과정과 앞으로의 포부에 대해 말하였다. 그 때 그 젊은이는 앞으로 꾸준히 한문 번역에 종사하면서 동시에 사서(四書)를 수시로 익히고, 특히《주역(周易)》을 탐구하는 데 평생을 바칠 계획이라고 하였다. 그 당시에 굳은 신념을 얼굴에 드러내면서 그 말을 한 젊은이가 바로 이 책을 쓴 오승환 군이다.

이 책은《주역전의(周易傳義)》의 맨 앞에 나오는〈역본의도(易本義圖)〉를 대문(大文)은 물론, 소주(小註)까지를 모두 번역한 최초의 책이다. 지금까지《주역》을 연구하는 학자들 가운데에서 소주까지 모두 읽으면서 연구한 사람은 거의 없으며, 번역서 가운데에서도 모두 대주(大註)까지만 번역하였지 소주까지 번역한 책은 없다.

이 책은《주역》을 이해하는 데 필요한 각 용어에 대한 정의와 각 괘(卦)의 생성원리에 대해 자세히 설명하고 있어 그 내용이 몹시 어려운바, 단순히 교양을 쌓기 위해 책을 읽는 일반 독자를 위한 책은 절대 아니다. 최소한《주역》에 대해 깊이 탐구해 보고자 마음먹은 분들을 위한 책으로, 그런 분들이《주역》을 본격적으로 탐구하기에 앞서 가장 먼저 읽어야 할 책이다.

나는 평생토록 한문을 번역하는 일에 종사하여 어느 정도 한문에 대한 이해를 가지고 있기는 하다. 그러나 유교 경전, 특히 삼경에 대해서 깊이 탐구해 본 적이 없는바, 이 책에 대한 추천사를 쓰는 것은 적당치 않다. 그런데도 굳이 마다하지 않고 추천사를 쓰는 것은, 앞으로 오승환군이 꾸준히 《주역》에 대해 깊이 탐구하여 그 이치를 활연히 통달한 큰 학자가 되고, 동시에 《주역》 전체에 대해 소주까지 완전히 번역하여 우리나라 역학(易學) 연구에 있어서 획기적인 계기를 마련해 주기를 기대하는 마음에서이다.

앞으로 아당(峨堂) 이성우(李性雨) 선생의 지도하에 동학들과 함께 《주역》에 대해 꾸준히 탐구해, 먼 후일 큰 학자가 되어 있을 오승환군을 상상하면서 기껍고 흐뭇한 마음으로 이 글을 쓴다.

- **정선용**(한국고전번역원 번역자문위원)

추천사

〈역본의도(易本義圖)〉를 소주(小註)까지 완역한《주역》학습의 심화 학습서이지만, 번역문에 괘상(卦象)을 병기하는 등 친절하고 쉽게 풀이하고 있어 초학자도 무리 없이 이해할 수 있도록 번역된 책이다. 또한 본격적인《주역》학습을 위해서는 반드시 알아야 하는 개념들을 해제를 통해 쉽게 설명하고 있어《주역》을 공부하려는 사람들의 길잡이 역할도 할 수 있을 것이다.

- **이정원**(한국고전번역 수석연구위원, 역사문헌연구실장)

서문

본서는 《주역전의대전(周易傳義大全)》〈역본의도(易本義圖)〉의 대문(大文)과 소주(小註)를 교감(校勘)하고 번역하고 주석한 책이다. 현재 여러 학자들의 연구로 《주역》과 관련하여 다양한 번역서가 나왔으나 대개 대문만을 역주(譯註)한 것으로, 아직 소주까지 제대로 완역한 것은 없는 듯하다.[1] 소주는 대문 아래에 두 행으로 작은 글씨로 쓰여 있는데, 대문을 이해하는 데 도움이 되는 선현들의 연구 성과가 집약되어 있어서 소주가 번역되지 않으면 대문을 제대로 이해하기 어렵다.

〈역본의도〉는 《주역》과 관련되는 9개의 그림과 그에 대한 해석이 붙여져 있는 부분으로, 태극(太極) · 양의(兩儀) · 사상(四象) · 8괘(八卦) · 64괘와 이기(理氣) · 음양

---

1) 현재……듯하다 : 《주역전의대전》의 완역서로는 성백효(成百曉)의 《懸吐完譯周易傳義 上 · 下》와 김석진(金碩鎭)의 《周易傳義大全譯解 上 · 下》 등이 있다. 이외에 김재두(金再斗)가 1997년에 《國譯 周易傳義大全》을 출간했으나, 완역하지 못하고 작고하였다. 김재두의 《國譯 周易傳義大全》은 〈주역대전범례(周易大全凡例)〉에서부터 〈역본의도〉, 〈역설강령(易說綱領)〉, 〈역전서(易傳序)〉, 〈역서(易序)〉, 〈상하편의(上下篇義)〉, 〈오찬(五贊)〉, 〈서의(筮儀)〉까지 역주한 책으로, 소주까지 번역한 유일한 저술인 것으로 확인된다. 그러나 번역문이 매끄럽지 못하고, 오류도 적지 않는 등의 미흡점이 있다. 金碩鎭, 《周易傳義大全譯解 上 · 下》, 大有學堂, 2014 ; 金再斗, 《國譯 周易傳義大全》, 學民文化社, 1997 ; 成百曉, 《懸吐完譯周易傳義 上 · 下》, 傳統文化硏究會, 2007.

(陰陽)·오행(五行) 등 역학(易學)을 공부하는 데 있어 가장 기초가 되는 내용이 상세하게 실려 있다. 동양 유학의 핵심은 사서(四書)와 삼경(三經)이고, 그 가운데 《주역》은 유학 사상의 정수(精髓)라고 할 수 있으며, 《주역전의대전》 〈역본의도〉는 역학의 근간을 이루는 내용을 담고 있는 매우 중요한 부분이다.

필자는 충남대학교 한문학과에 편입학하여 20대 중반에 한학에 뜻을 두기 시작한 이후 꾸준히 고전을 공부하고 있으며, 현재는 한국고전번역원 번역 위원으로 《승정원일기》를 번역하고 있다. 방대한 고전을 두루 상세하게 볼 여유도 없는데다 한편 공부는 요체를 찾아 문호를 열고 들어가는 것이 중요하기 때문에 본인은 사서(四書)와 《주역》을 평생의 학문의 문호로 삼으려고 애초부터 마음을 먹었다. 이에 사서는 대문을 위주로 수백 독(讀) 이상씩 읽어 미흡하게나마 익혔으나, 《주역》은 이제 겨우 첫 걸음을 내디딘 정도밖에 되지 않는다.

그러던 차에 2019년 3월 세종시 초려역사공원 갈산서원(葛山書院)에서 아당(峨堂) 이성우(李性雨) 선생의 《주역》 강의가 새롭게 시작되었고, 필자도 수업에 참여하였다. 아당 선생은 〈역본의도〉만 소주까지 강의를 하시는데, 번역서를 찾아보니 시중에서 구할 수 있는 것이 없었다. 이에 필자는 예습을 하며 소주를 번역하기 시작했고, 시간이 흘러 2020년 2월 말 코로나19가 유행함에 따라 《주역》 강의는 휴강을 하게 되었다.

《주역》 수업에는 여러 선생들이 공부하러 오시는데, 전염병이 창궐하기 전부터 동학 몇 분 선생의 발의로 수업 이외에 함께 공부를 하자는 논의가 있었다. 이에 2020년 2월경부터 학습 모임이 이루어져서 화림(花林) 이봉순(李奉順), 적여(積餘) 임하정(任夏正), 범초(凡草) 전영순(全榮順), 범우(梵友) 김면성(金勉成) 선생과 계룡산 국사봉(國師峯) 자락에 있는 적여산방(積餘山房)에서 매주 《주역》을 공부하고 있다. 이 모임을 통해 〈역본의도〉를 세 차례 반복 학습했는데, 필자는 이때 원고를 가다듬었다. 이러던 차에 대행(大行) 노태천(盧泰天) 선생께서 박사학위 논문과 본서를 출간할 것을 권유하며 학연문화사의 권혁재 대표님을 소개해 주셨다.

본서는 한자와 한문에 익숙하지 않더라도 누구나 쉽게 학습할 수 있도록 원문에 현토(懸吐)·표점(標點)하고, 한자의 음(音)을 병기하였으며, 난해한 한자와 어휘를 원문 뒤에 붙였다. 또한 번역문만 읽더라도 충분히 이해할 수 있도록 최대한 쉽고 상세하게 역주하고자 하였다. 한편《주역전의대전》은 원문이 완벽한 것은 아니다. 분명한 오자(誤字)도 여러 개 있고 오자로 의심되는 것도 더러 있으며, 결락(缺落)된 글자도 있다. 필자는 강의를 듣고, 학습 모임을 갖고, 원고를 정리하면서 이런 것들을 찾아내어 교감기(校勘記 교감 주석)에 드러내었다. 그리고 여러 번역서들을 참고해서 그 장

점을 취하고자 하였으며, 번역서를 참고해도 정오(正誤)를 판별할 수 없는 경우에는 그 사항을 주석에 기술하여 독자에게 참고가 되도록 하였다.

본서는 〈역본의도〉를 소주까지 번역하여 기존의 한계를 극복하였으므로 이에 따라 역학의 깊이와 폭이 한층 깊어지고 넓어지게 될 것으로 사료된다. 이 책을 부모님과 모든 《주역》을 공부하는 이들에게 바친다.

2020년 한로(寒露)에 보성(寶城) 오승환(吳承奐)은 대전 가택에서 쓴다.

범례

1. 본서는 《주역전의대전(周易傳義大全)》의 〈역본의도(易本義圖)〉를 교감(校勘)하고 번역하고 주석한 책이다.

2. 본서는 학민문화사에서 1998년에 출간한 영인본 경진신간내각장판(庚辰新刊內閣藏板) 《주역전의대전(周易傳義大全)》을 저본(底本)으로 삼았다.

3. 본서는 번역서이면서 학습서의 성격을 갖도록 구성하였다. 이에 학습자의 편의를 위하여 원문에 현토(懸吐)·표점(標點)을 하고 한자의 음(音)을 병기하였으며, 난해한 한자와 어휘를 원문 뒤에 붙였다. 번역과 주석은 쉽게 이해할 수 있도록 최대한 평이하고 상세하게 하고자 하였다.

4. 본서에 사용된 주요 부호는 다음과 같다.

《》: 서명

〈〉: 편명. 번역문의 보충역

(): 번역문에서 간단한 역주(譯註)

“ ”: 1차 인용. 대화

‘ ’: 2차 인용. 대화. 강조. 경(經)과 전(傳)의 단어나 구절을 인용한 부분

【 】: 원문의 부록(附錄)과 소주(小註) 표시. 주석에서 교감 주석 표시

-: 번역문에서 대문과 소주가 함께 있을 때 소주 번역 표시. 포인트를 줄임.

|: 원문에서 주격토

、: 원문에서 대등한 명사나 구절의 병렬

·: 원문에서 대등한 명사의 병렬. 번역문에서 대등한 명사의 병렬

.: 번역문의 문장 종결

,: 한 문장 안에서 구(句)나 절(節)의 구분이 필요한 곳

〈역본의도(易本義圖)〉 해제(解題)

〈역본의도(易本義圖)〉 해제(解題)

1. 머리말

《주역전의대전(周易傳義大全)》〈역본의도〉에는 《주역》을 공부함에 앞서 필수적으로 알아야 하는 그림 9개와 태극(太極) · 이기(理氣) · 음양(陰陽) · 오행(五行) · 사상(四象) · 팔괘 · 64괘 등에 대한 내용이 대문과 소주에 상세하게 실려 있다. 그런데 그 내용이 뒤섞여 있기도 하고, 한 가지를 설명하는데 여러 장이 할애되는 것도 있으며, 용어 등에 대해 기본적으로 이해하고 암기해야 하는 것들도 있다. 이에 여기에서는 역학에 등장하는 용어와 생성 원리를 깊이 있게 다루고, 다음으로 〈역본의도〉의 내용을 요약 정리함으로써 학습자의 편의를 돕고자 한다.

2. 용어와 생성 원리

1) 태극(太極)

태극은 이(理)이고,[2] 양의(兩儀) · 사상(四象) · 팔괘(八卦) · 64괘 · 오행(五行) 등 상(象)과 수(數)로 구분되는 것은 모두 기(氣)로서 기는 둘씩 짝으로 이루어지지 않은 것이 없다. 태극, 양의, 사상을 도표로 나타내보면 다음과 같다.

태극양의사상도(太極兩儀四象圖)

				9	8	7	6		數
○	⚊	⚋	10	⚌	⚍	⚎	⚏	5	象
	○天圓	□地方		1	2	3	4		位
	陽(奇)	陰(偶)		太陽	少陰	少陽	太陰		
太極	兩儀			四象					

---

2) 태극은 이(理)이고 : 이해를 돕기 위해 〈역본의도〉에서 태극 · 이(理)와 관련한 학자들의 견해를 제시하면 다음과 같다. 주희(朱熹, 1130~1200)는 "태극은 상(象)과 수(數)가 아직 드러나지 않았으나 그 이치가 이미 갖추어져 있는 것의 칭호이고 형(形)과 기(器)가 이미 갖추어져 있으나 그 이치가 조짐이 없는 것의 명칭이니, 하도와 낙서에 있어서 모두 중앙을 비운 상이다." 하였고, 또 "태극은 다만 하나의 혼륜한 도리일 뿐이므로 그 이면에 음양 · 강유(剛柔) · 기우(奇偶)를 포함하여 있지 않은 것이 없다." 하였고, 또 "태극의 의미는 바로 이(理)의 극치를 이른 것이다. 이 이(理)가 있으면 곧 이 물(物)이 있어서 선후차서로서 말할 수 없다." 하였다. 진덕수(陳德秀, 1178~1235)는 "태극은 바로 천(天) · 지(地) · 인(人) 세 가지가 기(氣) · 형(形)이 이미 갖추어져 있으나 혼륜하여 아직 나뉘지 않은 것을 가리키는 명칭이다." 하였고, 또 "통행(通行)하는 것으로써 말하면 도(道)라 하고, 극치(極致)로써 말하면 극(極)이라 한다." 하였다. 유약(劉爚, 1144~1216)은 "태극은 이(理)이면서 형이상의 것이다. 반드시 의지하는 바가 있은 뒤에 설 수 있기 때문에 비록 하도 · 낙서의 수와 섞이지 않지만 또한 하도 · 낙서의 수와 떨어지지도 않는다. 태극은 이(理)의 근원이 되고 하도 · 낙서는 수의 원조가 되니, 이(理)와 수(數)는 본래 두 가지가 아니다." 하였다.

태극은 상(象)과 수(數), 기(氣)와 형(形)이 이미 갖추어져 있으나 아직 나뉘지 않은 혼륜한 하나의 이(理)로서, 이것을 원으로 상징적으로 나타낸 것이다. 기(氣)가 만물을 이루는 질료로서 형이하라면, 이(理)는 기가 운동 변화하는 법칙 또는 소이연(所以然)으로서 형이상적 성격을 갖는다.

2) 양의(兩儀)

태극이 나뉘면 음(陰)·양(陽)의 양의(兩儀)가 되며, 음양은 상(象)과 수(數), 기(氣)와 형(形)의 시작점이 된다.

고대부터 성현은 음·양을 지구상에서 가장 거대한 존재라고 할 수 있는 하늘〔天〕과 땅〔地〕에 대입하여 이해해 왔다. 곧 양은 하늘의 성격을 갖고, 음은 땅의 성격을 갖는다고 본 것이다. 하늘은 동적이고, 진전하고, 확장하고, 밖을 감싸고 있다면 땅은 정적이고, 물러나고, 수렴하고, 안에 갇혀있다고 할 수 있다.

음양은 각각 --(우(偶)), —(기(奇))로 나타내는데, 이와 같은 형상은 성현의 천원지방(天圓地方)[3]의 설에 의한 것이다. 하늘은 동적이고 나아가는 성격이 있는데 이러한 성격을 갖는 도형은 원(○)이고, 땅은 정적이고 물러나는 성격이 있는데 이러한 성격을 갖는 도형은 정사각형(□)이다. 원은 지름이 1이면 둘레가 3.141592…로 끝없이 지속되어 나아가고, 정사각형은 지름(한 면의 길이)이 1이면 둘레가 4인데 2면씩 짝이 되기 때문에 4에서 2로 물러난다. 이에 하늘을 상징하는 동적인 성격을 갖는 원에서 1과 3을 취하고, 땅을 상징하는 정적인 성격을 갖는 정사각형에서 4와 2를 취한

---

3) 천원지방(天圓地方) : 천원지방은 하늘은 둥글고 동적인 원(○)으로 표상되고, 땅은 방정하고 정적인 정사각형(□)으로 표상된다는 의미를 갖는다. 이를 '하늘은 둥글고 땅은 네모지다.'라고 하여 정말로 하늘은 둥글고 땅(지구)은 네모지다고 옛 사람이 생각했다고 이해하는 경우가 있는데, 이는 잘못이다.

다. ─(기)는 하나만 홀로 있어서 한없이 나아가는 양(하늘 · 원)의 성격을 나타내고, --(우)는 두 개씩 짝으로 있어서 물러나는 음(땅 · 정사각형)의 성격을 나타낸 것이라 할 수 있다. 그리고 하나만 홀로 있는 양의 수 1 · 3 · 5 · 7 · 9 등을 기수(奇數)[4]라 하고 둘씩 짝으로 있는 음의 수 2 · 4 · 6 · 8 · 10 등을 우수(偶數)[5]라고 한다

3) 사상(四象)

양의 곧 음양이 나뉘면 사상(四象)이 된다. 사상은 태양(太陽 ⚌), 소음(少陰 ⚍), 소양(少陽 ⚎), 태음(太陰 ⚏)을 말하며,[6] 하나의 양획(陽劃 ─)과 하나의 음획(陰劃 --) 위에 각각 하나의 양획과 음획이 겹쳐서 생겨난 것이다. 태양은 '양이 크다'는 뜻이고, 소음은 '음이 적다'는 뜻이고, 소양은 '양이 적다'는 뜻이고, 태음은 '음이 크다'는 뜻이다. 태양의 자리〔位〕는 1, 소음의 자리는 2, 소양의 자리는 3, 태음의 자리는 4로서, 이는 양획과 음획의 위에 각각 양획과 음획이 겹쳐서 자연히 이루어진 순서이다.

1 · 2 · 3 · 4에서 1 · 3은 천수 · 기수 · 홀수이고 2 · 4는 지수 · 우수 · 짝수이다. 1 · 3은 원(○)에 취한 것으로 원은 지름이 1에 둘레가 3으로 1에서 3으로 나아가므로 천수에서 3을 취하고 2 · 4는 정사각형(□)에서 취한 것으로 정사각형은 4면이 둘 씩 짝

4) 기수(奇數) : '奇'는 '하나', '남은 수'의 뜻을 갖는 한자이다. 이에 1 · 3 · 5 · 7 · 9 등을 기수라고 하는데 기수는 곧 홀수로서 '홀'은 '짝이 없이 혼자뿐인'의 뜻을 갖는다. 기수 · 홀수는 하늘을 상징하는 원(○)에서 취하였다고 하여 또한 하늘에서 취한 수라는 의미로 천수(天數)라고도 한다.

5) 우수(偶數) : '偶'는 '짝', '짝지을'의 뜻을 갖는 한자이다. 이에 2 · 4 · 6 · 8 · 10 등을 우수라고 하는데 우수는 곧 짝수로서 '짝'은 둘이 한 짝을 이루는 것을 의미한다. 우수 · 짝수는 땅을 상징하는 정사각형(□)에서 취하였다고 하여 또한 땅에서 취한 수라는 의미로 지수(地數)라고도 한다.

6) 사상은……말하며 : 태(太)를 노(老)로 바꾸어 노양(老陽), 소음, 소양, 노음(老陰)이라고도 한다.

이 되어 물러나므로 지수에서 2를 취한다. 이를 천수에서 3을, 지수에서 2를 취한다고 하여 삼천양지(參天兩地)라고 하며, 3과 2를 더하면 5가 된다. 이렇게 하면 1 · 2 · 3 · 4 · 5가 갖추어지며, 이를 하늘과 땅에서 생겨난 수라고 하여 생수(生數)라고 한다. 그리고 하늘의 대표 수 3과 땅의 대표 수 2의 합수 곧 천지의 합수 5에 다시 생수 1 · 2 · 3 · 4 · 5를 더하면 6 · 7 · 8 · 9 · 10이 되는데, 이를 생수에서 비롯하여 이루어진 수라고 하여 성수(成數)라고 한다.

5와 10은 위 〈태극양의사상도〉를 보면 사상의 자리와 수에 해당하지 않고 그 사이 곧 중앙에 위치해 놓았는데, 이는 5는 천수 3과 지수 2를 더한 수이고 10은 천지의 합수(合數) 5에 다시 5를 더한 수로서, 곧 사상의 합수 또는 음양의 합수로서 태극이 자리하는 수임을 나타낸 것이다. 태극이 음양, 사상, 오행 등을 모두 포함하는 혼연한 이(理)이듯 5와 10은 음양의 수, 사상의 자리와 수, 오행의 수를 모두 포함하는 전체 수라고 할 수 있다.

태양의 자리는 1이고 수는 9이며, 소음의 자리는 2이고 수는 8이며, 소양의 자리는 3이고 수는 7이며, 태음의 자리는 4이고 수는 6으로, 자리와 수를 더하면 10이 된다. 곧 태양 1+9, 소음 2+8, 소양 3+7, 태음 4+6은 모두 10으로, 이를 통해 각각의 사상의 자리와 수가 더해져 하나의 혼연한 태극이 됨을 알 수 있다. 사상의 자리와 수를 보면 1, 2, 3, 4, 5로 나아갔다가 6, 7, 8, 9, 10으로 물러나서 둥그런 하나의 원이 되는데, 이를 통해서도 사상이 곧 하나의 혼연한 태극이 됨을 미루어 알 수 있다. 또한 생수는 1 · 2 · 3 · 4 · 5로 나아갔다가 성수는 6 · 7 · 8 · 9 · 10으로 물러나므로 생수와 성수를 음과 양으로 구분하면, 생수는 양이고 성수는 음이 되어 생수는 양수가 되고 성수는 음수가 된다.

4) 팔괘(八卦)

사상 곧 태양(太陽 ⚌), 소음(少陰 ⚍), 소양(少陽 ⚎), 태음(太陰 ⚏)의 위에 각각 양획(—)과 음획(--)을 겹치면 건(乾 ☰), 태(兌 ☱), 이(離 ☲), 진(震 ☳), 손(巽 ☴), 감(坎 ☵), 간(艮 ☶), 곤(坤 ☷)의 팔괘(八卦)가 만들어진다. 팔괘가 이루어지면 천(天)·지(地)·인(人) 삼재(三才)가 갖추어져서 위의 획은 하늘을, 아래 획은 땅을, 가운데 획은 사람을 상징하게 된다. 팔괘가 이루어지면 각 괘마다 하늘〔天〕, 못〔澤〕, 불〔火〕, 우레〔雷〕, 바람〔風〕, 물〔水〕, 산〔山〕, 땅〔地〕 등의 자연물과 아버지〔父〕, 소남(少男), 중남(中男), 장녀(長女), 장남(長男), 중녀(中女), 소녀(少女), 어머니〔母〕 등의 사람과 말〔馬〕, 양(羊), 꿩〔雉〕, 용(龍), 닭〔鷄〕, 돼지〔豚〕, 개〔狗〕, 소〔牛〕 등의 동물과 머리〔首〕, 입〔口〕, 눈〔目〕, 발〔足〕, 다리〔足〕, 넓적다리〔股〕, 귀〔耳〕, 손〔手〕, 배〔腹〕 등의 신체와 굳셈〔健〕, 기쁨〔說〕[7], 걸림〔麗〕[8], 움직임〔動〕, 들어감〔入〕, 험함〔險〕, 그침〔止〕, 순함〔順〕 등의 덕(德)과 방위 등을 상징하게 되는데, 이를 도표로 나타내보면 다음과 같다.

---

7) 기쁨〔說〕: '說'은 '기뻐할 열'이다.

8) 걸림〔麗〕: '麗'는 '걸릴 리'이다.

팔괘배대표(八卦配對表)

괘형	☰	☱	☲	☳	☴	☵	☶	☷
순서 괘명 象	一 乾 天	二 兌 澤	三 離 火	四 震 雷	五 巽 風	六 坎 水	七 艮 山	八 坤 地
명칭	乾三連	兌上絶	離虛中	震下連	巽下絶	坎中連	艮上連	坤三絶
사람	父	少女	中女	長男	長女	中男	少男	母
동물	馬	羊	雉	龍	鷄	豚	狗	牛
신체	首	口	目	足	股	耳	手	腹
卦德	健	說(열)	麗(리)	動	入	險	止	順
四象	⚌		⚍		⚎		⚏	
五行 (文王八卦)	金	金	火	木	木	水	土	土
방위 (伏羲八卦)	南	東南	東	東北	西南	西	西北	北
방위 (文王八卦)	西北	西	南	東	東南	北	東北	西南

도표에서 팔괘와 배합하는 하늘 · 못 등의 괘상(卦象)은 공자(孔子)가 지은 십익(十翼) 가운데 〈설괘전(說卦傳)〉 제3장에 나오고, 아버지 · 소녀 등의 사람은 〈문왕팔괘차서지도(文王八卦次序之圖)〉와 〈설괘전〉 제10장에 나오고, 굳셈 · 기쁨 등의 괘덕은 〈설괘전〉 제7장에 나오고, 말 · 양 등의 동물은 〈설괘전〉 제8장에 나오고, 머리 · 입 등의 신체는 〈설괘전〉 제9장에 나온다. 또 오행은 〈하도(河圖)〉와 〈낙서(洛書)〉에 나오고, 방위는 〈복희팔괘방위지도(伏羲八卦方位之圖)〉와 〈문왕팔괘방위지도(文王八卦方位之圖)〉에 나온다.

건(乾 ☰)을 건삼련(乾三連)이라고 하는 것은 건괘는 세 효가 모두 양효로 이어져있기 때문이고, 태(兌 ☱)를 태상절(兌上絶)이라고 하는 것은 태괘는 상효(上爻)만 음효로 끊어져 있기 때문이고, 이(離 ☲)를 이허중(離虛中)이라고 하는 것은 이괘는 중효

(中爻)만 음효로 끊어져서 마치 가운데가 비어있는 상이기 때문이고, 진(震 ☳)을 진하련(震下連)이라고 하는 것은 진괘는 하효(下爻)만 양효로 이어져있기 때문이고, 손(巽 ☴)을 손하절(巽下絶)이라고 하는 것은 손괘는 하효만 음효로 끊어져 있기 때문이고, 감(坎 ☵)을 감중련(坎中連)이라고 하는 것은 감괘는 중효만 양효로 이어져 있기 때문이고, 간(艮 ☶)을 간상련(艮上連)이라고 하는 것은 간괘는 상효만 양효로 이어져 있기 때문이고, 곤(坤 ☷)을 곤삼절(坤三絶)이라고 하는 것은 곤괘는 세 효 모두 음효로 끊어져 있기 때문이다. 팔괘 각 괘에서 세 효 가운데 한 효만 다를 경우 그 효가 위주가 되기 때문에 이처럼 호칭하는 것이다.

팔괘는 작게 이루어졌다고 하여 소성괘(小成卦)라고도 하며, 양의 · 사상이 그러하듯 팔괘 또한 하나의 혼연한 태극이라고 할 수 있다.

5) 64괘

팔괘의 각 괘 위에 다시 양획(—)과 음획(--)을 겹치면 16이 되고, 다시 그 위에 양획과 음획을 겹치면 32가 되고, 다시 그 위에 양획과 음획을 겹치면 64괘 곧 중괘(重卦)[9]가 된다. 64괘는 384효로 이루어져 있고, 384효는 1년 365일과 원의 360도와 유사하다. 64괘를 둥글게 분포시키면 64괘 원도가 되는데, 여기에 춘(春) · 하(夏) · 추(秋) · 동(冬) 사계절과 24절기를 배합하면 1년의 순환이 이루어지게 된다. 또한 1년 365일이 하루하루 점차 변화해가며 이루어지듯 64괘 384효도 마찬가지로 음효와 양효가 점차 변화하면서 순환한다. 64괘에 다시 음획과 양획을 더하면 128이 되지만 64괘 이후로 더하지 않는 것은 너무 번잡하고 세밀해져서 1년의 주기를 넘어서기 때문

---

9) 중괘(重卦) : 64괘를 중괘라고 하는 것은 팔괘의 각 괘 위에 팔괘를 겹치면 64괘가 이루어지기 때문이다. '重'은 '거듭, 겹칠 중'이다.

인 듯하다. 곧 64괘면 1년 365일, 사계절과 24절기, 사람이 사는 인간 세상의 일 등을 배합하여 설명하기에 충분하기 때문이다. 〈복희육십사괘방위지도(伏羲六十四卦方位之圖)〉의 방도(方圖)를 표로 나타내면 다음과 같다.

복희육십사괘방도(伏羲六十四卦方圖)

重地 坤	山地 剝	水地 比	風地 觀	雷地 豫	火地 晉	澤地 萃	天地 否
地山 謙	重山 艮	水山 蹇	風山 漸	雷山 小過	火山 旅	澤山 咸	天山 遯
地水 師	山水 蒙	重水 坎	風水 渙	雷水 解	火水 未濟	澤水 困	天水 訟
地風 升	山風 蠱	水風 井	重風 巽	雷風 恒	火風 鼎	澤風 大過	天風 姤
地雷 復	山雷 頤	水雷 屯	風雷 益	重雷 震	火雷 噬嗑	澤雷 隨	天雷 无妄
地火 明夷	山火 賁	水火 旣濟	風火 家人	雷火 豊	重火 離	澤火 革	天火 同人
地澤 臨	山澤 損	水澤 節	風澤 中孚	雷澤 歸妹	火澤 睽	重澤 兌	天澤 履
地天 泰	山天 大畜	水天 需	風天 小畜	雷天 大壯	火天 大有	澤天 夬	重天 乾

중천(重天) 건괘(乾卦 ䷀)에서 '중천'은 '하늘이 겹쳤다'는 뜻으로, 건괘는 상괘(上卦)[10]도 건(乾 ☰)이고 하괘(下卦)도 건(乾 ☰)이므로 중천건이라 한다. 하나 더 예를 들어 태괘(泰卦 ䷊)는 상괘는 곤(坤 ☷)이고 하괘는 건(乾 ☰)이다. 이에 태괘를 지천태라고 한다. 중천건, 지천태 등의 호칭은 앞의 〈팔괘배대표(八卦配對表)〉에서 상(象)을 가지고 말한 것으로서, 위 괘부터 먼저 읽고 아래 괘를 읽는다. 또한 소성괘인 팔괘에 천 · 지 · 인 삼재가 갖추어져 있듯 대성괘인 64괘에도 삼재가 갖추어져 있어서 여섯 효에서 맨 위 두 효는 하늘을 상징하고 가운데 두 효는 사람을 상징하고 맨 아래 두 효는 땅을 상징한다.

양의 · 사상 · 팔괘가 그러하듯 64괘 또한 전체가 하나의 혼연한 태극이라고 할 수 있다.

10) 상괘(上卦) : 중괘(重卦) 곧 대성괘(大成卦), 64괘는 팔괘가 겹쳐서 이루어져 있다. 태괘(泰卦 ䷊)를 예로 들면, 위는 곤(坤 ☷)이고 하래는 건(乾 ☰)인데 위에 있는 괘를 상괘(上卦) 또는 외괘(外卦)라고 하고 아래에 있는 괘를 하괘(下卦) 또는 내괘(內卦)라고 한다.

6) 오행(五行)

오행(五行)은 목(木)·화(火)·토(土)·금(金)·수(水) 또는 수(水)·화(火)·목(木)·금(金)·토(土)를 말한다. 오행을 운행하는 차례로 말하면 목·화·토·금·수이고, 생성되는 순서로 말하면 수·화·목·금·토가 된다.[11]

오행은 서로 낳기도 하고 서로 이기기도 하며 순환하는데, 이를 상생(相生)과 상극(相克)이라고 한다. 상생은 목생화(木生火)·화생토(火生土)·토생금(土生金)·금생수(金生水)·수생목(水生木)으로 끊임없이 낳고 생장시키고, 상극은 목극토(木克土)·토극수(土克水)·수극화(水克火)·화극금(火克金)·금극목(金克木)으로 끊임없이 이기고 제재하고 소멸시킨다. 인간세상을 포함한 자연계는 상생과 상극의 조화로 이루어져 있다. 낳고 생장시키는 것이 없으면 혹 소멸하게 되고 이기고 제재하고 소멸시키는 것이 없으면 성취하지 못하게 되기 때문이다.[12]

오행은 그 근원을 하도(河圖)와 낙서(洛書)에서 찾을 수 있다. 하도는 음수와 양수, 생수와 성수가 짝이 되어 1·6 수(水)는 북쪽, 2·7 화(火)는 남쪽, 3·8 목(木)은 동쪽, 4·9 금(金)은 서쪽, 5·10 토(土)는 중앙에 자리하여 상생으로 좌선(左旋 시계 방향)하여 돌고, 낙서는 1·6 수는 북쪽, 2·7 화는 서쪽, 3·8 목은 동쪽, 4·9 금은 남쪽, 5 토는 중앙에 자리하여 상극으로 우선(右旋 시계 반대 방향)하여 돈다. 하도에서 오행이 상생으로 도는 것과 낙서에서 오행이 상극으로 도는 것을 도표로 나타내보면

---

11) 오행을……된다 : 남송 말 원나라 초의 경학가 호일계(胡一桂, 1247~?)는 "질(質)이 땅에 갖추어져 있고 기(氣)가 하늘에 운행하니, 질(質)로써 말하면 수·화·목·금·토이니 천지가 생성되는 순서를 취한 것이고, 기(氣)로써 말하면 목·화·토·금·수이니 춘하추동 운행의 순서를 취한 것이다."라고 하였다.

12) 낳고…… 때문이다 : 호일계(胡一桂)는 "조화는 상생이 없어서도 안 되고 또한 상극이 없어서도 안 된다. 상생하지 않으면 혹 소멸하게 되고 상극하지 않으면 또한 성취하지 못하게 된다."고 하였다.

다음과 같다.

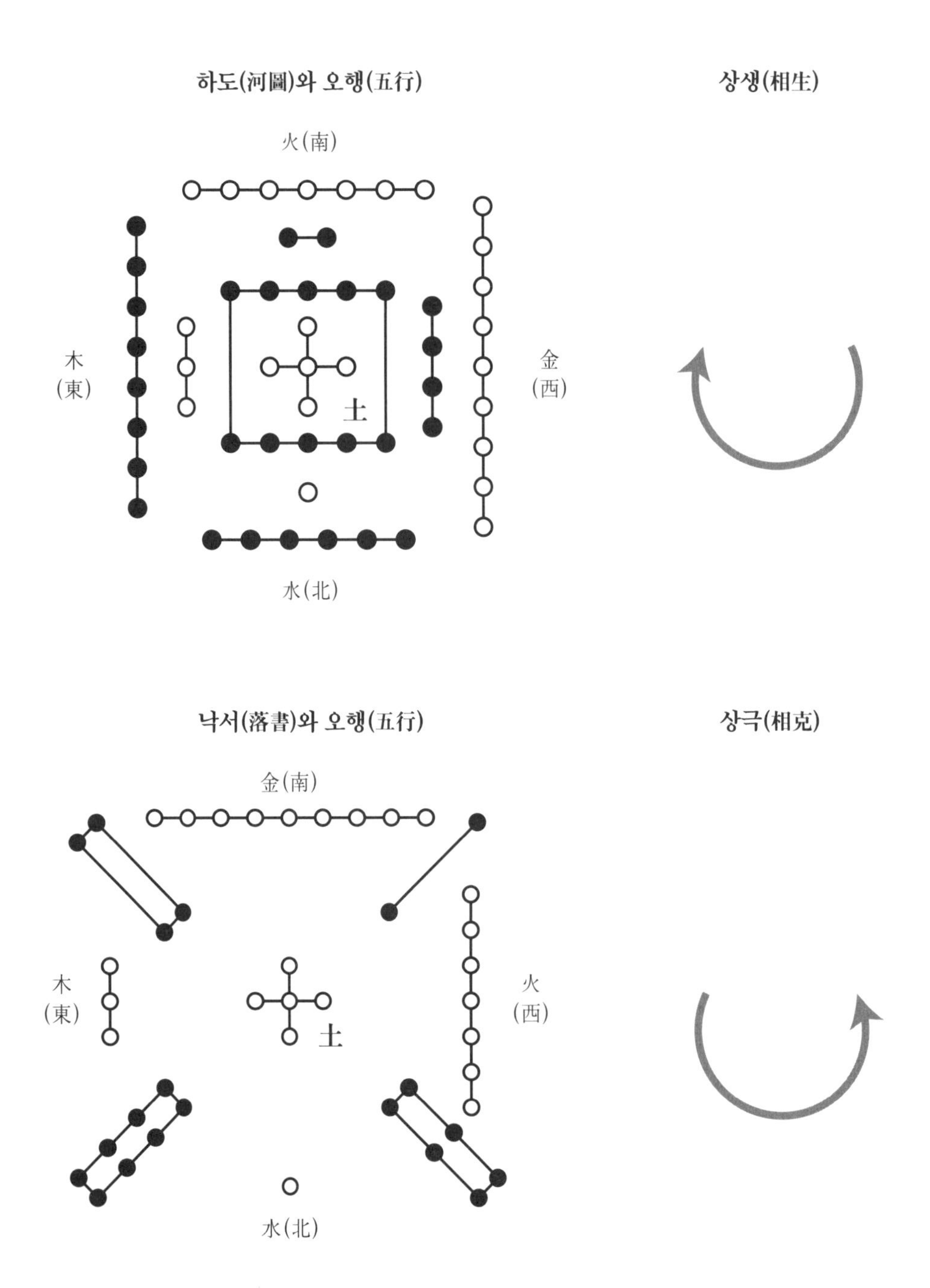

오행은 천지조화의 생성의 작용으로 이루어진 것이다. 1 · 6 수를 예로 들면, 1은 천수이면서 생수이고 6은 지수이면서 성수로서 1 · 6이 짝을 이룸으로써 천지음양의 생성이 작용하게 된다.[13)]

양의 · 사상 · 팔괘 · 64괘가 그러하듯 오행 또한 전체가 하나의 혼연한 태극이라고 할 수 있다.

---

13) 천지음양의……된다 : 주희(朱熹)는 "하늘이 1로 수(水)를 낳으면 땅이 6으로 이루고, 땅이 2로 화(火)를 낳으면 하늘이 7로 이루고, 하늘이 3으로 목(木)을 낳으면 땅이 8로 이루고, 땅이 4로 금(金)을 낳으면 하늘이 9로 이루고, 하늘이 5로 토(土)를 낳으면 땅이 10으로 이루었다." 하였다.

3. 괘효의 명칭과 용어

1) 괘효의 명칭

64괘 각 괘의 효(爻)의 명칭은 아래에서부터 초(初), 이(二), 삼(三), 사(四), 오(五), 상(上)이라 하며, 양효(⚊)를 구(九), 음효(⚋)를 육(六)이라 한다.[14] 지천 태괘(泰卦 ䷊)와 천지 비괘(否卦 ䷋)를 예로 들어 도표로 나타내보면 다음과 같다.

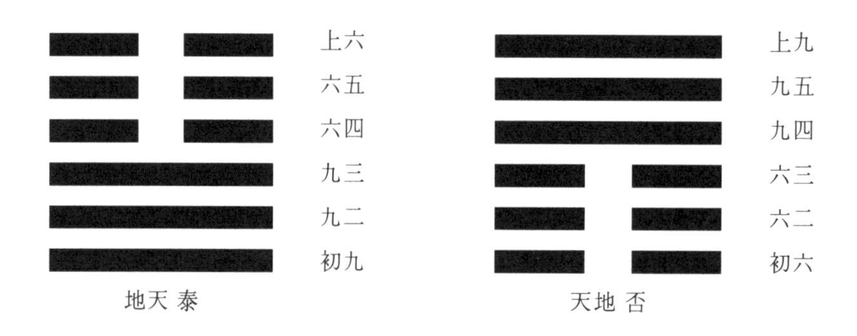

괘효의 여섯 자리〔六位〕를 존비귀천, 개인의 일생, 사건의 전개 등의 관점으로 나누어 배합할 수 있는데, 이것을 도표로 나타내면 다음과 같다.[15]

---

14) 양효(⚊)를……한다 : 양효를 구(九)라 하고 음효를 육(六)이라 하는 데에는 다음의 두 가지 해석이 있다. 첫째, 생수(生數)에서 1 · 3 · 5의 홀수 즉 양수를 합쳐 9로 하여 양효를 삼고 2 · 4의 짝수 즉 음수를 합쳐 6으로 하여 음효를 삼았다는 것이다. 둘째, 설시(揲蓍)할 때 9는 노양(老陽), 8은 소음(少陰), 7은 소양(少陽), 6은 노음(老陰)이 되는데, 노양은 변하여 음이 되고 노음은 변하여 양이 되며 소음과 소양은 변하지 않는 바, 괘는 변하는 것을 원칙으로 하기 때문에 노양의 수인 9를 양으로, 노음의 수인 6을 음으로 삼은 것이라는 것이다. 成百曉, 앞의 책, p.10. 참조.

15) 괘효의……같다 : 도표는 成百曉·申相厚, 《譯註 周易正義 1》, 전통문화연구회, 2019, p.58. 참조.

	사건	개인	지위
上爻	결말	60대	은퇴한 군주
五爻	절정	50대	帝王
四爻	위기	40대	卿
三爻	위기	30대	大夫
二爻	전개	20대	士
初爻	발단	10대	庶人

2) 강유(剛柔)와 중정(中正)

괘효(卦爻)에 있어서 양효(陽爻 ─)를 '강(剛)'이라 하고 음효(陰爻 --)를 '유(柔)'라 한다.[16] 또한 기수(奇數)의 자리인 초(初)·삼(三)·오(五)는 양위(陽位)로써 강(剛)에 해당하고, 우수(偶數)의 자리인 이(二)·사(四)·상(上)은 음위(陰位)로써 유(柔)에 해당한다. 사람에게 있어 강(剛)은 성품이 강건함이 되며, 유(柔)는 유순함이 된다.

괘의 가운데 자리를 중도(中道)를 얻었다는 의미로 '중(中)'이라고 한다. 따라서 중괘(重卦)에서는 하괘 이효(二爻)와 상괘 오효(五爻)의 자리가 중이 되고, 팔괘에서는 이효 자리가 중이 된다. 반대로 이효와 오효의 자리를 제외한 나머지 자리를 '부중(不中)'이라고 한다.

양효가 양위인 초(初)·삼(三)·오(五)에 있을 때와 음효가 음위인 이(二)·사(四)·상(上)에 있을 때 이것을 바름을 얻었다는 의미로 '정(正)'이라고 한다. 반대로 양효가 음위에 있고 음효가 양위에 있으면 이것을 바름을 얻지 못했다하여 '부정(不正)'이라고 한다.

---

16) 양효(陽爻 ─)를……한다 : 천도(天道)로써 말할 때 음양(陰陽)이라 하고 지도(地道)로써 말할 때 강유(剛柔)라 한다.

괘를 예로 들면 기제(䷾)는 모든 효가 정(正)하고 이효와 오효는 중(中)과 정(正)을 겸하여 중정(中正)하다. 육이(六二)는 유순한 음효가 중과 정을 얻었기 때문에 이를 유순중정(柔順中正)이라 하고, 구오(九五)는 강건한 양효가 중과 정을 얻었기 때문에 이를 강건중정(剛健中正)이라 한다. 그리고 구삼(九三)과 구오(九五)는 강건한 양효가 양위에 있으므로 이를 강건함이 겹쳤다, 또는 너무 강건하다는 뜻으로 중강(重剛)이라 한다. 이에 구삼은 지나친 강건함이 되지만 구오는 중도를 얻었으므로 지나치지 않음이 된다. 그리고 인사로써 말할 때 초효와 상효는 지위가 없는 자리가 된다.

괘효의 강유, 중정에 따라 역(易)에서 길흉(吉凶), 회린(悔吝), 유구(有咎) · 무구(無咎)가 결정된다. 길흉은 운이 좋고 나쁨을 말한다. 회린은, 잘못을 저지르고 뉘우침을 회(悔)라 하고 수치스럽거나 곤궁함을 인(吝)이라 한다. 유구(有咎)는 허물이나 재앙이 있는 것이고, 무구(無咎)는 허물이나 재앙이 없다는 뜻인데 '구(咎)'를 '탓할 구'로 보아 자신의 잘못이어서 남을 탓할 수 없다고 풀이하기도 한다.

3) 응(應) · 비(比) · 승(承) · 리(履) · 승(乘)

응 · 비 · 승 · 리 · 승은 6효 상호간의 관계를 나타내는 용어이다.

상괘와 하괘의 양효와 음효가 서로 응할 때 이것을 '응(應)'이라 한다. 곧 초(初)와 사(四), 이(二)와 오(五), 삼(三)과 상(上)의 음효와 양효가 서로 다른 경우로서 이것을 또한 정응(正應), 응여(應與)라고도 한다. 반대로 음효와 양효가 서로 같을 경우 이것을 적응(敵應) 또는 불응(不應)이라 한다. 역에서는 음양의 호응을 중시하여 응(應)이 있는 것을 좋게 여기며, 그 가운데 육이(六二)와 구오(九五)의 호응을 가장 좋게 여기는데 그 까닭은 육이는 신하이고 구오는 군주로서 모두 중정을 얻었기 때문이다.

'비(比)'는 '친하다', '이웃하다'는 뜻으로, 위아래로 이웃한 두 효를 말한다. 곧 초(初)와 이(二), 이(二)와 삼(三), 삼(三)과 사(四), 사(四)와 오(五), 오(五)와 상(上)의 효를 비라 한다.

승(承)·리(履)와 승(乘)은 서로 접하고 있는 두 효가 서로 다를 때 그 관계를 나타내는 용어이다. 음효가 아래에 있고 양효가 위에 있으면서 서로 접해 있을 때 음효가 아래에서 양효를 받들고 있다는 의미로 이를 '승(承)'이라 하며, 양효가 위에서 음효를 밟고 있다는 의미로 이를 '리(履)'라 한다. 이와 반대로 음효가 위에 있고 양효가 아래에 있으면, 음이 양을 타고 있다고 하여 이를 '승(乘)'이라 한다. 음효가 아래에 있고 양효가 위에 있는 승(承)·리(履)는 좋은 것이 되지만, 음효가 위에 있고 양효가 아래에 있는 승(乘)은 위험한 뜻이 된다.

화뇌 서합괘(噬嗑卦 ䷔)를 예로 들어 6효 상호간의 관계를 표로 나타내보면 다음과 같다.[17)]

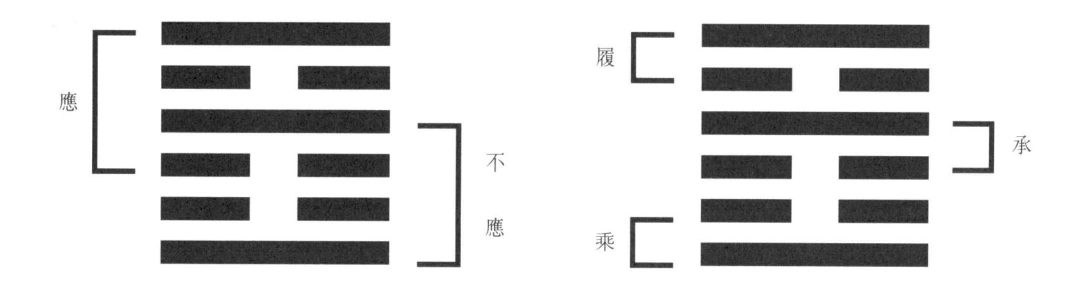

17) 화뇌……같다 : 도표는 成百曉·申相厚, 앞의 책, p. 59. 참조.

4. 〈역본의도(易本義圖)〉

1) 하도(河圖) · 낙서(洛書)

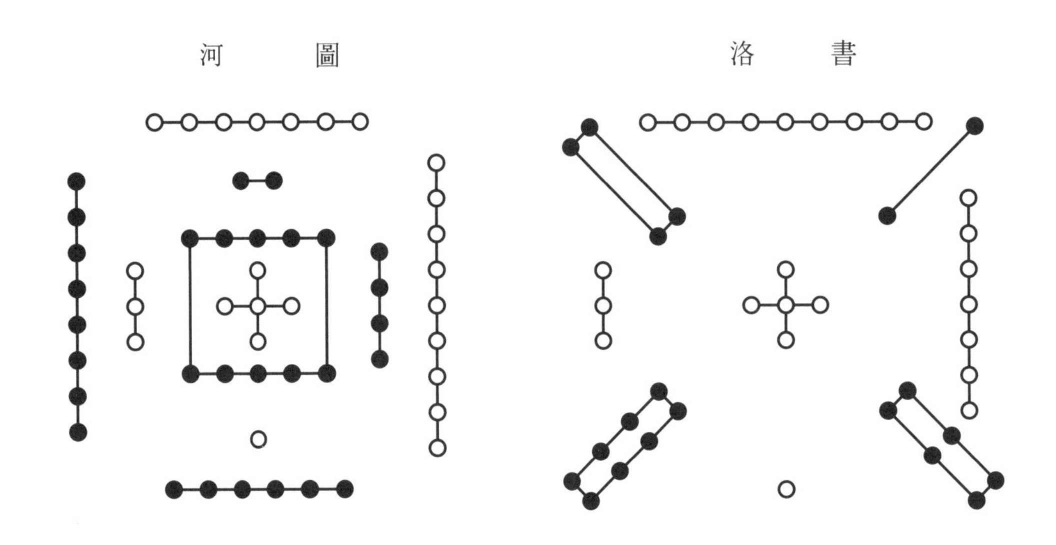

하도(河圖)는 하수(河水 황하)에서 나온 그림이라는 뜻으로, 중국 상고시대 임금이었던 복희씨(伏羲氏)가 천하에 왕 노릇 할 적에 큰 말이 황하에서 나왔는데 말의 등에 있는 선모(旋毛 가마)의 무늬를 본받아 그린 것이다. 그 수는 1 · 6이 북쪽, 2 · 7이 남쪽, 3 · 8이 동쪽, 4 · 9가 서쪽, 5 · 10이 중앙에 위치해 있다. 기수(奇數 1 · 3 · 5 · 7 · 9)의 합은 25이고 우수(偶數 2 · 4 · 6 · 8 · 10)의 합은 30으로, 모두 55이다. 복희씨는 하도를 본받아 팔괘(八卦)를 그었다. 하도는 수를 음 · 양, 기 · 우로 나눌 때 생수(生數)인 1 · 2 · 3 · 4 · 5를 양수로, 성수(成數)인 6 · 7 · 8 · 9 · 10을 음수로 구분하는데, 그 까닭은 하도는 안쪽에 자리하고 있는 생수가 위주가 되기 때문이다.

낙서(洛書)는 낙수(洛水)에서 나온 그림이라는 뜻으로, 중국 고대 하(夏)나라 때 우임금이 치수(治水)할 적에 신귀(神龜)가 나왔는데 그 등껍질에 있는 무늬를 본받아 그린 것이다. 그 수는 기수(奇數 1 · 3 · 5 · 7 · 9)가 정방위에 자리하고 우수(偶數 2 ·

4 · 6 · 8)가 네 모퉁이에 자리한다. 기수의 합은 25이고 우수의 합은 20으로, 모두 45이다. 하도의 수 55와 낙서의 수 45를 더하면 100이 된다. 우임금은 낙서를 본받아 홍범구주(洪範九疇)를 만들었다. 낙서는 수를 음 · 양으로 나눌 때 정방위에 자리하는 1 · 3 · 5 · 7 · 9를 양수로, 네 모퉁이에 자리하는 2 · 4 · 6 · 8을 음수로 구분하는데, 그 까닭은 낙서는 정방위에 자리하고 있는 기수가 위주가 되기 때문이다.

하도는 네 모퉁이가 비어서 전체적으로 둥근 형태로서 책력을 기록하는 수가 이로부터 비롯되었고, 낙서는 네 모퉁이가 차있어서 전체적으로 네모진 형태로서 중국의 구주(九州)와 정전법(井田法)이 이로부터 비롯되었다. 또한 하도는 상생(相生)하여 목생화(木生火) · 화생토(火生土) · 토생금(土生金) · 금생수(金生水) · 수생목(水生木)으로 좌선(시계 방향)하여 돌고, 낙서는 상극(相克)하여 목극토(木克土) · 토극수(土克水) · 수극화(水克火) · 화극금(火克金) · 금극목(金克木)으로 우선(시계 반대 방향)하여 돈다. 하도는 상생으로 돌고 낙서는 상극으로 돌지만 하도에도 상극이 있고 낙서에도 상극이 있다. 하도에서 서로 상대하고 있는 것은 상극으로 되어 있는데 동서의 금극목과 남북의 수극화가 이것이고, 낙서에서 서로 상대하고 있는 것은 상생으로 되어 있는데 동서의 목생화와 남북의 금생수가 이것이다.

하도와 낙서의 가장 큰 특징은 남쪽과 서쪽의 2 · 7 화(火)와 4 · 9 금(金)의 자리가 서로 바뀌었다는 점을 들 수 있다.[18] 두 자리가 서로 바뀜으로써 하도는 상생으로 시계 방향으로 돌고 낙서는 상극으로 시계 반대 방향으로 돌 수 있게 된다. 또한 하도는 형태가 둥글어서 동적이고, 1·6, 2·7, 3·8, 4·9, 5·10의 합이 각각 7, 9, 11, 13, 15로 홀수가 되어 동적이다. 그러나 수는 생수와 성수가 짝이 되어 10까지 있어서 정적이다. 낙서는 형태는 네모져서 정적이고, 가운데 5를 뺀 1·9, 2·8, 3·7, 4·6의 합이 10으로 정적이다. 그러나 수는 기수가 정방에 자리하고 우수가 네 모퉁이에 자리하며 9까지 있어서 동적이다.

하도와 낙서는 사상(四象)의 자리〔位〕와 수(數)가 짝으로 있으며, 태양(9)과 태음(6), 소양(7)과 소음(8)의 합수인 15와 사상의 자리와 수의 합수인 10으로 일정한 체계를 갖추어 이루어져 있다. 먼저 하도에서 서쪽과 북쪽의 태양의 수 9와 태음의 수 6을 더하면 15가 되고, 남쪽과 동쪽의 소양의 수 7과 소음의 수 8을 더하면 15가 된다. 그리고 서쪽과 남쪽의 태양의 자리 1과 수 9를 더하면 10이 되고 태음의 자리 4와 수 6을 더하면 10이 되며, 남쪽과 동쪽의 소양의 자리 3과 수 7을 더하면 10이 되고 소음의 자리 2와 수 8을 더하면 10이 된다. 낙서는 종횡곡직(가로세로 및 대각선)의 합이 모두 15로 되어 있고 가운데 5를 비우면 서로 상대하고 있는 수의 합이 10이 된다. 낙서를 가로로 보면 4·9·2, 3·5·7, 8·1·6으로 그 합이 15이고, 세로로 보면 4·3·

---

18) 하도와……있다 : 2·7 화(火)와 4·9 금(金)의 자리가 바뀐 것에 대해 송말 원초의 호방평(胡方平)은 "2와 4는 생수(生數)로써 말하면 양(陽)에 속하지만 우수(偶數)로써 말하면 음(陰)에 속하여 양이라고 할 수 없으므로 바뀔 수 있는 것이고, 7과 9는 기수(奇數)로써 말하면 양에 속하지만 성수(成數)로써 말하면 음이라고 할 수 있으므로 바뀔 수 있는 것이다."라고 하였고, 남송의 유약(劉爚)은 "하도의 1·3·5·7·9는 모두 기수로써 양인데 1·3·5의 위치는 바뀌지 않고 7·9의 위치는 바뀌는 것은, 또한 천지 사이에 양은 동적이어서 변(變)을 주장하기 때문이다. 그러나 양이 북쪽과 동쪽에서는 움직이지 않고 서쪽과 남쪽에서는 서로 바뀌는 것은, 대개 북쪽과 동쪽은 양이 처음 생겨나는 방위이고 서쪽과 남쪽은 양이 극성한 방위로서 양은 나아가는 수가 위주가 되고 또한 반드시 극도에 나아간 뒤에 변하기 때문이다."라고 하였다.

8, 9 · 5 · 1, 2 · 7 · 6으로 그 합이 15이고, 대각선으로 보면 4 · 5 · 6, 2 · 5 · 8로 그 합이 15이다. 그리고 가운데 5를 비우면 1 · 9, 2 · 8, 3 · 7, 4 · 6이 서로 상대하여 그 합이 10이 된다.

하도와 낙서를 상반되는 점을 위주로 요약해 보면, 하도는 형태가 둥글고, 생수와 성수로 음양을 나누어 생수(1 · 2 · 3 · 4 · 5)가 위주가 되어 안에 자리하고 성수(6 · 7 · 8 · 9 · 10)가 밖에 자리해 있으며, 생수와 성수가 짝으로 이루어져 있어 음양이 사귀어 편안한 뜻이 되고, 상생으로 시계 방향으로 돈다. 반대로 낙서는 형태가 네모지고, 기수와 우수로 음양을 나누어 기수(1 · 3 · 5 · 7 · 9)가 위주가 되어 정방에 자리하고 우수(2 · 4 · 6 · 8)가 네 모퉁이에 자리해 있으며, 기수가 정방에서 네 모퉁이에 있는 우수를 통솔하여 기수와 우수가 구분됨으로써 존귀하고 비천한 자리가 되며, 상극으로 시계 반대 방향으로 돈다.

하도와 낙서는 서로 반대되는 듯하면서도 오행이 갖추어져 있는 등 유사성을 갖고 있는데, 이처럼 하도와 낙서는 서로 체용(體用), 상변(常變), 경위(經緯)의 관계를 갖는다고도 할 수 있다. 하도가 체 · 상 · 경이라면 낙서는 용 · 변 · 위가 되고, 하도가 용 · 변 · 위라면 낙서는 체 · 상 · 경이 되는 것이다. 하도와 낙서는 각각 복희씨와 우임금이 신물(神物)을 보고 그린 것이지만 천지조화가 사람을 빌어 그려낸 것이라고 할 수 있다.

2) 복희팔괘차서지도(伏羲八卦次序之圖)

8	7	6	5	4	3	2	1	
坤☷	艮☶	坎☵	巽☴	震☳	離☲	兌☱	乾☰	八卦
太陰⚏		少陽⚎		少陰⚍		太陽⚌		四象
陰⚋				陽⚊				兩儀
太極								

태극은 상(象)과 수(數), 기(氣)와 형(形)이 이미 갖추어져 있으나 아직 나뉘지 않은 혼륜한 하나의 이(理)로서, 이것이 양의(兩儀)를 낳고 양의가 사상(四象)을 낳고 사상이 팔괘(八卦)를 낳는다.

태극이 나뉘어 하나의 기(奇 —)와 하나의 우(偶 --)를 낳으면 이것이 곧 음 · 양의 양의이고, 하나의 음과 양 위에 다시 기(—)와 우(--)를 낳으면 이것이 곧 태양(太陽 ⚌), 소음(少陰 ⚍), 소양(少陽 ⚎), 태음(太陰 ⚏)의 사상이 되고 하나의 사상 위에 다시 하나의 기(—)와 하나의 우(--)를 낳으면 이것이 곧 건(乾 ☰), 태(兌 ☱), 이(離 ☲), 진(震 ☳), 손(巽 ☴), 감(坎 ☵), 간(艮 ☶), 곤(坤 ☷)의 팔괘가 된다.

건괘에서부터 곤괘까지 이루어지는 것은 역(逆)으로, 모두 이미 생겨난 괘로부터 아직 생겨나지 않은 괘를 얻은 것이다. 이는 춘하추동 사계절을 미리 추산하는 것에 비유할 수 있는데 이것을 〈설괘전(說卦傳)〉 제3장에서 "올 것을 아는 것이 역(逆)이니, 역(易)은 역수(逆數)[19]이다."라고 하였다.

19) 역수(逆數) : '逆'은 '미리', '헤아리다'라는 뜻을 갖는 한자이다. 역수는 앞으로 올 것을 미리 헤아린다는 뜻이다.

3) 복희팔괘방위지도(伏羲八卦方位之圖)

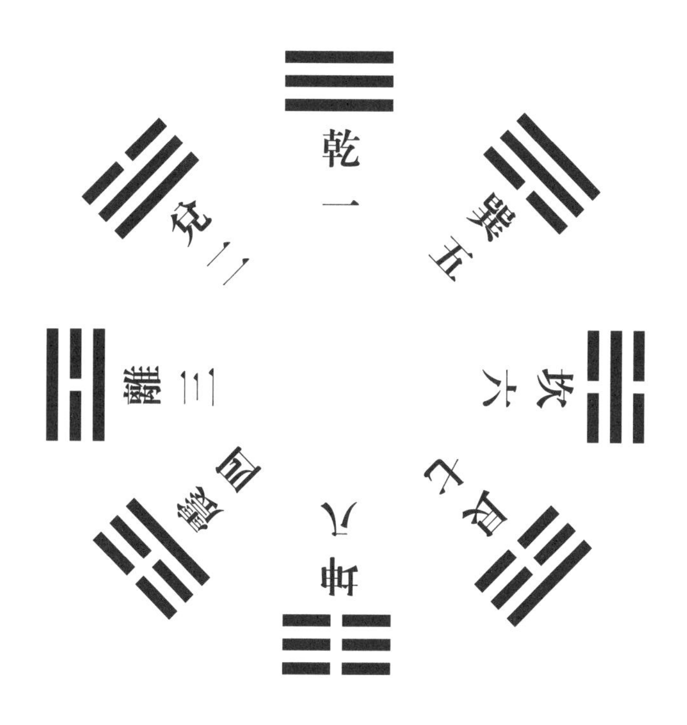

〈복희팔괘방위지도〉는 건(乾 ☰)과 곤(坤 ☷)이 남쪽과 북쪽, 이(離 ☲)와 감(坎 ☵)이 동쪽과 서쪽, 진(震 ☳)은 동북쪽, 태(兌 ☱)는 동남쪽, 손(巽 ☴)은 서남쪽, 간(艮 ☶)은 서북쪽에 자리해 있다.

역(易)에서 방위지도의 기준점은 북쪽으로, 〈복희팔괘방위지도〉는 진, 이, 태, 건, 손, 감, 간, 곤으로 운행한다. 이 가운데 진, 이, 태, 건은 순행(順行)이 되고,[20] 손, 감, 간, 곤은 역행(逆行)이 된다. 진(震 ☳)에서 양(陽)이 처음 생겨나 이(離 ☲)와 태(兌

20) 이……되고 : 앞서 건, 태, 이, 진, 손, 감, 간, 곤의 방향을 역행(逆行)이라고 하였으므로, 그 반대인 진, 이, 태, 건은 순행이 되는 것이다.

☱)를 거쳐 건(乾 ☰)에서 양이 극성하며, 손(巽 ☴)에서 음(陰)이 처음 생겨나 감(坎 ☵)과 간(艮 ☶)을 거쳐 곤(坤 ☷)에 이르러 음이 극성하여 음양이 생장소멸하면서 운행한다. 음양으로 나누어 구분할 때 진, 이, 태, 건의 동쪽은 양방(陽方)이 되고, 손, 감, 간, 곤의 서쪽은 음방(陰方)이 된다.

〈복희팔괘방위지도〉의 팔괘에 사계절과 24절기 등을 배합할 수 있다. 사계절을 배합하면 동쪽의 이괘는 봄, 남쪽의 건괘는 여름, 서쪽의 감괘는 가을, 북쪽의 곤괘는 겨울이 되고, 24절기를 배합하면 곤괘는 동지(冬至), 건괘는 하지(夏至), 이괘는 춘분(春分), 감괘는 추분(秋分), 진괘는 입춘(立春), 태괘는 입하(立夏), 손괘는 입추(立秋), 간괘는 입동(立冬)이 된다. 사시와 절기, 회(晦 그믐) · 삭(朔 초하루) · 현(弦 상현 · 하현) · 망(望 보름)의 달의 차고 기욺, 하루 밤낮의 길고 짧음 등이 모두 〈복희팔괘방위지도〉로부터 비롯되지 않은 것이 없다.

복희씨는 하도를 본받아 복희팔괘를 그었다. 그런데 〈복희팔괘방위지도〉의 괘의 자리는 낙서의 사상(四象)과 부합한다. 〈복희팔괘방위지도〉에서 건(乾 ☰)은 남쪽에 있고 태(兌 ☱)는 동남쪽에 있는데 이는 낙서의 노양 4 · 9의 자리이고, 이(離 ☲)는 동쪽에 있고 진(震 ☳)은 동북쪽에 있는데 이는 낙서의 소음 3 · 8의 자리이고, 손(巽 ☴)은 서남쪽에 있고 감(坎 ☵)은 서쪽에 있는데 이는 낙서의 소양 2 · 7의 자리이고, 간(艮 ☶)은 서북쪽에 있고 곤(坤 ☷)은 북쪽에 있는데 이는 낙서의 노음 1 · 6의 자리이다. 복희씨는 다만 하도에 근거하여 팔괘를 그었고 미리 낙서를 본 것은 아니지만 방위가 이루어짐에 낙서와 더불어 자연스럽게 묵묵히 부합하는 것이다.

〈복희팔괘방위지도〉는 정방에 있는 건(乾 ☰) · 곤(坤 ☷)과 감(坎 ☵) · 이(離 ☲)의 사귐을 위주로 하는데, 주가 되는 것이 남쪽의 건(乾 ☰)에 있다. 이에 〈설괘전(說卦傳)〉 제4장에 '건(乾)으로써 임금노릇 한다.'라고 하였으니, 이는 공자가 복희씨가 양(陽)을 존중하는 뜻을 발명한 것이다. 통솔하여 임어하는 것을 가지고 임금이라 이르니, 천하를 통솔하는 것은 건(乾 ☰)만 같은 것이 없으므로 선천도의 괘의 자리는 하나의 건(乾 ☰)을 종주로 삼는 것이다.

또한 〈복희팔괘방위지도〉의 자리는 건(乾 ☰) 1과 곤(坤 ☷) 8, 태(兌 ☱) 2와 간(艮 ☶) 7, 이(離 ☲) 3과 감(坎 ☵) 6, 진(震 ☳) 4와 손(巽 ☴) 5가 각각 상대하여 합하면 9의 수를 이루고, 그 획은 건(乾 ☰)이 3획이고 곤(坤 ☷)이 6획이며, 태(兌 ☱)가 4획이고 간(艮 ☶)이 5획이며, 이(離 ☲)가 4획이고 감(坎 ☵)이 5획이며, 진(震 ☳)이 5획이고 손(巽 ☴)이 4획으로 또한 각각 상대하여 합해서 9의 수가 된다. 9는 노양(老陽)의 수이고, 하늘〔乾〕의 상(象)으로서 포함하지 않는 것이 없으니, 조화옹이 은연중에 하늘〔乾〕을 존중하는 뜻을 여기에서도 볼 수 있다.

4) 복희육십사괘차서지도(伏羲六十四卦次序之圖)

復 頤 屯 益 震 噬嗑 隨 无妄	明夷 賁 旣濟 家人 豊 離 革 同人	臨 損 節 中孚 歸妹 睽 兌 履	泰 大畜 需 小畜 大壯 大有 夬 乾	
				64
				32
				16
震	離	兌	乾	入卦
少陰		太陽		四象
陽				兩儀
太				

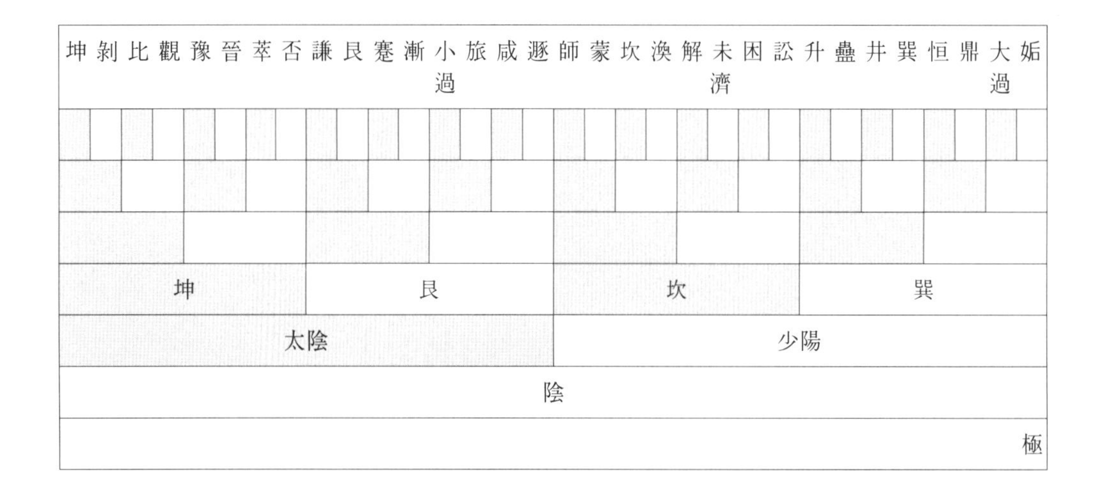

坤 剝 比 觀 豫 晉 萃 否	謙 艮 蹇 漸 小過 旅 咸 遯	師 蒙 坎 渙 解 未濟 困 訟	升 蠱 井 巽 恒 鼎 大過 姤
坤	艮	坎	巽
太陰		少陽	
陰			
			極

복희씨의 팔괘를 긋는 방법을 알았던 이는 공자(孔子, BC 551~479)이고,[21] 이후 아는 이가 없다가 약 1천 5백년이 지나 북송 시대 강절(康節) 소옹(邵雍, 1011~1077)에 이르러 비로소 공자가 말씀한 뜻을 알았다.[22] 이것이 소옹을 높게 평가하는 한 가지 이유이며, 〈복희팔괘차서지도〉가 모두 역행이었듯 〈복희육십사괘차서지도〉도 모두 역행이다.

---

21) 복희씨의……공자(孔子, BC 551~479)이고 : 공자는 〈계사상전(繫辭上傳)〉 제11장에서 "역(易)에 태극이 있으니, 이것이 양의를 낳고, 양의가 사상을 낳고, 사상이 팔괘를 낳는다." 하였고, 또 〈계사하전(繫辭下傳)〉 제1장에서 "인하여 중첩한다.〔因而重之〕" 하였다. 앞의 것은 팔괘를 긋는 방법을 말한 것이고, 뒤의 것은 64괘를 만드는 방법을 말한 것이다.

22) 이후……알았다 : 강절 소옹은 "1이 나뉘어 2가 되고, 2가 나뉘어 4가 되고, 4가 나뉘어 8이 되고, 8이 나뉘어 16이 되고, 16이 나뉘어 32가 되고, 32가 나뉘어 64가 되니, 마치 뿌리에서 줄기가 생기고 줄기에서 가지가 생겨서 더욱 커질수록 더욱 적어지고 더욱 세밀해질수록 더욱 번잡해진다." 하였다.

5) 복희육십사괘방위지도(伏羲六十四卦方位之圖)

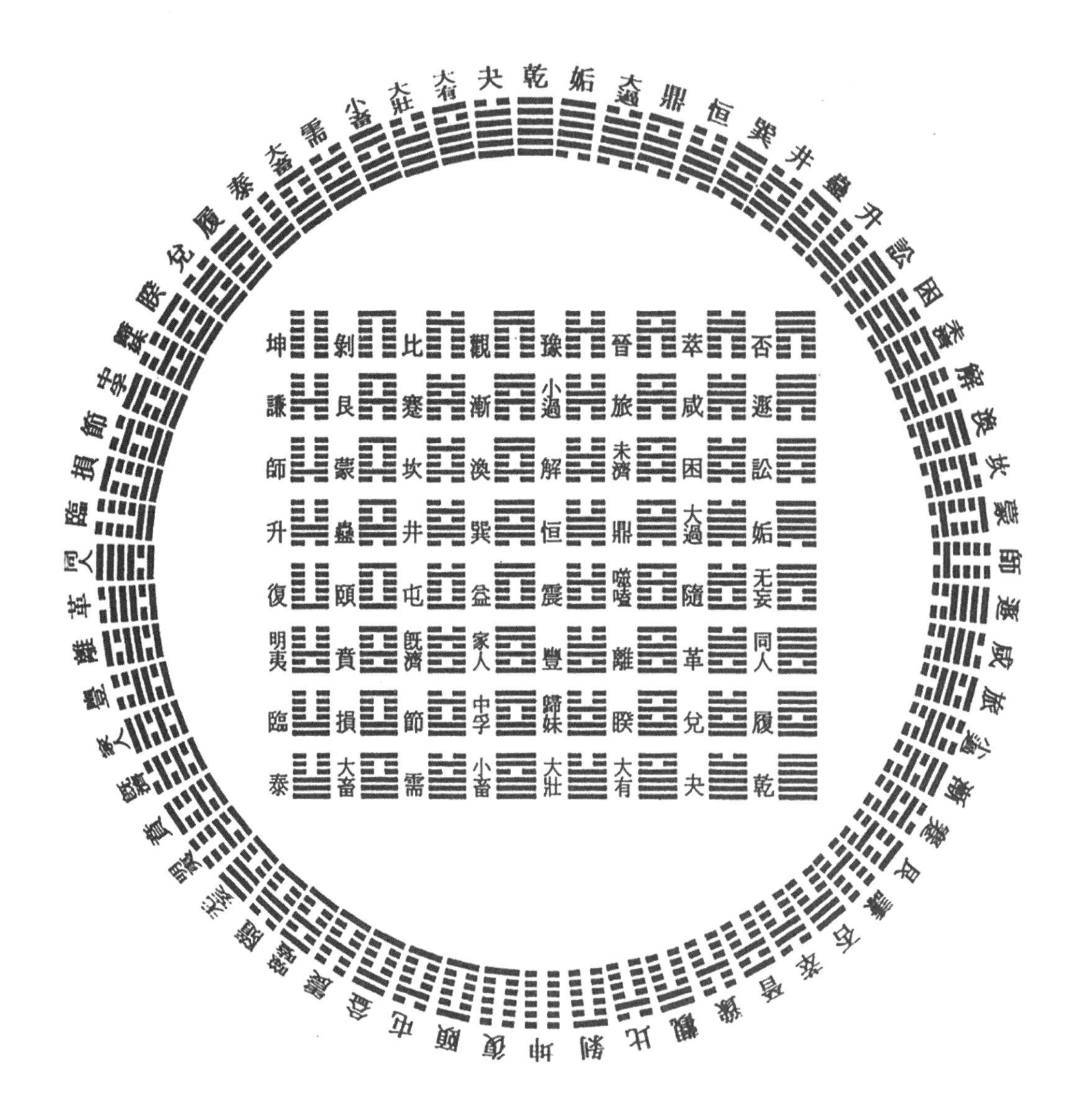

이상 〈복희팔괘차서지도〉, 〈복희팔괘방위지도〉, 〈복희육십사괘차서지도〉, 〈복희육십사괘방위지도〉는 그 설이 모두 강절 소옹으로부터 나왔다. 소옹의 설에 근거하면, 선천(先天)과 후천(後天)으로 구별할 때 이 네 그림을 선천도 또는 선천학이라고 하고, 뒤에 나오는 〈문왕팔괘차서지도〉와 〈문왕팔괘방위지도〉는 후천도 또는 후천학

이라고 한다. 선천도는 본래 복희씨가 그린 것으로서 〈복희육십사괘방위지도〉는 애초에 방도(方圖)가 원도(圓圖)의 아래에 있었는데, 소옹이 방도를 옮겨서 원도의 안에 둔 것이다.

〈복희육십사괘방위지도〉에서 둥근 원도와 네모진 방도를 음양으로 구분하면, 원도는 하늘을 형상한 것으로서 동적인 양(陽)이 되고 방도는 땅을 형상한 것으로서 정적인 음(陰)이 된다. 또한 〈복희팔괘방위지도〉와 마찬가지로 원도의 왼쪽은 양(陽)이고 오른쪽은 음(陰)이다. 64괘는 모두 384효로 이루어져 있는데 양효와 음효가 각각 192효씩 차지한다. 왼쪽 양방은 양효가 112효에 음효가 80효이고, 오른쪽 음방은 음효가 112효에 양효가 80효이다.

원도 64괘의 초효는 32효씩의 양효와 음효 둘로 이루어져 있어 양의가 되고, 2효는 16효씩의 음효와 양효가 넷으로 이루어져 있어 사상이 되고, 3효는 8효씩의 음효와 양효가 8개 있어서 팔괘가 된다. 4효는 4효씩의 음효와 양효가 16개 있고, 5효는 2효씩의 음효와 양효가 32개 있고, 상효는 1효씩의 음효와 양효가 64개 있어서 64괘가 이루어진다.

원도는 하늘을 형상하여 왼쪽은 순행이고 오른쪽은 역행이며 유행하는 가운데 각각의 괘효가 마주대하고 있으니, 지뇌 복괘(復卦 ䷗)와 천풍 구괘(姤卦 ䷫)가 마주대하여 모든 효가 서로 반대인 유가 이것이다. 방도는 땅을 형상하여 역행만 있고 순행은 없으며 자리를 정하여 있는 가운데 마주대하고 있어서 네 모퉁이가 상대하니, 서북쪽 건(乾 ䷀)이 동남쪽의 곤(坤 ䷁)과 마주대하고 있는 유가 이것이다. 하늘은 둥글고 동적이어서 땅의 밖을 감싸고 있으므로 원도는 하늘을 형상하고 땅은 방정하고 정적이어서 하늘 안에 갇혀 있으므로 방도는 땅을 형상하며, 원도는 천도(天道)의 음양(陰陽)이고 방도는 지도(地道)의 강유(剛柔)이다.

원도의 양방은 천도(天道)의 양(陽)이면서 지도(地道)의 강(剛)이고, 음방은 천도의 음(陰)이면서 지도의 유(柔)이다. 지도는 천도를 받들어 운행하니, 지도의 유강(柔剛)으로 천도의 음양(陰陽)에 응하는 것은 한 가지 이치이다. 다만 하늘에 있는 것은 한쪽은 역행이고 한쪽은 순행이니 이 때문에 괘기(卦氣)가 운행할 수 있는 것이고, 땅에 있는 것은 오직 역행만을 위주로 하니 이 때문에 괘획(卦劃)이 이루어질 수 있는 것이다.

괘효가 생성하고 소멸하는 것을 가지고 말해보면, 원도에서 양은 처음 복(復 ䷗)에서 생겨나 건(乾 ䷀)에 이르러 극성하고, 음은 처음 구(姤 ䷫)에서 생겨나 곤(坤 ䷁)에 이르러 극성한다. 왼쪽 양방 복(復 ䷗)에서 건(乾 ䷀)까지는 양효가 점차 생겨나 순행하고 음효는 점차 소멸되어 역행하며, 왼쪽 음방 구(姤 ䷫)에서 곤(坤 ䷁)까지는 음효가 점차 생겨나 순행하고 양효는 점차 소멸되어 역행한다.

원도에서 괘효가 모두 마주대하고 있듯 방도도 모두 마주대하고 있으나, 음양의 위치는 바뀌었다. 건(乾 ䷀)이 원도에서는 남쪽에 위치해 있으나 방도에서는 서북쪽에 위치해 있고 곤(坤 ䷁)이 원도에서는 북쪽에 위치해 있으나 방도에서는 동남쪽에 위치해 있다. 방도의 네 모퉁이에 있는 괘를 예로 들면, 서북쪽의 건(乾 ䷀)과 서남쪽의 곤(坤 ䷁)이 마주대하고 있고 차례대로 태(兌 ䷹)와 간(艮 ䷳), 이(離 ䷝)와 감(坎 ䷜), 진(震 ䷲)과 손(巽 ䷸)이 마주대하고 있다. 동남쪽 모퉁이의 태(泰 ䷊)는 서남쪽 모퉁이의 비(否 ䷋)와 마주대하고 있고 차례대로 손(損 ䷨)과 함(咸 ䷞), 기제(旣濟 ䷾)와 미제(未濟 ䷿), 익(益 ䷩)과 항(恒 ䷟)이 마주대하고 있다.

원도에 12지지(地支)와 24절기를 배합할 수 있다. 먼저 기준점이 되는 정북쪽의 곤(坤 ䷁)을 12지지의 자중(子中 자방의 정중앙)으로 정하면 정동인 묘중(卯中)은 이(離 ䷝), 정남인 오중(午中)은 건(乾 ䷀), 정서인 유중(酉中)은 감(坎 ䷜)이 되고 나머지 지지는 그 사이에 위치한다. 다음으로 소옹이 '동지(冬至)는 자반(子半)이다.'라는 설에 근거하여 24절기를 64괘에 분배해 보면, 동지(冬至)는 곤(坤 ䷁) · 복(復 ䷗), 입춘(立春)은 무망(无妄 ䷘) · 명이(明夷 ䷣), 춘분(春分)은 동인(同人 ䷌) · 임(臨 ䷒), 입하(立夏)는 이(履 ䷉) · 태(泰 ䷊), 하지(夏至)는 건(乾 ䷀) · 구(姤 ䷫), 입추(立秋)는 승(升 ䷭) · 송(訟 ䷅), 추분(秋分)은 사(師 ䷆) · 둔(遯 ䷠), 입동(立冬)은 겸(謙 ䷎) · 비(否 ䷋)가 되고, 나머지 절기는 그 사이에 각각 세 괘씩 배당된다.

6) 문왕팔괘차서지도(文王八卦次序之圖)

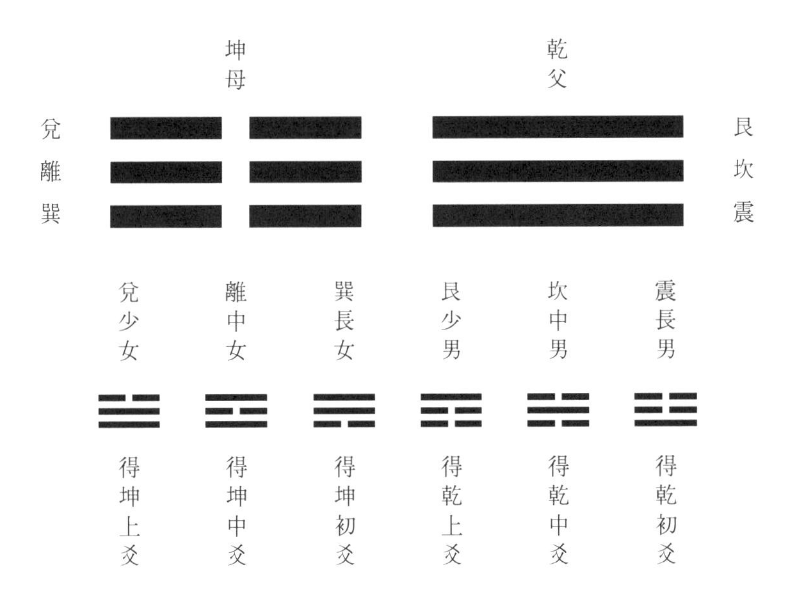

〈설괘전(說卦傳)〉 제10장에 "건(乾 ☰)은 하늘이다. 그러므로 아버지라 칭하고, 곤(坤 ☷)은 땅이다. 그러므로 어머니라 칭하고, 진(震 ☳)은 첫 번째 구하여 사내를 얻었다. 그러므로 장남이라 이르고, 손(巽 ☴)은 첫 번째 구하여 딸을 얻었다. 그러므로 장녀라 이르고, 감(坎 ☵)은 두 번째 구하여 사내를 얻었다. 그러므로 중남이라 이르고, 이(離 ☲)는 두 번째 구하여 딸을 얻었다. 그러므로 중녀라 이르고, 간(艮 ☶)은 세 번째 구하여 사내를 얻었다. 그러므로 소남이라 이르고, 태(兌 ☱)는 세 번째 구하여 딸을 얻었다. 그러므로 소녀라 이른다." 하였다.

진(震 ☳) · 감(坎 ☵) · 간(艮 ☶) 세 아들은 어머니인 곤(坤 ☷)의 체(體)에 각각 아버지인 건(乾 ☰)의 한 효를 얻어서 이루어지고, 손(巽 ☴) · 이(離 ☲) · 태(兌 ☱) 세 딸은 아버지인 건(乾 ☰)의 체에 각각 어머니인 곤(坤 ☷)의 한 효를 얻어서 이루어진다.

후천도인 〈문왕팔괘차서지도〉와 〈문왕팔괘방위지도〉는 인간사로까지 그 영역을 넓힌 것으로서, 괘가 만들어진 뒤에 이러한 상이 있음을 보고 이러한 뜻을 붙인 것이다.

7) 문왕팔괘방위지도(文王八卦方位之圖)

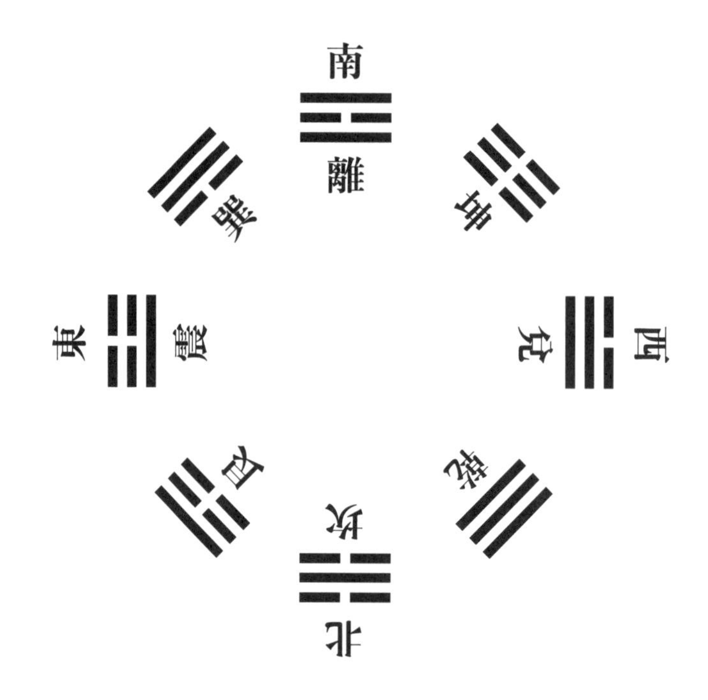

곤괘(坤卦 ☷) 괘사에 '서쪽과 남쪽에서는 벗을 얻고, 동쪽과 북쪽에서는 벗을 잃는다.'라는 기록에 근거하여 강절 소옹은 이 그림을 문왕팔괘에 소속시켰다. 괘사는 문왕이 지은 것이기 때문에 그림도 문왕이 그린 것으로 추리한 것이다. 위 그림에서 남쪽과 서쪽에는 손(巽 ☴) · 이(離 ☲) · 곤(坤 ☷) · 태(兌 ☱)가 있는데 장녀, 중녀, 어머니, 소녀로서 곤괘와 동류이기 때문에 벗을 얻는 것이고, 북쪽과 동쪽에는 건(乾 ☰) · 감(坎 ☵) · 간(艮 ☶) · 진(震 ☳)이 있는데 아버지, 중남, 소남, 장남으로 곤괘와 동류가 아니기 때문에 벗을 잃는 것이다.

〈설괘전(說卦傳)〉 제5장에 "제(帝)가 진(震 ☳)에서 나와서, 손(巽 ☴)에서 가지런하고, 이(離 ☲)에서 서로 보고, 곤(坤 ☷)에서 일이 이루어지고, 태(兌 ☱)에서 기뻐하고, 건(乾 ☰)에서 싸우고, 감(坎 ☵)에서 위로하고, 간(艮 ☶)에서 이룬다. 만물이 진(震 ☳)에서 나오니, 진(震 ☳)은 동쪽에 위치한다. 손(巽 ☴)에서 가지런하니, 손

(巽 ☴)은 동남쪽에 위치한다. 가지런하다는 것은 만물이 깨끗하고 가지런함을 말한다. 이(離 ☲)는 밝음이니, 만물이 모두 서로 보기 때문이니 남쪽에 위치하는 괘이다. 성인이 남면하여 천하 사람들의 말을 들어서 밝음을 향하여 다스리니, 대개 여기에서 취한 것이다. 곤(坤 ☷)은 땅이니, 만물이 모두 길러지기 때문에 곤(坤 ☷)에서 일이 이루어진다고 한 것이다. 태(兌 ☱)는 바로 가을이니, 만물이 기뻐하기 때문에 태(兌 ☱)에서 기뻐한다고 한 것이다. 건(乾 ☰)에서 싸운다는 것은, 건(乾 ☰)은 서북쪽에 위치하는 괘이니, 음양이 서로 부딪힘을 말한다. 감(坎 ☵)은 물을 상징하니, 정북쪽에 위치하는 괘이니, 만물이 귀숙하는 바이기 때문에 감(坎 ☵)에서 위로한다고 한 것이다. 간(艮 ☶)은 동북쪽에 위치하는 괘이니, 만물이 끝을 이루는 바이면서 처음을 이루는 바이기 때문에 간(艮 ☶)에서 이룬다고 한 것이다."라고 하였는데, 이는 〈문왕팔괘방위지도〉를 가지고 말한 것이다.

〈문왕팔괘방위지도〉는 문왕이 〈복희팔괘방위지도〉를 가지고 이것을 인사로써 참작하여 바꾸어 정한 것인데 그 괘의 자리가 하도의 오행과 부합한다. 우선 감(坎 ☵)·이(離 ☲)는 남쪽과 북쪽에 자리하여 두 괘가 각각 1·6 수(水), 2·7 화(火)에 해당한다. 다음으로 진(震 ☳)은 동쪽에 자리하여 천수 3의 목(木 양목(陽木))에 해당하고, 손(巽 ☴)은 동남쪽에 자리하여 지수 8의 목(木 음목(陰木))에 해당하며, 태(兌 ☱)는 서쪽에 자리하여 지수 4의 금(金 양금)에 해당하고, 건(乾 ☰)은 서북쪽에 자리하여 천수 9의 금(金 음금)에 해당하며, 간(艮 ☶)은 동북쪽에 자리하여 천수 5의 토(土 양토)에 해당하고, 곤(坤 ☷)은 서남쪽에 자리하여 지수 10의 토(土 음토)에 해당한다. 문왕은 다만 복희씨의 선천팔괘에 근거하여 후천팔괘를 만들었을 뿐이고 반드시 하도를 추고한 것은 아니지만 방위가 이루어짐에 하도와 더불어 자연스럽게 묵묵히 부합하는 것이다. 문왕팔괘의 방위가 하도의 오행과 부합하는 것을 그림으로 나타내보면 다음과 같다.

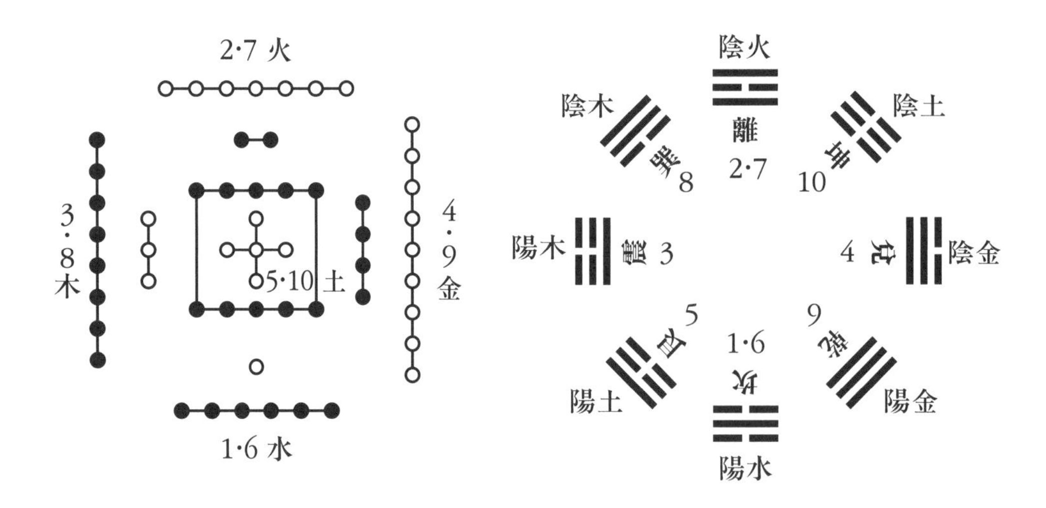

후천팔괘는 정방에 있는 감(坎 ☵) · 이(離 ☲)와 진(震 ☳) · 태(兌 ☱)의 사귐을 위주로 하는데, 주가 되는 것이 동방의 진(震 ☳)에 있다. 이에 〈설괘전〉 제5장에 '제(帝)가 진(震 ☳)에서 나온다.'고 하였으니, 이는 공자가 문왕이 양(陽)을 존중하는 뜻을 발명한 것이다. 주재하는 것을 가지고 상제라 이르니, 제기(祭器)를 주관하는 자는 장자만한 이가 없으므로 후천도의 괘 자리는 하나의 진(震 ☳)을 종주로 삼는 것이니, 건(乾 ☰)이 쓰이지 않으면 진(震 ☳)이 정동에 거하여 그 용(用)을 맡는 것이다. 후천괘에서 중시하는 것은 정동에 있으니, 문왕이 복희팔괘를 바꾸었으나 양을 존중하는 마음을 여기에서도 볼 수 있다.

8) 괘변도(卦變圖)

〈괘변도〉는 남송(南宋) 때 성리학을 집대성한 주희(朱熹 주자(朱子))가 그린 것으로, 그 이전에 괘변(卦變)에 대해 논한 학자들의 논리에 문제가 있음을 인식하고 가장 합리적이라고 생각되는 괘변을 고안해 낸 듯 하다.

괘변이 기록되어 있는 것은 〈단전〉으로, 수(隨 ䷐) · 고(蠱 ䷑) · 비(賁 ䷕) · 함(咸 ䷞) · 항(恒 ䷟) · 점(漸 ䷴) · 환(渙 ䷺) · 송(訟 ䷅) · 무망(无妄 ䷘) 9괘에 언급되어 있다. 이천 정이(程頤)는 건(乾 ☰) · 곤(坤 ☷) 두 괘만을 가지고 괘변을 설명하여 논리에 막힘이 있고, 위(魏)나라 때 왕필(王弼, 226~249)의 괘변은 변화가 자연스럽지 못하며, 송나라 때 주진(朱震, 1072~1138)은 변화가 단지 세 효에 이르러 그쳐서 통하지 않는 부분이 많이 있었다. 그런데 주희는 한 효가 변하는 것으로 괘변을 설명하여 변화가 자연스럽다.

5. 맺음말

《주역》을 공부하려면 먼저 기본적으로 이해하고 암기해야 하는 것들을 반복적으로 읽고 입으로 외우는 것이 가장 빠르고 효율적이다. 예컨대 〈팔괘배대표〉의 괘덕 건, 열, 리, 동, 입, 험, 지, 순을 수없이 반복하는 것이다. 64괘도 중천건(重天乾 ䷀), 택천쾌(澤天夬 ䷪), 화천대유(火天大有 ䷍)의 순으로 도표를 보면서 수없이 반복하다보면 자신도 모르게 입에 오르게 되는데, 이것을 입에 올린다고 하여 상구(上口)라고 한다. 〈역본의도〉에 나오는 그림과 〈태극양의사상도〉, 〈팔괘배대표〉, 팔괘, 64괘는 필수적으로 외우고, 한편 본문을 익숙해질 때까지 읽다보면 《주역》을 공부할 수 있는 기초가 닦이게 될 것이다.

〈역본의도(易本義圖)〉 역주

1) 〈하도지도(河圖之圖)〉·〈낙서지도(洛書之圖)〉

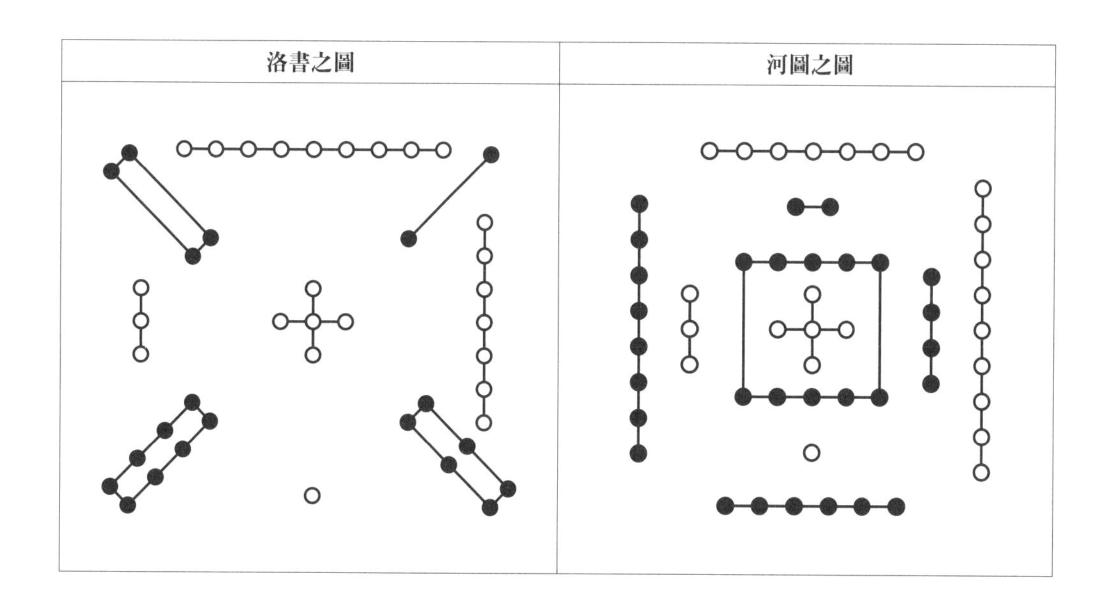

우 계사전 왈하출도 낙출서 성인 칙지 우왈천일 지이 천
右는 **繫辭傳**에 **曰河出圖**하고 **洛出書**어늘 **聖人**이 **則之**라하고 **又曰天一、地二、天**
삼 지사 천오 지육 천칠 지팔 천구 지십 천수 오 지수 오 오
三、地四、天五、地六、天七、地八、天九、地十이니 **天數**ㅣ **五**요 **地數**ㅣ **五**니 **五**
위 상득 이각유합 천수 이십유오 지수 삼십 범천지지수
位ㅣ **相得**하며 **而各有合**하니 **天數**ㅣ **二十有五**요 **地數**ㅣ **三十**이라 **凡天地之數**ㅣ
오십유오 차 소이성변화 이행귀신야 차 하도지수야 낙서
五十有五니 **此**ㅣ **所以成變化**하며 **而行鬼神也**라하니 **此**는 **河圖之數也**라 **洛書**는
개취귀상 고 기수 대구리일 좌삼우칠 이사 위견 육팔
蓋取龜象이라 **故**로 **其數**ㅣ **戴九履一**하고 **左三右七**하고 **二四**ㅣ **爲肩**하고 **六八**ㅣ
위족
爲足이니라

繫 : 매달 계. 則 : 본받을 칙. 곧 즉. 得 : 만날 득. 凡 : 모두, 다 범.
戴 : 일 대. 머리 위에 올리다. 履 : 밟을 리.

이상은 〈계사전(繫辭傳)〉에 "하수(河水)에서 하도(河圖)가 나오고 낙수(洛水)에서 낙서(洛書)가 나왔는데 성인(복희씨와 우임금)이 이것을 본받았다."라 하였고,[23] 또 "천수(天數) 1, 지수(地數) 2, 천수 3, 지수 4, 천수 5, 지수 6, 천수 7, 지수 8, 천수 9, 지수 10이니, 천수가 다섯이고 지수가 다섯이다. 다섯 자리가 서로 만나고 각각 합함이 있으니, 천수는 25이고 지수는 30이다. 모두 천지의 수를 합하면 55이니, 이것이 변화를 이루고 귀신을 운행하게 한다."라고 하였으니,[24] 이것은 하도의 수이다.

낙서는 거북이의 상(象)을 취하였다. 그러므로 그 수가 9를 머리에 이고 1을 밟고 있으며, 왼쪽은 3 오른쪽은 7이며, 2와 4가 어깨가 되고, 6과 8이 발이 된다.

【小註】蔡元定이 曰圖書之象은 自漢孔安國、劉歆과 魏關朗 子明과 有宋 康節先生 邵雍 堯夫ㅣ 皆謂如此러니 至劉牧하야 始兩易其名한대 而諸家ㅣ 因之라 故로 今復之하야 悉從其舊하노라

蔡 : 성 채. 劉 : 성 류. 易 : 바꿀 역. 因 : 따를 인. 復 : 회복할, 되돌릴 복. 悉 : 모두 실.

채원정(蔡元定, 1135~1198)[25]이 말하였다. "하도와 낙서의 상(象)은 한(漢)

---

23) 〈계사전(繫辭傳)〉에……하였고 : 〈계사상전(繫辭上傳)〉 제11장에 보인다. 〈계사전〉은 공자(孔子)가 지었다는 십익(十翼) 가운데 하나로, 십익은 〈단전(彖傳)〉 상 · 하 2편, 〈상전(象傳)〉 상 · 하 2편, 〈계사전〉 상 · 하 2편, 〈문언전(文言傳)〉, 〈설괘전(說卦傳)〉, 〈서괘전(序卦傳)〉, 〈잡괘전(雜卦傳)〉의 7종 10편으로 이루어진다. 〈계사전〉은 고대 중국 사회에서 점서 일종으로서 기능해 온 《주역》이 의리적으로 새롭게 해석될 수 있는 토대를 제공한 철학적 · 총론적 성격을 갖는 글이다.

24) 또……하였으니 : 〈계사상전〉 제9장에 보인다.

25) 채원정(蔡元定, 1135~1198) : 남송(南宋) 사람으로, 자는 계통(季通), 호는 서산(西山), 시호는 문절(文節)이다. 장성하여 정호(程顥) · 정이(程頤), 소옹(邵雍), 장재(張載)의 학문을 배웠고, 나중에 주희(朱熹)를 찾아가 수학했다. 주희의 이학사상(理學思想)을 계승 발전시킨 주요 인물로 평가된다.

나라의 공안국(孔安國, ?~?)[26]과 유흠(劉歆, BC 53~25)[27]으로부터 위(魏)나라의 관랑(關朗, ?~?) 자명(子明)[28]과 송나라의 강절 선생(康節先生) 소옹(邵雍, 1011~1077) 요부(堯夫)[29]가 모두 이와 같다고 하였는데, 유목(劉牧, 1011~1064)에 이르러 처음으로 그 명칭을 서로 바꾸자[30] 제가들이 유목의 견해를 따랐다. 그러므로 지금 되돌려서 모두 옛 견해를 따른다."

【附錄】

孔氏【安國】ㅣ 曰河圖者는 伏羲氏ㅣ 王天下에 龍馬ㅣ 出河어늘 遂則其文하야 以畫八卦하시고 洛書者子는 禹ㅣ 治水時에 神龜負文而列於背하야 有數至九어늘 禹ㅣ 遂因而第之하야 以成九類하시니라

龍 : 클, 용 룡(용). 畫 : 그을 획. 第 : 차례, 순서 제.

【부록】 공씨가 -공안국(孔安國)- 말하였다. "하도는 복희씨가 천하에 왕 노릇 할 적

---

26) 공안국(孔安國, ?~?) : 공자(孔子)의 11대손이다. 전한(前漢) 무제 때의 학자로, 고문학(古文學)의 시조이다.

27) 유흠(劉歆, BC 53~25) : 전한 말기의 학자로, 유향(劉向)의 아들이다.

28) 관랑(關朗, ?~?) 자명(子明) : 위(魏)나라 때의 저명한 은사(隱士)이자 역학자로, 자명은 자(字)이다. 촉한의 명장 관우(關羽)의 현손이다.

29) 강절……요부(堯夫) : 소옹은 북송(北宋) 때의 학자로, 자는 요부(堯夫), 시호는 강절(康節)이다. 이하 본문에서는 소자(邵子)로 칭하였다. 저서에 《황극경세서(皇極經世書)》가 있다.

30) 유목(劉牧, 1011~1064)에……바꾸자 : 유목은 북송 때 사람으로 자는 선지(先之), 목지(牧之)이다. 유목에 이르러 하도를 낙서라 하고 낙서를 하도라 하여 그 명칭을 서로 바꾸었음을 말한다.

에 용마(龍馬 큰 말)가 황하에서 나왔는데 드디어 그 무늬를 본받아 팔괘(八卦)를 그었고, 낙서는 우임금이 치수(治水)할 때 신귀(神龜)가 나왔는데 등껍질에 무늬가 있어 나열되어 있는 수가 9까지 있거늘 우임금이 드디어 이것을 인하여 차례로 진열하여 구류(九類 홍범구주(洪範九疇))[31] 를 만들었다."

【小註】玉齋胡氏ㅣ 曰龍馬는 周禮夏官에 馬ㅣ 八尺以上을 爲龍이라하니 言馬之特異하야 如龍이라 漢武帝元狩三年에 得神馬於渥洼水中하니 亦此之類라 神龜는 大戴禮에 曰甲蟲三百六十而神龜ㅣ爲之長이라하니라 ○臨川吳氏ㅣ 曰河圖ㅣ 自一至十 五十五點之在馬背者ㅣ 其旋毛之圈이 有如星象이라 故로 謂之圖니 非五十五數之外에 別有所謂圖也니라

渥 : 물이름 악. 洼 : 웅덩이 와. 旋 : 둥글 선. 圈 : 동그라미 권.

---

31) 구류(九類 홍범구주(洪範九疇)) : 홍범구주는 《서경》〈홍범〉에 기록되어 있는 우임금이 정한 정치 도덕의 아홉 가지 원칙으로, 낙서를 보고 만들었다고 한다. 곧 첫 번째는 금(金) · 목(木) · 수(水) · 화(火) · 토(土)의 오행(五行)이고, 두 번째는 모(貌) · 언(言) · 시(視) · 청(聽) · 사(思)의 오사(五事)이며, 세 번째는 식(食) · 화(貨) · 사(祀) · 사공(司空) · 사도(司徒) · 사구(司寇) · 빈(賓) · 사(師)의 팔정(八政)이고, 네 번째는 세(歲) · 월(月) · 일(日) · 성신(星辰) · 역수(曆數)의 오기(五紀)이며, 다섯 번째는 황극(皇極)이고, 여섯 번째는 정직(正直) · 강극(剛克) · 유극(柔克)의 삼덕(三德)이며, 일곱 번째는 우(雨) · 제(霽) · 몽(蒙) · 역(驛) · 극(克) · 정(貞) · 회(悔)의 계의(稽疑)이고, 여덟 번째는 우(雨) · 양(暘) · 욱(燠) · 한(寒) · 풍(風) · 시(時)의 서징(庶徵)이며, 아홉 번째는 수(壽) · 부(富) · 강녕(康寧) · 유호덕(攸好德) · 고종명(考終命)의 오복(五福)과 흉단절(凶短折) · 병(病) · 우(憂) · 빈(貧) · 악(惡) · 약(弱)의 육극(六極)이다. 홍범구주의 각 조목을 더하면 모두 51이다.

옥재 호씨(玉齋胡氏)[32]가 말하였다. “용마(龍馬)는《주례(周禮)》〈하관(夏官)〉에 ‘말이 8척 이상인 것을 용(龍)이라 한다.’라고 하였으니, 말이 특이하여 용처럼 큼을 말한다. 한 무제(漢武帝) 원수(元狩) 3년(BC 120)에 악와수(渥洼水) 가운데에서 신마(神馬)를 얻었으니, 또한 이러한 유이다. 신귀(神龜)는《대대례(大戴禮)》에 ‘갑충(甲蟲) 360종 가운데에 신귀가 으뜸이다.’라고 하였다.”

○임천 오씨(臨川吳氏)[33]가 말하였다. “하도는 1에서 10까지 말의 등에 있는 55점이 그 선모(旋毛 가마)의 권점(圈點)이 마치 별자리 모양 같기 때문에 도(圖)라고 한 것이니, 55의 수 이외에 별도로 이른바 도(圖)가 있는 것이 아니다.”

류씨 흠 왈복희씨 계천이왕 수하도이획지 팔괘 시야 우
○劉氏【歆】ㅣ 曰伏羲氏ㅣ 繼天而王할새 受河圖而畫之하시니 八卦ㅣ 是也요 禹
치홍수 사낙서 법이진지 구주 시야 하도낙서 상위경위
ㅣ 治洪水에 賜洛書어늘 法而陳之하시니 九疇ㅣ 是也라 河圖洛書는 相爲經緯하
팔괘구장 상위표리
고 八卦九章은 相爲表裏하니라

法 : 본받을 법. 賜 : 줄 사. 疇 : 무리 주. 經 : 날실, 세로 경. 緯 : 씨줄, 가로 경.

○유씨가 -유흠(劉歆)- 말하였다. “복희씨가 하늘의 뜻을 이어받아 왕 노릇 할 적에 하도를 받아서 그으셨으니 팔괘가 이것이고, 우임금이 홍수를 다스릴 적에 낙서를 내려주자 이것을 본받아 진열하시니 홍범구주가 이것이다. 하도와 낙서는 서로 경(經)

---

32) 옥재 호씨(玉齋胡氏) : 호방평(胡方平)으로, 자는 사국(師魯), 호는 옥재(玉齋)이다. 송말 원초에 주희(朱熹)의 역학을 전승한 중요한 인물이다. 저술에《역학계몽통석(易學啓蒙通釋)》이 있다.

33) 임천 오씨(臨川吳氏) : 오징(吳澄, 1249~1333)으로, 자는 유청(幼淸)이고, 임천군공(臨川郡公)에 추봉되었다. 원나라 때의 걸출한 역학자이자 경학자이다.

·위(緯)가 되고 팔괘와 구장(九章 홍범구주)은 서로 표(表)·리(裏)가 된다.”

【小註】潛室陳氏ㅣ 曰經緯之說은 非是以上下爲經하고 左右爲緯라 大抵經은 言其正이요 緯는 言其變이로대 而二圖ㅣ 互爲正變하니 主河圖而言하면 則河圖ㅣ 爲正하고 洛書ㅣ 爲變이요 主洛書而言하면 則洛書ㅣ 爲正하고 而河圖ㅣ 又爲變이라 要之컨대 天地間에 不過一陰一陽이 以兩其五行而太極이 常居其中하니 二圖ㅣ 雖縱橫變動이라도 要只是參互呈見이니 此ㅣ 所以謂之相爲經緯也라 表裏之說도 亦然하니 蓋河圖ㅣ 不但可以畫卦라 亦可以明疇오 洛書ㅣ 不特可以明疇라 亦可以畫卦니 但當時聖人이 各因一事하야 以垂後世하시니 伏羲는 但據河圖而畫卦하시고 大禹는 但據洛書而明疇시니라 要之컨대 伏羲之畫卦는 其表爲八卦而其裏固可以爲疇요 大禹之敍疇는 其表爲九疇而其裏固可以爲卦하니 此ㅣ 所以謂之相爲表裏也니라

正 : 준칙, 원칙, 정. 要 : 요컨대 요. 呈 : 나타날 정. 特 : 다만 특. 敍 : 펼, 베풀 서.

잠실 진씨(潛室陳氏)[34]가 말하였다. “서로 경(經)·위(緯)가 된다는 설은 상하를 경(經)이라 하고 좌우를 위(緯)라고 하는 것이 아니다. 대저 경(經)은 그 정(正 원칙)을 말한 것이고 위(緯)는 그 변(變 변화)을 말한 것인데 하도와 낙서 두 그림이 서로 정(正)과 변(變)이 된다. 하도를 위주로 하여 말하면 하도가 정

---

34) 잠실 진씨(潛室陳氏) : 진식(陳埴)으로, 자는 기지(器之), 호는 잠실선생(潛室先生) 또는 목종(木鐘)이다. 남송 때 사람으로, 주희의 문인이다. 명도서원(明道書院)의 간관(幹官) 및 산장(山長)을 지냈다.

(正)이 되고 낙서가 변(變)이 되며, 낙서를 위주로 하여 말하면 낙서가 정(正)이 되고 하도가 또한 변(變)이 된다. 요컨대 천지 사이에 하나의 음(陰)과 하나의 양(陽)이 그 오행(五行)에 둘씩 짝으로 있고[35] 태극(太極)이 항상 그 가운데에 있는 것에 불과하다. 두 그림이 비록 종횡으로 변동한다고 하더라도 요컨대 다만 상호 참조해서 보아야 하니, 이것을 서로 경위가 된다고 이르는 것이다.

서로 표(表)·리(裏)가 된다는 설도 또한 그러하니, 하도를 가지고 단지 괘를 그을 수 있을 뿐만 아니라 또한 홍범구주도 밝힐 수 있고 낙서를 가지고 단지 홍범구주를 밝힐 수 있을 뿐만 아니라 또한 괘를 그을 수도 있다. 단지 당시에 성인이 각각 한 가지 일로 인하여 후세에 드리우신 것일 뿐이니, 복희씨는 단지 하도에 근거하여 괘를 그었고 우임금은 단지 낙서에 근거하여 홍범구주를 밝힌 것이다. 요컨대 복희씨가 괘를 그은 것은 그 표(表)는 팔괘가 되고 그 리(裏)는 참으로 구주가 될 수 있고, 우임금이 홍범구주를 펴신 것은 그 표(表)는 홍범구주가 되고 그 리(裏)는 진실로 팔괘가 될 수 있으니, 이것이 서로 표리가 된다고 하는 것이다."

○關氏【朗】ㅣ 曰河圖之文은 七前六後、八左九右요 洛書之文은 九前一後、三左七右、四前左二前右、八後左六後右니라

○관씨가 -관랑(關朗)- 말하였다. "하도의 무늬는 7이 앞에 있고 6이 뒤에 있고 8이 좌측에 있고 9가 우측에 있으며, 낙서의 무늬는 9가 앞에 있고 1이 뒤에 있고 3이 좌

---

35) 하나의……있고 : 오행(五行)은 수(水)·화(火)·목(木)·금(金)·토(土)로, 수는 1·6, 화는 2·7, 목은 3·8, 금은 4·9, 토는 5·10이다. 곧 1·3·5·7·9의 양수(陽數)·홀수·기수(奇數)와 2·4·6·8·10의 음수(陰數)·짝수·우수(偶數)가 각각의 오행에 짝하여 있음을 말한다.

측에 있고 7이 우측에 있고 4가 앞 좌측에 있고 2가 앞 우측에 있고 8이 뒤 좌측에 있고 6이 뒤 우측에 있다.”

소 자 왈 원 자 성 야 력 기 지 수 기 조 어 차 호
○邵子ㅣ 曰圓者는 星也니 曆紀之數ㅣ 其肇於此乎인저

肇 : 비롯할 조.

○소자가 말하였다. “둥근 것은 별이니, 책력을 기록하는 수가 여기에서(하도) 비롯되었을 것이다.[36]

주 자 왈 력 법 합 이 시 이 정 강 유 이 중 이 정 율 력 이
【小註】朱子ㅣ 曰曆法에 合二始하야 以定剛柔하고 二中으로 以定律曆하고 二
종 이 기 윤 여 시 소 위 력 기 야 문 이 시 이 중 이 종 지 설 왈 차 본
終으로 以紀閏餘라하니 是所謂曆紀也라 問二始、二中、二終之說한대 曰此本
당 지 일 행 지 설 이 시 자 일 이 야 일 기 고 위 강 이 우 고
唐志一行之說이라 二始者는 一二也니 一은 奇라 故로 爲剛하고 二는 偶라 故
위 유 이 중 자 오 육 야 오 자 십 일 육 자 십 이 진 야 이 종 자
로 爲柔하며 二中者는 五六也니 五者는 十日이오 六者는 十二辰也라 二終者는
십 여 구 야 윤 여 지 법 이 십 구 세 위 일 장 고 기 언 여 차 연 일
十與九也니 閏餘之法이 以十九歲爲一章이라 故로 其言이 如此라 然이나 一
장 지 수 사 역 부 회 당 시 고 차 기 설 이 명 십 수 지 위 하 도 이
章之數는 似亦附會로대 當時에 姑借其說하야 以明十數之爲河圖爾니라

紀 : 기록할 기. 剛 : 양(陽 ━) 강. 柔 : 음(陰 --) 유. 辰 : 별 진 · 신. 姑 : 잠시 고. 爾 : 뿐 이.

주자가 말하였다. “역법(曆法)에 이시(二始)를 합하여 강유(剛柔)를 정하고 이중(二中)으로 율력(律曆)을 정하고 이종(二終)으로 윤여(閏餘)를 기록하니,

---

36) “둥근……것이다 : 하도(河圖)는 네 모퉁이가 비어 있고 정방에 숫자가 있어서 그 상(象)이 비교적 둥글기 때문에 이렇게 말한 것이다.

이것이 이른바 역기(曆紀)이다."

이시(二始) · 이중(二中) · 이종(二終)의 설에 대하여 묻으니, 다음과 같이 답하였다. "이것은 당나라 기록에 일행(一行, 683~727)[37]의 설에 근본을 둔 것이다. 이시(二始)는 1 · 2이니, 1은 기수(奇數)이므로 강(剛 ━)이 되고 2는 우수(偶數)이므로 유(柔 --)가 된다. 이중(二中)은 5 · 6이니, 5는 10일이고 6은 십이진(十二辰 십이지지)이다. 이종(二終)은 9 · 10이니, 윤여(閏餘)의 법에 19세를 1장(章)으로 삼기 때문에 그 말이 이와 같은 것이다. 그러나 1장(章)의 수는 또한 견강부회한 듯하니, 당시에 우선 그 설을 빌려서 10이 하도의 수가 됨을 밝힌 것일 뿐이다."

방자 토야 획주정지지법 기방어차호
方者는 土也니 畫州井地之法이 其放於此乎인저

放 : 비롯할 방.

방정한 것은 땅이니, 구주(九州)를 구획하고 토지를 우물 정자로 구획하는 법이 여기에서(낙서) 비롯되었을 것이다.[38]

주자 왈주유구 정 구백묘 시소위획주정지야 옥재
【小註】朱子ㅣ 曰州有九하고 井이 九百畝니 是所謂畫州井地也니라 ○玉齋

---

37) 일행(一行, 683~727) : 당나라 때의 밀교 승려이자 천문학자이다.

38) 방정한……것이다 : 우임금이 치수할 때 나왔다는 거북이 등껍질에 있었던 무늬인 낙서는 그 상(象)이 방정하고 그 수(數)가 9까지 있다. 구주(九州)는 중국 고대에 전 국토를 9개의 주(州)로 나눈 것을 말하고, 토지를 우물 정자로 구획하는 법은 정전법(井田法)을 말한다. 정전법은 고대 중국에서 실시한 토지 제도로 사방 1리(里)의 농지를 '井' 자 모양으로 100무(畝)씩 9등분 한 다음 그 중앙의 한 구역을 공전(公田)이라고 하고 둘레의 여덟 구역을 사전(私田)이라고 하여 사전은 여덟 농가에게 맡기고 공전은 여덟 집에서 공동으로 경작하여 그 수확을 나라에 바치게 하던 제도이다. 이처럼 구주와 정전은 방정하면서 9라는 수를 공통적으로 가지고 있으므로 그 근원을 낙서에서 찾은 것이다.

胡氏ㅣ 曰禹ㅣ 別九州하니 冀北、揚南、青東、梁西、兗東北、雍西北、徐東南、荊西南、豫中也요 孟子에 井이 九百畝니 其中이 爲公田이라 八家ㅣ 各私百畝하야 同養公田이라하니라

畝 : 밭이랑 묘 · 무. 養 : 가꿀, 맡을 양.

주자가 말하였다. "주(州)에는 구주(九州)가 있고, 1정(井)이 900묘(畝)니, 이것이 이른바 주(州)를 구획하고 토지를 우물 정자로 구획한다는 것이다."

○옥재 호씨가 말하였다. "우임금이 구주(九州)를 나누었으니, 기주(冀州)는 북쪽, 양주(揚州)는 남쪽, 청주(青州)는 동쪽, 양주(梁州)는 서쪽, 연주(兗州)는 동북쪽, 옹주(雍州)는 서북쪽, 서주(徐州)는 동남쪽, 형주(荊州)는 서남쪽, 예주(豫州)는 중앙이다. 《맹자》에 '1정(井)이 900묘니, 그 가운데가 공전(公田)이다. 여덟 집에서 각각 100묘씩을 사전(私田)으로 받아서 농사를 짓고 공전을 함께 가꾼다.'라고 하였다.[39]"

蓋圓者는 河圖之數요 方者는 洛書之文이라 故로 羲、文이 因之而造易하시고 禹、箕ㅣ 敍之而作範也하시니라

文 : 무늬 문.

대저 둥근 것은 하도의 수이고, 방정한 것은 낙서의 무늬이다. 그러므로 복희씨와 문왕이 이것으로(하도) 인하여 역(易)을 만들었고, 우임금과 기자(箕子)가 이것을(낙서) 펴서 홍범구주를 만들었다."

39) 《맹자》에……하였다 : 《맹자》〈등문공상(滕文公上)〉에 보인다.

【小註】朱子ㅣ 曰圓者는 星也요 圓者는 河圖之數니 言无那四角底하야 其形便圓이라 又曰河圖ㅣ 旣无四隅하니 則比之洛書하면 固亦爲圓이니라 ○九峯蔡氏ㅣ 曰河圖는 體圓而用方하니 聖人이 以之而畫卦하시고 洛書는 體方而用圓하니 聖人이 以之而敍疇하시니라 卦者는 陰陽之象也오 疇者는 五行之數也라 象非偶면 不立하고 數非奇면 不行하나니 奇偶之分은 象數之始也라 陰陽五行이 固非二體요 八卦九疇ㅣ 亦非二致라 理一分殊니 非深於造化者면 安能識之리오 又曰河圖ㅣ 非无奇也로대 而用則存乎偶하고 洛書ㅣ 非无偶也로대 而用則存乎奇하니 偶者는 陰陽之對待乎요 奇者는 五行之迭運乎라 對待者는 不能孤하고 迭運者는 不可窮이니 天地之形이오 四時之行이오 人物之生이오 萬化之凝이라 其妙矣乎인저

无 : 없을 무. '毋'·'無'와 동자(同字). 那 : 저 나. '彼'와 뜻이 같음. 底 : 어조사 저.
便 : 곧, 문득 변. 對 : 마주할, 상대할 대. 隅 : 모퉁이 우. 比 : 견줄 비.
固 : 참으로, 진실로 고. 迭 : 번갈아들 질.

주자가 말하였다. "둥근 것은 별이고, 둥근 것은 하도의 수이니, 네 모퉁이가 없어서 그 형체가 둥긂을 말한다."

또 말하였다. "하도는 이미 네 모퉁이가 없으니, 낙서에 비하면 참으로 또한 둥글다."

○구봉 채씨(九峯蔡氏)[40]가 말하였다. "하도는 체(體)는 둥근데 용(用)은 방

40) 구봉 채씨(九峯蔡氏) : 남송 때의 학자 채침(蔡沉, 1167~1230)으로, 자는 중묵(仲默)이고, 호는 구봉선생(九峯先生)이다. 주희의 문인이다.

정하니 성인(복희씨)이 이것을 가지고 괘를 그으셨고, 낙서는 체(體)는 방정한 데 용(用)은 둥그니 성인(우임금)이 이것을 가지고 홍범구주를 만드셨다. 괘는 음양(陰陽)의 상(象)이고,[41] 구주는 오행(五行)의 수이다.[42] 상(象)은 우수(偶數)가 아니면 성립되지 못하고 수(數)는 기수(奇數)가 아니면 운행하지 못하니, 기수와 우수로 나뉘는 것은 상(象)과 수(數)의 시초이다.[43] 음양과 오행이 진실로 두 가지 체가 아니고, 팔괘와 구주 또한 두 가지가 아니다. 이치는 하나이지만 나뉘어 만 가지로 다르게 되는 것이니, 천지조화의 이치를 깊이 터득한 이가 아니라면 어찌 이것을 알 수 있겠는가."

또 말하였다. "하도에 기수(奇數)가 없는 것은 아니지만 용(用)은 우수(偶數)에 보존되어 있고, 낙서에 우수가 없는 것은 아니지만 용(用)은 기수에 보존되어 있으니, 우수는 음양이 마주대하고 있는 것이고 기수는 오행이 갈마들어 운행하는 것이다. 마주대하고 있는 것은 외롭지 않고 갈마들어 운행하는 것은 다하지 않으니, 천지의 형체이고 사시(四時)의 운행이고 인물(人物)의 생리이고 만화(萬化)의 응집이다. 신묘하도다."

주자 왈천지지간 일기이이 분이위이 즉위음양 이오행조화
○朱子ㅣ 曰天地之間에 一氣而已니 分而爲二하면 則爲陰陽하야 而五行造化、

---

41) 괘는 음양(陰陽)의 상(象)이고 : 복희씨가 하도를 보고서 그었다는 팔괘(八卦)는 음효(陰爻 --)와 양효(陽爻 ㅡ)가 각각 세 효씩 합쳐져서 만들어지기 때문에 이렇게 말한 것이다.

42) 구주는 오행(五行)의 수이다 : 우임금이 낙서를 보고서 만들었다는 홍범구주는 첫 번째 오행(五行)에서부터 아홉 번째 오복(五福)·육극(六極)까지 있고 그 세목은 51이다. 오행(五行)은 1·6 수(水), 2·7 화(火), 3·8 목(木), 4·9 금(金), 5·10 토(土)로, 그 수의 합은 55이다. 홍범구주의 9와 세목 51이 모두 오행에 포함되는 수이므로 이렇게 말한 듯하다.

43) 기수와……시초이다 : 기수(奇數)는 양(陽 ㅡ)이고 우수(偶數)는 음(陰 --)이다. 기수와 우수로 나뉘기 이전은 태극(太極)이고 이후는 음양, 사상(四象), 팔괘, 16, 32, 64, 128 등등으로 한없이 계속된다. 태극은 이(理)이고 음양 이후는 기(氣)이니, 기수와 우수로 나뉘면서부터 상(象)과 수(數)가 시작되게 된다.

萬物始終이 无不管於是焉이라 故로 河圖之位는 一與六이 共宗而居乎北하고 二與七이 爲朋而居乎南하고 三與八이 同道而居乎東하고 四與九ㅣ 爲友而居乎西하고 五與十이 相守而居乎中하니 蓋其所以爲數者는 不過一陰一陽 一奇一偶하야 以兩其五行而已니라

管 : 주관할 관. 於 : 어조사 어. ~에, ~에서. 是 : 이, 이것 시.
焉 : 어조사 언. 宗 : 겨레, 근본, 근원 종. 朋 : 벗, 짝 붕.

○주자가 말하였다. "천지 사이에 하나의 기(氣)가 있을 따름이니, 나뉘어 둘이 되면 음(陰) · 양(陽)이 되어 오행의 조화(造化)와 만물의 시종(始終)이 이것과 관련되지 않는 것이 없다. 그러므로 하도의 자리는 1 · 6이 종통을 함께하여 북쪽에 있고, 2 · 7이 짝이 되어 남쪽에 있고, 3 · 8이 도(道)를 같이하여 동쪽에 있고, 4 · 9가 벗이 되어 서쪽에 있고, 5 · 10이 서로 지켜서 중앙에 있으니, 대개 그 수는 하나의 음과 하나의 양, 하나의 기수(奇數)와 하나의 우수(偶數)가 오행에 둘씩 짝지어 있는 것에 불과할 따름이다.

【小註】朱子ㅣ 曰一與六共宗하고 二與七爲朋者는 蓋是那一在五下하야 便有那六底數하고 二在五邊[44]하야 便有那七底數하고 三四皆然하니라 ○天地生數ㅣ 到五便住하니 那一二三四ㅣ 遇著那五하야 便成六七八九하고 五ㅣ 却自對五成十하나니라 ○問河圖自五之外에 便成六七八九十이니잇고 曰皆從

---

44) 【校】邊 : '上'의 誤字인 듯하다. 앞서 1이 5의 아래에 있다고 하였으므로 2는 5의 위에 있다고 해야 한다. 하도는 2 · 7 화(火)가 좌우 측면이 아닌 중앙 5 · 10 토(土)의 위에 있으므로 '邊'은 마땅히 '上'이 되어야 할 듯하다. 번역문에 수정하여 번역하였다.

오과 즉일 대오이성육 이 대오이성칠 삼 대오이성팔
五過하면 則一이 對五而成六하고 二ㅣ 對五而成七하고 三ㅣ 對五而成八하고

사 대오이성구 도말초 오 우당 개오 변성십
四ㅣ 對五而成九하고 到末梢하야는 五ㅣ 又撞著箇五하야 便成十하나니라

住 : 머무를, 멈출 주. 遇著 : 만나다. 著 : 붙을, 다다를 착. 却 : 도리어, 다시 각. 撞 : 부딪칠 당.

주자가 말하였다. "1 · 6이 종통을 함께하고 2 · 7이 벗이 된다는 것은, 1이 5의 아래에 있어서 〈더하여〉 6의 수가 있게 되고 2가 5의 위에 있어서 〈더하여〉 7의 수가 있게 되는 것이니, 3과 4도 모두 그러하다."

○천지의 생수(生數)[45]가 5에 이르러 머무니, 1 · 2 · 3 · 4가 5를 만나서 곧 6 · 7 · 8 · 9가 되고 5는 다시 스스로 5와 마주대하여 10이 된다.

○묻기를 "하도는 5의 밖에서 6 · 7 · 8 · 9 · 10이 이루어지는 것인가?" 하니, 다음과 같이 답하였다.

"모두 5를 따라 지나가면 1이 5와 마주하여 6이 이루어지고, 2가 5와 마주하여 7이 이루어지고, 3이 5와 마주하여 8이 이루어지고, 4가 5와 마주하여 9가 이루어지고, 끝에 이르러 5가 또 5와 마주하여 10이 이루어진다."

---

45) 천지의 생수(生數) : 하늘과 땅에서 생겨난 수로 1 · 2 · 3 · 4 · 5를 가리킨다. 하늘은 고정되어 있지 않고 움직이는데 움직이는 것은 동적이며 동적인 것은 둥근 원으로 표상되는데 이를 천원(天圓)이라고 한다. 그런데 둥근 원은 지름이 1에 둘레가 3.141592...이므로 원에서 1과 3을 취한다. 땅은 고정되어 움직이지 않는데 정적인 것은 방정한 정사각형으로 표상되는데 이를 지방(地方)이라고 한다. 그런데 정사각형은 4면으로 이루어져 있고 두 면이 한 짝이 되기 때문에 정사각형에서 4와 2를 취한다. 1 · 3은 동적인 하늘에서 취했다고 하여 이를 천수(天數)라고 하며, 또한 양수(陽數)이면서 기수(奇數)이기도 하다. 2 · 4는 정적인 땅에서 취했다고 하여 이를 지수(地數)라며, 또한 음수(陰數)이면서 우수(偶數)이기도 하다. 그런데 동적인 것은 나아가는 의미가 있으므로 천수 1 · 3에서 3을 취하고 정적인 것은 물러나는 의미가 있으므로 지수 2 · 4에서 2를 취한다. 이를 하늘에서 3을 취하고 땅에서 2를 취한다고 하여 삼천양지(參天兩地)고 하는데, 3과 2의 합은 5가 된다. 곧 5는 천수의 대표 수 3과 지수의 대표 수 2를 더해서 만들어진 수인 것이다. 이에 하늘과 땅에서 생겨난 수라고 하여 1 · 2 · 3 · 4 · 5를 생수(生數)라고 한다.

소위천자 양지경청이위호상자야 소위지자 음지중탁이위호하자야
所謂天者는 陽之輕淸而位乎上者也요 所謂地者는 陰之重濁而位乎下者也라

양수 기 고 일삼오칠구 개속호천 소위천수 오야 음수 우
陽數는 奇라 故로 一三五七九ㅣ 皆屬乎天하니 所謂天數ㅣ 五也요 陰數는 偶라

고 이사육팔십 개속호지 소위지수 오야 천수지수 각이류이상
故로 二四六八十이 皆屬乎地하니 所謂地數ㅣ 五也라 天數地數ㅣ 各以類而相

구 소위오위지상득자 연야 천 이일생수이지 이육성지 지
求하니 所謂五位之相得者ㅣ 然也라 天이 以一生數而地ㅣ 以六成之하고 地ㅣ

이이생화이천 이칠성지 천 이삼생목이지 이팔성지 지 이사
以二生火而天이 以七成之하고 天이 以三生木而地ㅣ 以八成之하고 地ㅣ 以四

생금이천 이구성지 천 이오생토이지 이십성지 차 우기소위
生金而天이 以九成之하고 天이 以五生土而地ㅣ 以十成之하니 此ㅣ 又其所謂

각유합언자야 적오기이위이십오 적오우이위삼십 합시이자이위
各有合焉者也라 積五奇而爲二十五하고 積五偶而爲三十하며 合是二者而爲

오십유오 차 하도지전수 개부자지의이제유지설야
五十有五하니 此는 河圖之全數니 皆夫子之意而諸儒之說也니라

有 : 또 유. 積 : 쌓을, 모을 적.

이른바 하늘이라는 것은 양(陽)이 가볍고 맑아서 위에 자리해 있는 것이고, 이른바 땅이라는 것은 음(陰)이 무겁고 탁하여 아래에 자리해 있는 것이다. 양수(陽數)는 기수(奇數 홀수)이므로 1 · 3 · 5 · 7 · 9가 모두 하늘에 속하니 이른바 '천수(天數)가 다섯'이라는 것이고, 음수(陰數)는 우수(偶數 짝수)이므로 2 · 4 · 6 · 8 · 10이 모두 땅에 속하니 이른바 '지수(地數)가 다섯'이라는 것이다. 천수와 지수가 각각 유(類)에 따라 서로 구하니, 이른바 '다섯 자리가 서로 만난다.'는 것이 이것이다.

하늘이 1로 수(水)를 낳으면 땅이 6으로 완성하고, 땅이 2로 화(火)를 낳으면 하늘이 7로 완성하고, 하늘이 3으로 목(木)을 낳으면 땅이 8로 완성하고, 땅이 4로 금(金)을 낳으면 하늘이 9로 완성하고, 하늘이 5로 토(土)를 낳으면 땅이 10으로 완성하니, 이것은 또한 그 이른바 '각각 합함이 있다.'라는 것이다.

다섯 기수(奇數)를 더하면 25가 되고 다섯 우수(偶數)를 더하면 30이 되며, 이 두 수가 합하여 55가 된다. 이것이 하도의 전체 수이니, 모두 공자의 뜻이면서 여러 유자의

설이다.

【小註】朱子ㅣ 曰相得은 如兄弟하고 有合은 如夫婦하니 蓋以相得은 則取其奇偶之相爲次第하야 辨其類而不容紊也요 有合은 則取其奇偶之相爲生成하야 合其類而不容間也라 相得有合四字에 該盡河圖之數하니라 又曰在十干에 甲乙木、丙丁火、戊己土、庚辛金、壬癸水는 便是相得이오 甲與己合하고 乙與庚合하고 丙與辛合하고 丁與壬合하고 戊與癸合은 便是各有合也니라 ○勉齋黃氏ㅣ 曰自一至十은 特言奇偶之多寡爾요 初非以次序而言이라 天得奇而爲水라 故로 曰一生水요 一之極而爲三이라 故로 曰三生木이요 地得偶而爲火라 故로 曰二生火요 二之極而爲四라 故로 曰四生金이니 何也오 一極爲三은 以一運之하면 圓而成三이라 故로 一而三也요 二極爲四는 以二周之하면 方而成四라 故로 二而四也라 如果以次序言하면 則一生數而未成水라가 必至五行俱足하야 猶待第六而後에 成水하며 二生火而未成火라가 必待五行俱足然後에 第七而成火耶아 如此則全不成造化하고 亦不成義理矣니라 六之成水也는 猶坎之爲卦也하니 一陽居中은 天一生數也요 地六이 包於外하야 陽少陰多而水始盛成이요 七之成火也는 猶離之爲卦也하니 一陰居中은 地二生火也요 天七이 包於外하야 陰少陽多而火始盛成이라 坎屬陽而離屬陰은 以其內者ㅣ 爲主而在外者ㅣ 成之也니라 ○雲莊劉氏ㅣ 曰水는 陰也라 生於天一하고 火는 陽也라 生於地二하니 是其方生之始에 陰陽互根이라 故로 其運

行이 水居子位極陰之方而陽이 已生於子하고 火居午位極陽之方而陰이 已生於午하니라 若木生於天三은 專屬陽이라 故로 其行於春에 亦屬陽하고 金生於地四는 專屬陰이라 故로 其行於秋에 亦屬陰하니 不可以陰陽互言矣라 蓋水火는 未離乎氣하니 陰陽交合之初에 其氣ㅣ 自有互根之妙요 木則陽之發達이요 金則陰之收斂而有定質矣니 此ㅣ 其所以與水火不同也니라 ○思齋翁氏ㅣ 曰水火金木이 不得土면 不能各成一器하니 何以見之오 且天一生水하야 一得五便爲水之成하고 地二生火하야 二得五便爲火之成하고 天三生木하야 三得五便爲木之成하고 地四生金하야 四得五便爲金之成하나니 皆本於中五之土也니라 又曰河圖陰陽之位는 生數爲主而成數配之하니 東北陽方은 則主之以奇而與合者ㅣ 偶요 西南陰方은 則主之以偶而與合者ㅣ 奇也니라 ○雙湖胡氏ㅣ 曰五行은 質具於地하고 氣行於天하나니 以質言則曰水火木金土니 取天地生成之序也요 以氣言則曰木火土金水니 取春夏秋冬運行之序也니라

紊 : 어지러울 문. 該 : 모두 해. 盡 : 다, 모두 진. 周 : 두를 주. 如果 : 만일. 如 : 만일 여. 果 : 만약 과. 且 : 우선 차. 俱 : 모두, 함께 구. 猶 : 오히려 유. 耶 : 그런가 야. 의문사. 包 : 감쌀 포. 以 : 생각할(생각건대), 까닭, 써(…으로써) 이. 斂 : 거둘 렴. 配 : 짝지을 배.

주자가 말하였다. "'다섯 자리가 서로 만난다.'라는 것은 형제와 같고, '각각 합함이 있다.'라는 것은 부부와 같다. 생각건대, 서로 만나는 것은 그 기수(奇數)와 우수(偶數)가 서로 차례가 됨을 취하여 그 유(類)를 분별하여 문란함을 용납하지 않고, 합함이 있는 것은 그 기수와 우수가 서로 생수(生數)와 성수(成數)가 됨을 취하여 그 유(類)대로 합하여 틈을 용납하지 않는다. '서로 만난

다.〔相得〕'과 '합함이 있다.〔有合〕'라는 네 글자에 하도의 수가 모두 갖추어져 있다."

또 말하였다. "십간(十干)에 있어서 갑(甲)·을(乙)은 목(木), 병(丙)·정(丁)은 화(火), 무(戊)·기(己)는 토(土), 경(庚)·신(辛)은 금(金), 임(壬)·계(癸)는 수(水)에 해당하는 것은 곧 '서로 만난다.'는 것이고, 갑(甲)이 기(己)와 합하고, 을(乙)이 경(庚)과 합하고, 병(丙)이 신(辛)과 합하고, 정(丁)이 임(壬)과 합하고, 무(戊)가 계(癸)와 합하는 것은 곧 바로 '각각 합함이 있다.'라는 것이다."

○면재 황씨(勉齋黃氏)[46]가 말하였다. "1부터 10까지는 다만 기수와 우수의 다과(多寡)를 말한 것일 뿐이고 애초에 차서로써 말한 것은 아니다. 하늘에서 기수를 얻어[47] 수(水)가 되므로 1이 수(水)를 낳는다고 하는 것이고, 1의 극(極)이 3이므로 3이 목(木)을 낳는다고 하는 것이며, 땅에서 우수를 얻어[48] 화(火)가 되므로 2가 화(火)를 낳는다고 하는 것이고, 2의 극(極)이 4이므로 4가 금(金)을 낳는다고 하는 것이니, 무엇을 말하는 것인가. 1의 극(極)이 3이 되는 것은 1로써 운행하면 둥글어서 3이 이루어진다. 그러므로 1이면서 3인 것이고,[49] 2의 극(極)이 4가 되는 것은 2로써 두르면 방정하여 4가 이루어진다. 그러므로

---

46) 면재 황씨(勉齋黃氏) : 남송 때 학자 황간(黃榦, 1152~1221)으로, 자는 직경(直卿), 호는 면재(勉齋)이다. 주희의 문인으로, 나중에 사위가 되었다.

47) 하늘에서 기수를 얻어 : 하늘은 동적이므로 동적인 둥근 원에서 1·3을 얻음을 이렇게 표현한 것이다.

48) 땅에서 우수를 얻어 : 땅은 정적이므로 정적인 정사각형에서 2·4를 얻음을 이렇게 표현한 것이다.

49) 1의……것이고 : 천체는 동적이면서 둥근 원(圓)으로 표상된다는 천원(天圓)에서 1과 3이 나옴을 이렇게 설명한 것이다.

2이면서 4인 것이다.[50]

만약 차서를 가지고 말한다면, 1이 수(水)를 낳았으나 아직 수(水)가 이루어지지 않다가 반드시 오행(五行)이 모두 갖추어짐에 이르러 오히려 제6을 기다린 뒤에 수(水)가 이루어지고, 2가 화(火)를 낳았으나 아직 화(火)가 이루어지지 않다가 반드시 오행이 모두 갖추어진 연후에 제7을 기다려 화(火)가 이루어진다는 것인가. 이와 같다고 한다면 전혀 조화가 이루어지지 못하고 또한 의리가 이루어지지 못하는 것이다. 6이 수(水)를 이루어주는 것은 감괘(坎卦 ☵)의 괘 형태와 같으니, 1양(陽 ⚊)이 중앙에 있는 것은 천수 1이 수(水)를 낳은 것이고 지수 6이 밖을 감싸서 양(陽)은 적고 음(陰)은 많아 수(水)가 비로소 성대하게 이루어진다. 7이 화(火)를 이루어주는 것은 이괘(離卦 ☲)의 괘 형태와 같으니, 1음(陰 ⚋)이 중앙에 있는 것은 지수 2가 화(火)를 낳은 것이고 천수 7이 밖을 감싸서 음(陰)은 적고 양(陽)은 많아 화(火)가 비로소 성대하게 이루어진다. 감괘(坎卦 ☵)는 양(陽)에 속하고 이괘(離卦 ☲)는 음(陰)에 속하는 것은, 안에 있는 것이 위주가 되고 밖에 있는 것이 이루어주기 때문이다."

○운장 유씨(雲莊劉氏)[51]가 말하였다. "수(水)는 음(陰)인데 천수(天數) 1에서 생겨나고, 화(火)는 양(陽)인데 지수(地水) 2에서 생겨나니, 이는 바야흐로 생성되는 시초에 음과 양이 서로 뿌리가 되는 것이다. 그러므로 그 운행이 수(水)가 자위(子位 정북) 극음(極陰)의 방위에 있는데 양(陽)이 이미 자위(子位)

---

50) 2의……것이다 : 땅은 정적이면서 네모 방정한 정사각형으로 표상된다는 지방(地方)에서 2와 4가 나옴을 이렇게 설명한 것이다.

51) 운장 유씨(雲莊劉氏) : 남송 때의 학자 유약(劉爚, 1144~1216)으로, 자는 회백(晦伯)이고, 호는 운장선생(雲莊先生)이다. 주희와 여조겸(呂祖謙)의 문인이다.

에서 생겨나고,[52] 화(火)가 오위(午位) 극양(極陽)의 방위에 있는데 음(陰)이 이미 오위(午位 정남)에서 생겨나는 것이다. 목(木)이 천수 3에서 생기는 것으로 말하면 오로지 양(陽)에 속하므로 봄에 운행함에 또한 양(陽)에 속하고, 금(金)이 지수 4에서 생기는 것으로 말하면 오로지 음(陰)에 속하므로 가을에 운행함에 또한 음(陰)에 속하니, 〈이 두 목(木)과 금(金)은〉 음양이 서로 뿌리가 된다고 말할 수 없다. 대개 수(水)와 화(火)는 기(氣)와 떨어지지 않으니 음양이 서로 합하는 초기에 그 기(氣)가 스스로 서로 뿌리가 되는 묘함이 있는 것이고, 목(木)은 양(陽)의 발달(發達)이고 금(金)은 음(陰)의 수렴으로서 일정한 질(質)이 있으니, 이것이 수(水)·화(火)와 같지 않은 까닭이다."

○사재 옹씨(思齋翁氏)[53]가 말하였다. "수(水)·화(火)·금(金)·목(木)이 토(土)를 얻지 못하면 각각 하나의 기(器 기(氣)와 질(質))를 이루지 못하니, 어디에서 볼 수 있는가. 우선 천수 1이 수(水)를 낳아서 1이 5를 얻어 〈6이 되어〉 수(水)가 이루어지고,[54] 지수 2가 화(火)를 낳아서 2가 5를 얻어 〈7이 되어〉 화

52) 수(水)가……생겨나고 : 십이지지(十二地支)로 방위를 나타내면 자(子)는 정북, 묘(卯)는 정동, 오(午)는 정남, 유(酉)는 정서가 되며, 나머지 지지는 그 사이에 위치한다. 하도에서 1·6 수(水)가 정북 자(子) 방위에 위치하는데, 여기는 음(陰)이 극성한 자리이면서 또한 양(陽)이 이곳에서 생겨나기 시작함을 말한 것이다.

53) 사재 옹씨(思齋翁氏) : 옹영(翁泳)으로, 영숙(永叔), 호는 사재(思齋)이다. 절재(節齋) 채연(蔡淵)의 문인이다.

54) 우선……이루어지고 : 생수(生數)와 성수(成數)가 각각 합하여 오행(五行)이 이루어짐을 말한 것이다. 오행을 생성된 차례로 말하면 1·6 수(水), 2·7 화(火), 3·8 목(木), 4·9 금(金), 5·10 토(土)가 되는데, 각각의 오행은 천수(天數)와 지수(地數), 생수와 성수로 이루어져 있다. 1·6 수(水)는 천수이면서 생수인 1이 수를 낳고 지수이면서 성수인 6이 이루어주며, 2·7 화(火)는 지수이면서 생수인 2가 화를 낳고 천수이면서 성수인 7이 이루어주는 식이다. 6·7·8·9·10을 성수(成數)라 하는데, 그 까닭은 천수(天數)를 대표하는 3과 지수(地數)를 대표하는 2의 합인 중앙 토(土)의 생수 5에 다시 생수 1·2·3·4·5를 더하면 6·7·8·9·10이 이루어지기 때문이다. 곧 성수는 하늘과 땅을 대표하는 수 3과 2의 합수인 5에 다시 생수를 더하여 이루어진 수라는 의미를 갖는다.

(火)가 이루어지고, 천수 3이 목(木)을 낳아서 3이 5를 얻어 〈8이 되어〉 목(木)이 이루어지고, 지수 4가 금(金)을 낳아서 4가 5를 얻어 〈9가 되어〉 금(金)이 이루어지니, 모두 중앙 5의 토(土)에 근원한 것이다."

또 말하였다. "하도의 음(陰) · 양(陽)의 자리는 생수(生數 1 · 2 · 3 · 4 · 5)가 위주가 되고 성수(成數 6 · 7 · 8 · 9 · 10)가 짝하니,[55] 동북쪽 양(陽)의 방위[56]는 기수(奇數 1 · 3)가 주가 되면서 합하는 것은 우수(偶數 6 · 8)이고, 서남쪽 음(陰)의 방위는 우수(偶數 2 · 4)가 주가 되면서 합하는 것은 기수(奇數 7 · 9)이다."

○쌍호 호씨(雙湖胡氏)[57]가 말하였다. "오행은 질(質)이 땅에 갖추어져 있고 기(氣)가 하늘에 운행하니, 질(質)로써 말하면 수(水) · 화(火) · 목(木) · 금(金) · 토(土)이니 천지가 생성되는 순서를 취한 것이고, 기(氣)로써 말하면 목(木) · 화(火) · 토(土) · 금(金) · 수(水)이니 춘하추동 운행의 순서를 취한 것이다."

지어낙서 수부자지소미언 연 기상기설 이구어전 유이통
至於洛書하야는 雖夫子之所未言이나 然이나 其象其說이 已具於前하니 有以通
지 즉류흠소위경위표리자 가견의
之하면 則劉歆所謂經緯表裏者를 可見矣리라

有以 : …할 수 있다.

---

55) 하도의……짝하니 : 하도(河圖)는 생수(生數)가 위주가 되고, 또한 생수와 성수(成數)로 음(陰) · 양(陽)을 구분한다. 곧 하도의 수를 음수(陰數) · 양수(陽數)로 구분하면, 생수 1 · 2 · 3 · 4 · 5는 양수이고 성수 6 · 7 · 8 · 9 · 10은 음수이다. 하도는 기수(奇數 홀수)와 우수(偶數 짝수)로 음 · 양을 구분하지 않는다는 점에 주의해야 한다.

56) 동북쪽 양(陽)의 방위 : 하도(河圖)에서 생수만을 가지고 보면, 기수(奇數)인 1 · 3이 각각 북쪽과 동쪽에 위치하기 때문에 동북쪽을 양(陽)의 방위라고 한 것이다. 반대로 우수(偶數)인 2 · 4는 각각 남쪽과 서쪽에 위치하기 때문에 서남쪽은 음(陰)의 방위가 된다.

57) 쌍호 호씨(雙湖胡氏) : 남송 말 원나라 초기의 경학가 호일계(胡一桂, 1247~ ?)로, 자는 정방(庭芳), 호는 쌍호(雙湖)이다. 아버지인 호방평(胡方平)의 학문을 이어받았으며, 역학(易學)에 정통하였다.

낙서에 이르러서는 비록 공자께서 말씀하지 않았다. 그러나 그 상(象)과 그 설이 이미 앞에 갖추어져 있으니, 이것에 통함이 있다면 유흠이 이른바 서로 경위가 되고 표리가 된다고 한 것을 알 수 있을 것이다."

【小註】朱子ㅣ 曰河圖四面에 太陽居一而連九하고 少陰居二而連八하고 少陽居三而連七하고 太陰居四而連六하야 數與位ㅣ 合爲十也요 洛書之位는 一與九對하고 二與八對하고 三與七對하고 四與六對하야 亦與河圖不異니라 又曰河圖는 七八이 連於左하고 九六이 連於右하니 皆爲十五요 生數ㅣ 一三五連於左하야 爲九하고 二四連於右하야 爲六하니 九六之合이 亦爲十五요 五與十이 相守於中하니 亦爲十五라 洛書는 縱橫數之하면 皆十五요 互爲七八九六이니라 ○雙湖胡氏ㅣ 曰書之中을 視河圖하면 惟有五而无十이라 然이나 一九、二八、三七、四六之合이 環而向之하야 未嘗无十焉이니라 合圖書之數하야 悉計之하면 爲數者ㅣ 百이니 如犬牙之相制하고 牝牡之相銜하야 其巧妙有如此者하니

縱 : 세로 종. 橫 : 가로 횡. 視 : 견줄 시. 環 : 두를 환.
未嘗 : …이라고 말할 수 없다. 결코 …(이)지 않다. 制 : 누를 제. 억압함. 銜 : 품을 함.

주자가 말하였다. "하도의 사면(四面)에 태양(太陽 ⚌)은 1에 자리하여 9와 연해 있고, 소음(少陰 ⚍)은 2에 자리하여 8과 연해 있고, 소양(少揚 ⚎)은 3에 자리하여 7과 연해 있고, 태음(太陰 ⚏)은 4에 자리하여 6과 연해 있어서 수와

자리가 합하여 10이 된다.[58] 낙서의 자리는 1이 9와 마주대하고 있고, 2가 8과 마주대하고 있고, 3이 7과 마주대하고 있고, 4가 6과 마주대하고 있어서 또한 하도와 다르지 않다."

또 말하였다. "하도는 7 · 8이 왼쪽(남쪽과 동쪽)에 연해 있고 9 · 6이 오른쪽(서쪽 · 북쪽)에 연해 있으니 모두 〈그 합이〉 15가 되고, 생수(生數) 1 · 3 · 5가 왼쪽(북쪽 · 동쪽 · 중앙)에 연해 있어서 〈그 합이〉 9가 되고 2 · 4가 오른쪽(남쪽 · 서쪽)에 연해 있어서 6이 되니 9와 6의 합이 또한 15가 되고, 5와 10이 가운데에 서로 지키고 있어서 또한 15가 된다. 낙서는 종횡으로 세어보면 모두 15이고 서로 7 · 8과 9 · 6이 된다.[59]

○쌍호 호씨가 말하였다. "낙서의 중앙을 하도와 견주어 보면 오직 5만 있고 10은 없다. 그러나 1 · 9, 2 · 8, 3 · 7, 4 · 6의 합이 빙 둘러 가운데로 향해 있어서 10이 없는 것이 아니다. 하도와 낙서의 수를 합하여 모두 계산하면 수가 100이 되니, 개 이빨이 서로 맞물리고 암컷과 수컷이 서로 품는 것과 같아서 그 교묘함이 이와 같은 점이 있다."

---

58) 하도의……된다 : 사상(四象) 곧 태양(太陽 ⚌) · 소음(少陰 ⚍) · 소양(少揚 ⚎) · 태음(太陰 ⚏)을 각각 하도의 수와 연결 지으면, 생수(生數) 1 · 2 · 3 · 4는 사상의 자리〔位〕가 되고 성수(成數) 6 · 7 · 8 · 9는 사상의 수(數)가 된다. 곧 태양(太陽 ⚌)은 자리는 1이고 수는 9이며, 소음(少陰 ⚍)은 자리는 2이고 수는 8이며, 소양(少揚 ⚎)은 자리는 3이고 수는 7이며, 태음(太陰 ⚏)은 자리는 4이고 수는 6이다. 각각의 사상의 자리와 수를 합하면 10이 된다.

59) 낙서는……된다 : 낙서는 종횡으로 그 수를 더하면 모두 15가 되는데, 각각의 종횡이 서로 7 · 8과 9 · 6으로 이루어져 있다. 예를 들면, 낙서의 맨 위 가로는 4 · 9 · 2인데 이 가운데 4와 2를 더하면 6이 되므로 이는 9 · 6의 합인 것이다. 또 가운데 가로는 3 · 5 · 7인데 이 가운데 3과 5를 더하면 8이 되므로 이는 8 · 7의 합인 것이다. 9 · 6과 8 · 7로 이루어져 있다고 한 것은, 곧 사상의 수(數)인 6 · 7 · 8 · 9를 중심으로 말한 것이다. 곧 9 · 6은 태양(太陽 ⚌)과 태음(太陰 ⚏)의 수이고, 8 · 7은 소음(少陰 ⚍)과 소양(少揚 ⚎)의 수인 것이다. 낙서의 종횡이 각각 2태(太 태양 · 태음)와 2소(少 소음 · 소양)의 합으로 이루어져있는 묘함을 여기에서 볼 수 있다.

或曰河圖洛書之位與數ㅣ 所以不同은 何也오 曰河圖는 以五生數로 統五成數하야 而同處其方하니 蓋揭其全하야 以示人而道其常하니 數之體也요 洛書는 以五奇數로 統四偶數하야 而各居其所하니 蓋主於陽以統陰하야 而肇其變하니 數之用也니라

揭 : 들 게. 統 : 통솔할, 거느릴 통.

혹자가 묻기를[60] "하도와 낙서의 자리와 수(數)가 같지 않은 까닭은 어째서인가?" 하자, 다음과 같이 대답하였다.

"하도는 다섯 생수(1 · 2 · 3 · 4 · 5)가 다섯 성수(6 · 7 · 8 · 9 · 10)를 통솔하여 함께 그 방소에 처해 있으니 대개 그 전체 수를 들어서 사람들에게 보임으로써 그 상(常 원칙)을 말한 것이니 수의 체(體)이고,[61] 낙서는 다섯 기수(1 · 3 · 5 · 7 · 9)가 네 우수(2 · 4 · 6 · 8)를 통솔하여 각각 그 방소에 자리해 있으니 대개 양을 위주로 하여 음을 통솔함으로써 그 변(變 변화)을 시작하는 것이니 수의 용(用)이다.[62]"

【小註】玉齋胡氏ㅣ 曰河圖는 以生成으로 分陰陽하야 以五生數之陽으로 統五成數之陰而同處其方하야 陽內陰外하야 生成相合하니 交泰之義也라 洛書

60) 혹자가 묻기를 : 혹자가 물었다고 한 것은 주자가 스스로 가설하여 말한 것이다. 아래도 모두 이와 같다.

61) 그……체(體)이고 : 성백효와 김석진은 이 부분을 '상수(常數)의 체를 말한 것이다.'라고 번역하였다. 金碩鎭,《周易傳義大全譯解 上》, 大有學堂, 2014. p.64. ; 成百曉,《懸吐完譯周易傳義 上》, 傳統文化硏究會, 2007. p.28. 참조.

62) 그……용(用)이다 : 성백효와 김석진은 이 부분을 '변수(變數)의 용(用)를 시작한 것이다.'라고 번역하였다. 金碩鎭, 앞의 책, p.64. ; 成百曉, 앞의 책 p.28. 참조.

는 以奇偶로 分陰陽하야 以五奇數之陽으로 統四偶數之陰而各居其所하야 陽正陰偏하야 奇偶其分하니 尊卑之位也라 河圖數十이니 十者는 對待以立其體라 故로 爲常하고 洛書數九니 九者는 流行以致其用이라 故로 爲變也라 常變之說은 朱子ㅣ 特各擧所重者爲言이요 非謂河圖는 專於常하야 有體而无用하고 洛書는 專於變하야 有用而无體也니라 自河圖四象之合者로 觀之하면 象之列于四方者ㅣ 各當其所處之位하니 此其體之常이오 象之處于西南者ㅣ 不協夫所生之卦하니 又爲用之變矣라 伏羲ㅣ 則其變者하야 以作易하니 卽橫圖卦畫之成而究圓圖卦氣之運하면 則知四象이 分爲八卦에 陰之老少는 不動이로대 而陽之老少는 迭遷하니 此는 主變也라 豈拘於常者乎아 自洛書四象之分者로 觀之하면 象之居于西南者ㅣ 不當其所處之位하니 此其用之變이요 象之列于四方者ㅣ 悉協夫所生之卦하니 又爲體之常矣라 大禹ㅣ 則其常者하야 以作範하고 因武王彛倫攸敍之問하야 以究天錫禹疇之對하면 則知四象이 分爲九疇에 陽居四正則配四陽之卦하야 以爲陰之宰하고 陰居四隅則配四陰之卦하야 以爲陽之輔하니 此는 主常也라 豈撓於變者乎아

偏 : 곁, 가 편. 致 : 이룰 치. 協 : 합할 협. 卽 : 나아갈 즉. 拘 : 구애될 구.
彛 : 떳떳할, 상도(常道) 이. 輔 : 도울 보. 撓 : 어지럽힐, 흔들릴 뇨(요).

옥재 호씨가 말하였다. “하도는 생수(生數) · 성수(成數)로 음(陰) · 양(陽)을

나누어[63] 다섯 생수의 양이 다섯 성수의 음을 통솔하여 함께 그 방소에 처하여 양은 안에 있고 음은 바깥에 있어서 생수와 성수가 서로 합해 있으니, 음양이 사귀어 편안한 뜻이다. 낙서는 기수(奇數)·우수(偶數)로 음·양을 나누어[64] 다섯 기수의 양으로 네 우수의 음(陰)을 통솔하여 각각 그 자리에 있어서 양은 정위(正位)에 자리하고 음은 구석진 곳에 자리하여 기수와 우수가 이미 구분되니, 존비(尊卑)의 자리이다.[65]

하도는 수가 10이니 10은 마주대하여 그 체(體)를 세우므로 상(常)이 되고, 낙서는 수가 9이니 9는 유행하여 그 용(用)을 이루므로 변(變)이 된다. 상(常)이냐 변(變)이냐 하는 설은 주자가 다만 각각 중한 것을 들어 말한 것일 뿐이고, 하도는 상(常)에 전일하여 체(體)만 있고 용(用)은 없으며 낙서는 변(變)에 전일하여 용(用)만 있고 체(體)는 없음을 이른 것은 아니다.

하도를 사상(四象)이 합해 있는 것을 가지고 살펴보면, 사상(四象)이 사방에 나열되어 있는 것이 각각 처한 바의 자리에 마땅하니[66] 이는 그 체(體)이면서 상(常)인 것이고, 사상이 서쪽과 남쪽에 처해 있는 것은 저 생겨난 바의 괘와

---

63) 하도는……나누어 : 하도(河圖)는 생수(生數) 1·2·3·4·5를 양(陽)으로, 성수(成數) 6·7·8·9·10을 음(陰)으로 각각 구분한다. 이에 다섯 생수의 양이 안에 있어서 밖에 있는 다섯 성수의 음을 통솔하여 그 방소에 처해 있다.

64) 낙서는……나누어 : 낙서(洛書)는 기수(奇數) 1·3·5·7·9를 양(陽)으로, 우수(偶數) 2·4·6·8을 음(陰)으로 각각 구분한다. 이에 다섯 기수의 양이 정방에 자리하여 모퉁이에 있는 네 우수를 통솔하여 각각 그 자리에 처해 있다.

65) 존비(尊卑)의 자리이다 : 낙서(洛書)는 동서남북 정방에 기수(奇數)가 자리해 있고 네 모퉁이에 우수(偶數)가 자리해 있으니, 정방은 존귀한 자리이고 네 모퉁이는 비천한 자리가 된다.

66) 사상(四象)이……마땅하니 : 사상(四象)은 태양(太陽 ⚌), 소음(少陰 ⚍), 소양(少陽 ⚎), 태음(太陰 ⚏)으로 그 수는 각각 9, 8, 7, 6이다. 하도를 사상으로 살펴보면, 태음인 6은 북쪽에 있고, 소양인 7은 남쪽에 있고, 소음인 8은 동쪽에 있고, 태양인 9는 서쪽에 있다..

맞지 않으니[67] 또한 용(用)이면서 변(變)이 된다. 복희씨는 그 변(變)을 본받아 역(易)을 만들었으니, 곧 횡도(橫圖 복희팔괘차서지도)의 괘의 획이 이루어진 것에 나아가 원도(圓圖 복희팔괘방위지도)의 괘의 기(氣)가 운행하는 것을 궁구해 보면, 사상이 나뉘어 팔괘가 됨에 노음(老陰)과 소음(少陰)은 움직이지 않지만 노양(老陽)과 소양(少陽)은 서로 자리를 바꾸니, 이것은 변(變)을 주장하는 것이다. 어찌 상(常)에 구애되는 것이겠는가.

낙서를 사상(四象)이 나뉜 것을 가지고 살펴보면, 사상이 서쪽과 남쪽에 있는 것이 처한 바의 자리에 마땅하지 않으니 이는 용(用)이면서 변(變)인 것이고,[68] 사상이 사방에 나열되어 있는 것이 모두 저 낳은 바의 괘와 모두 맞으니 또한 체(體)이면서 상(常)이 된다.[69] 우임금은 그 상(常)을 본받아서 홍범구주를 만들었고, 무왕(武王)이 이륜(彝倫)이 펴지게 된 이유를 물음으로 인하여

---

67) 사상이……않으니 : 사상(四象)으로 하도(河圖)를 살펴보면, 서쪽은 태양(太陽 9)이고 남쪽은 소양(少陽 7)이다. 그런데 복희씨가 하도를 본받아 복희팔괘를 그었는데 〈복희팔괘방위지도〉를 살펴보면, 태양(太陽 ⚌)은 남쪽에 위치해 있고 소양(少揚 ⚎)은 서쪽에 위치해 있어서 하도와 서로 반대가 되어 맞지 않는다. 생겨난 바의 괘라 함은 복희팔괘를 말한다. 한편 서쪽과 남쪽을 제외한 동쪽과 북쪽은 각각 소음(少陰 8)과 태음(太陰 6)으로, 소음(少陰 ⚍)과 태음(太陰 ⚏)은 〈복희팔괘방위지도〉와 부합한다.

68) 사상이……것이고 : 하도(河圖)와 낙서(洛書)를 견주어보면, 각각 남쪽과 서쪽의 사상(四象)이 바뀌었다. 곧 하도는 남쪽이 소양(少陽 7)이고 서쪽이 태양(太陽 9)인데, 낙서는 남쪽이 태양(太陽 9)이고 서쪽이 소양(少陽 7)이다. 앞서 하도를 '사상(四象)이 사방에 나열되어 있는 것이 각각 처한 바의 자리에 마땅하다.'라고 하였으므로, 낙서를 처한 바의 자리에 마땅하지 않다고 한 것이다.

69) 사상이……된다 : 낙서(洛書)를 사상(四象)으로 살펴보면, 태양(太陽 9)은 남쪽, 소음(少陰 8)은 동북쪽, 소양(少陽 7)은 서쪽, 태음(太陰 6)은 서북쪽에 있다. 그런데 이는 〈복희팔괘방위지도〉의 사상의 위치와 동일하다. 〈복희팔괘방위지도〉를 살펴보면, 태양(太陽 ⚌)이 남쪽에 위치하여 여기에서 건(乾 ☰)·태(兌 ☱)가 생겨나고, 소음(少陰 ⚍)이 동쪽에 위치하여 여기에서 이(離 ☲)·진(震 ☳)이 생겨나고, 소양(少陽 ⚎)이 서쪽에 위치하여 여기에서 손(巽 ☴)·감(坎 ☵)이 생겨나고, 태음(太陰 ⚏)이 북쪽에 위치하여 여기에서 간(艮 ☶)·곤(坤 ☷)이 생겨난다.

〈기자가〉 하늘이 우임금에게 홍범구주를 내려주었다는 대답을 궁구해보면,[70] 사상이 나뉘어 홍범구주가 됨에 양(陽)이 사방 정위에 자리한즉 네 양(陽)의 괘[71]와 짝하여 음(陰)의 주재가 되고, 음(陰)이 사방 모퉁이에 자리한즉 네 음(陰)의 괘[72]와 짝하여 양(陽)의 보조가 되니, 이는 상(常)을 주장하는 것이다. 어찌 변(變)에 어지럽혀지겠는가."

曰其皆以五居中者는 何也오 曰凡數之始는 一陰一陽而已矣라 陽之象은 圓하니 圓者는 徑一而圍三이요 陰之象은 方하니 方者는 徑一而圍四라 圍三者는 以一爲一이라 故로 參其一陽而爲三하고 圍四者는 以二爲一이라 故로 兩其一陰而圍二하니 是所謂參天兩地者也라 三二之合則爲五矣니 此ㅣ 河圖洛書之數ㅣ 所以皆以五爲中也니라 然이나 河圖는 以生數爲主라 故로 其中之所以爲五者ㅣ 亦具五生數之象焉하니 其下一點은 天一之象也요 其上一點은 地二之

---

70) 무왕(武王)이……궁구해보면 : 《서경(書經)》〈주서(周書) 홍범(洪範)〉에 무왕이 기자(箕子)에게 이륜(彝倫)이 펴지게 된 이유를 알지 못한다고 말하자, 기자가 하늘이 우임금에게 홍범구주를 내려 준 일에 대해 답하는 내용이 보인다.

71) 네 양(陽)의 괘 : 낙서(洛書)의 정방인 동서남북에는 각각 3, 7, 9, 1이 자리해 있다. 그런데 1은 태양(太陽)의 자리이고 9는 태양의 수이며, 3은 소양(少陽)의 자리이고 7은 소양의 수이다. 〈복희팔괘차서지도〉와 〈복희팔괘방위지도〉를 보면, 태양에서 건(乾 ☰)·태(兌 ☱)가 생겨나고 소양에서 손(巽 ☴)·감(坎 ☵)이 생겨난다. 이렇게 볼 때 네 양의 괘라 함은 건(乾 ☰)·태(兌 ☱)와 손(巽 ☴)·감(坎 ☵) 네 괘를 가리키는 것임을 알 수 있다.

72) 네 음(陰)의 괘 : 낙서(洛書)의 네 모퉁이인 동남쪽, 서북쪽, 동북쪽, 서남쪽에는 각각 4, 6, 8, 2가 자리해 있다. 그런데 4는 태음(太陰)의 자리이고 6은 태음의 수이며, 2는 소음(少陰)의 자리이고 8은 소음의 수이다. 〈복희팔괘차서지도〉와 〈복희팔괘방위지도〉를 보면, 태음에서 간(艮 ☶)·곤(坤 ☷)이 생겨나고 소음에서 이(離 ☲)·진(震 ☳)이 생겨난다. 이렇게 볼 때 네 음의 괘라 함은 간(艮 ☶)·곤(坤 ☷)과 이(離 ☲)·진(震 ☳)을 가리키는 것임을 알 수 있다.

象也요 其左一點은 天三之象也요 其右一點은 地四之象也요 其中一點은 天五之象也라 洛書는 以奇數爲主라 故로 其中之所以爲五者ㅣ 亦具五奇數之象焉하니 其下一點은 亦天一之象也요 其左一點은 亦天三之象也요 其中一點은 亦天五之象也요 其右一點은 則天七之象也요 其上一點은 則天九之象也라 其數與位ㅣ 皆三同而二異하니 蓋陽不可易而陰可易이요 成數는 雖陽이나 固亦生之陰也일새니라

徑 : 지름 경. 圍 : 둘레 위.

묻기를 "모두 5가 중앙에 자리하는 것은 무엇 때문인가?" 하자, 다음과 같이 대답하였다.

"무릇 수는 하나의 음(陰)과 하나의 양(陽)에서 비롯되었을 따름이다. 양의 상은 둥그니 원(圓)은 지름이 1에 둘레가 3이고, 음의 상은 네모 방정하니 사각형은 지름이 1에 둘레가 4이다. 둘레가 3인 것은 1을 1로 삼기 때문에 그 하나의 양을 세 번하여 3이 되고, 둘레가 4인 것은 2를 1로 삼기 때문에 그 하나의 음을 두 번하여 2가 되니, 이것이 이른바 하늘에서 3을 취하고 땅에서 2를 취했다는 것이다. 3과 2의 합이 5가 되니, 이것이 하도와 낙서의 수가 모두 5를 중앙으로 삼는 까닭이다. 그러나 하도는 생수(生數)가 위주가 되기 때문에 그 가운데 5(⁘)에 또한 다섯 생수의 상이 갖추어져 있으니, 그 아래 한 점은 천수(天數) 1의 상이고, 그 위에 한 점은 지수(地數) 2의 상이고, 그 왼쪽 한 점은 천수 3의 상이고, 그 오른쪽 한 점은 지수 4의 상이고, 그 가운데 한 점은 천수 5의 상이다. 낙서는 기수(奇數)가 위주가 되기 때문에 그 가운데 5(⁘)에 또한 다섯 기수의 상이 갖추어져 있으니, 그 아래 한 점은 또한 천수 1의 상이고, 그 왼쪽 한 점은 또한 천수 3의 상이고, 그 가운데 한 점은 또한 천수 5의 상이고, 그 오른쪽 한 점은 천수 7의 상이고, 그 위쪽 한 점은 천수 9의 상이다. 그 수와 자리가 모두 셋(1

· 6, 3 · 8, 5)은 같고 둘(2 · 7, 4 · 9)은 다르니, 대저 양(陽 1 · 3 · 5)은 바뀔 수 없으나 음(2 · 7, 4 · 9)은 바뀔 수 있고, 성수(成數 7 · 9)는 비록 양이지만 또한 생수에서 보면 음이기 때문이다.[73]"

【小註】朱子ㅣ 曰成數는 雖陽이나 固亦生之陰은 如子者는 父之陰이요 臣者는 君之陰이니라 ○玉齋胡氏ㅣ 曰三同者는 圖書之一六이 皆在北하고 三八이 皆在東하고 五ㅣ 皆在中하야 三者之位數ㅣ 皆同也요 二異者는 圖之二七은 在南이로대 而書則二七이 在西하고 圖之四九는 在西로대 而書則四九ㅣ 在南하야 二者之位數ㅣ 皆異也라 陽不可易은 專指一三五요 陰可易은 統指二七、四九라 二四는 以生數言하면 雖屬陽이나 然이나 以偶數言하면 則屬陰하야 不得謂之陽矣라 故로 可易이요 七九는 以奇數言하면 雖屬陽이나 然이나 以成數言하면 只可謂之陰矣라 故로 亦可易이니라 其曰成數는 雖陽이나 固亦生之陰이라하고 不曰生數는 雖陰이나 固亦成之陽者는 蓋但主陰可易而言也니라 ○雲莊劉氏ㅣ 曰圖之一三五七九는 皆奇數陽也로대 而一三五之位不易하고 七九之位易者는 亦以天地之間에 陽動主變故也라 然이나 陽於北東則不動하고 於西南則互遷者는 蓋北東은 陽始生之方이요 西南은 陽極盛之方이라 陽

---

73) 성수(成數 7 · 9)는……때문이다 : 하도(河圖)와 낙서(洛書)를 살펴보면, 2 · 7 화(火)와 4 · 9 금(金)의 자리가 각각 서로 바뀌었는데, 2 · 7과 4 · 9에서 2와 4는 음수(陰數)이기 때문에 바뀔 수 있는 것이고, 7과 9는 양수(陽數)이지만 생수(生數)와 성수(成數)로 음양을 구분하면 성수로서 음이기 때문에 바뀔 수 있다는 것이다.

主進數하고 又必進於極而後變也일새니라 ○雙湖胡氏ㅣ 曰圖書之數ㅣ 三同二異호대 其居中者는 不可易矣라 獨西南二方之數ㅣ 相易者는 則金乘火位하고 火入金鄕하야 有相克制之義焉하니 此造化ㅣ 所以必易二方之數者니 正以成其相克之象也일새니라 自二方既易之後에 圖則左旋相生하고 書則右轉相克하니 造化는 不可无生이요 亦不可无克이라 不生則或幾乎熄하고 不克이면 亦无以爲之成就也니라

齋 : 재계할 재. 遷 : 옮길, 바꿀 천. 乘 : 탈 승. 克 : 이길 극. 旋 : 돌 선. 轉 : 구를 전.
幾 : 거의, 가까울 기. 就 : 이룰 취.

주자가 말하였다. "'성수(成數 7 · 9)는 비록 양(陽)이지만 또한 생수(生數)에서 보면 음(陰)이다.'라는 것은 자식은 아버지의 음이고 신하는 임금의 음인 것과 같다."

○옥재 호씨가 말하였다. "'셋이 같다.'라는 것은 하도와 낙서의 1 · 6이 모두 북쪽에 있고, 3 · 8이 모두 동쪽에 있고, 5가 모두 중앙에 있어서 셋의 자리와 수가 모두 같음을 말하고, '둘은 다르다.'라는 것은 하도는 2 · 7이 남쪽에 있는데 낙서는 2 · 7이 서쪽에 있고, 하도는 4 · 9가 서쪽에 있는데 낙서는 4 · 9가 남쪽에 있어서 둘의 자리와 수가 모두 다름을 말한다. '양(陽)은 바뀔 수 없다.'라는 것은 1 · 3 · 5만을 전적으로 가리킨 것이고, '음(陰)은 바뀔 수 있다.'라는 것은 2 · 7과 4 · 9를 통틀어 가리킨 것이다. 2 · 4는 생수로써 말하면 비록 양에 속하지만 그러나 우수(偶數)로써 말하면 음에 속하여 양이라고 이를 수 없으므로 바뀔 수 있는 것이고, 7 · 9는 기수(奇數)로써 말하면 비록 양에 속하지만 그러나 성수로써 말하면 다만 음이라고 이를 수 있으므로 또한 바뀔 수 있는 것이다. 그 '성수(成數 7 · 9)는 비록 양이지만 진실로 또한 생수에서 보면 음이다.'라고 말하고 '생수(生數 2 · 4)는 비록 음이지만 진실로 또한 성수에서 보면 양

이다.'라고 말하지 않은 것은, 단지 음이 바뀔 수 있는 것을 위주로 하여 말하였기 때문이다."

○운장 유씨가 말하였다. "하도의 1 · 3 · 5 · 7 · 9는 모두 기수로써 양인데 1 · 3 · 5의 위치는 바뀌지 않고 7 · 9의 위치는 바뀌는 것은, 또한 천지 사이에 양은 동적이어서 변(變)을 주장하기 때문이다. 그러나 양이 북쪽과 동쪽에서는 움직이지 않고 서쪽과 남쪽에서는 서로 바뀌는 것은, 대개 북쪽과 동쪽은 양이 처음 생겨나는 방위이고 서쪽과 남쪽은 양이 극성한 방위로서 양은 나아가는 수가 위주가 되고 또한 반드시 극도에 나아간 뒤에 변하기 때문이다."

○쌍호 호씨가 말하였다. "하도와 낙서의 수가 셋(1 · 6, 3 · 8, 5)은 같고 둘(2 · 7, 4 · 9)은 다르되 그 중앙에 자리하는 것은 바뀔 수 없다. 오직 서쪽과 남쪽 두 방위의 수만이 서로 바뀌는 것은, 금(金 4 · 9)은 화(火 2 · 7)의 방위를 타고 화(火 2 · 7)는 금(金 4 · 9)의 고향으로 들어가서 서로 이기고 제재하는 뜻이 있으니, 이것이 조화가 반드시 두 방위의 수를 바꾸는 까닭이니, 바로 그 상극(相克)의 상(象)을 이루게 되기 때문이다. 두 방위가 이미 바뀐 뒤에 하도는 상생(相生)으로 좌선(左旋 시계 방향으로 돎)하고 낙서는 상극(相剋)으로 우전(右傳 시계 반대 방향으로 돎)하니,[74] 조화는 상생이 없어서도 안 되고 또한 상극이 없어서도 안 된다. 상생하지 않으면 혹 소멸하게 되고 상극하지 않으면 또한 성취하지 못하게 된다."

---

74) 두……우전(右傳 시계 반대 방향으로 돎)하니 : 상생(相生)은 목생화(木生火) · 화생토(火生土) · 토생금(土生金) · 금생수(金生水) · 수생목(水生木)으로 끊임없이 돌며 낳고 생성함을 말하고, 상극(相剋)은 목극토(木克土) · 토극수(土克水) · 수극화(水克火) · 화극금(火克金) · 금극목(金克木)으로 끊임없이 돌며 제재하고 이기고 소멸시킴을 말한다. 하도(河圖)와 낙서(洛書)는 서쪽과 남쪽이 서로 바뀜으로써, 하도는 상생으로 시계 방향으로 돌고 낙서는 상극으로 시계 반대 방향으로 돈다.

曰中央之五는 固爲五數之象矣어니와 然則其爲數也ㅣ 奈何오 曰以數言之하면 則通乎一圖하야 由內及外하니 固各有積實可紀之數矣라 然이나 河圖之一二三四는 各居其五象本方之外하고 而六七八九十者는 又各因五而得數하야 以附于其生數之外하며 洛書之一三七九는 亦各居其五象本方之外하고 而二四六八者는 又各因其類하야 以附于奇數之側하니 蓋中者ㅣ 爲主而外者ㅣ 爲客이요 正者ㅣ 爲君而側者ㅣ 爲臣이니 亦各有條而不紊也니라

奈 : 어찌 내. 何 : 어찌 하. 紀 : 벼리, 기록할 기. 附 : 붙을 부. 條 : 가지, 조리 조.

묻기를 "중앙의 5는 진실로 다섯 수의 상(象)이 된다. 그렇다면 그 수는 어떻게 해서 이렇게 배열된 것인가?" 하자, 다음과 같이 대답하였다.

"수를 가지고 말해보면 한 도(圖)에 통하여 안에서부터 말미암아 밖으로 미치니, 참으로 각각 실수(實數)를 더하여 벼리가 될 만한 수가 있다. 그러나 하도의 1 · 2 · 3 · 4는 각각 그 오상(五象)[75] 본방의 밖에 자리하고 6 · 7 · 8 · 9 · 10은 또한 각각 5로 인하여 수를 얻어서 생수(生數)의 밖에 붙어 있으며, 낙서의 1 · 3 · 7 · 9도 각각 그 오상 본방의 밖에 자리하고 2 · 4 · 6 · 8이 또한 각각 그 유(類)에 따라 기수(奇數)의 곁에 붙어 있다. 대개 중앙은 주(主)가 되고 밖은 객(客)이 되며 정방은 임금이 되고 측면은 신하가 되니, 또한 각각 조리가 있어서 어지럽지 않다."

【小註】盤澗董氏ㅣ 曰河圖之數는 不過一奇一偶ㅣ 相錯而已라 故로 太陽之位는 卽太陰之數요 太陰之位는 卽太陽之數요 少陰之位는 卽少陽之數요 少

---

75) 오상(五象) : 앞의 '五數之象'을 축약한 것으로, 가운데 다섯 수의 상(象)을 말한다.

陽之位는 卽少陰之數니 見其迭陰迭陽하야 陰陽相錯하니 所以爲生成也라 天五地十이 居中者는 地十은 亦天五之成數라 蓋一二三四ㅣ 已含六七八九者는 以五乘之故也니 蓋數不過五也라 洛書之數는 因一二三四하야 以對九八七六하니 其數ㅣ 亦不過十이라 蓋太陽은 占第一位하야 已含太陽之數하고 少陰은 占第二位하야 已含少陰之數하고 少陽은 占第三位하야 已含少陽之數하고 太陰은 占第四位하야 已含太陰之數라 雖其陰陽이 各自爲數나 然이나 五數居中하야 太陽居一하야 得五而成六하고 少陰居二하야 得五而成七하고 少陽居三하야 得五而成八하고 太陰居四하야 得五而成九하니 則與河圖一陰一陽相錯而爲生成之數者로 亦无以異也니라 ○覺軒蔡氏ㅣ 曰河圖는 位與數ㅣ 常相錯이나 然이나 五居中하야 一得五而爲六하고 二得五而爲七하고 三得五而爲八하고 四得五而爲九하야 各居其方하니 雖相錯而未嘗不相對也니라 洛書는 位與數ㅣ 常相對나 然이나 五數居中하야 一得五而爲後右之六하고 二得五而爲右之七하고 三得五而爲後左之八하고 四得五而爲前之九하야 縱橫交綜하니 雖相對而未嘗不相錯也니라

錯 : 섞일 착. 含 : 머금을 함. 占 : 차지할 점. 綜 : 모을 종.

반간 동씨(盤澗董氏)[76]가 말하였다. "하도의 수는 하나의 기수(奇數)와 하나

76) 반간 동씨(盤澗董氏) : 남송 때의 학자 동수(董銖, 1152~1214)로, 자는 숙중(叔重), 호는 반간(盤澗)이다. 주희의 문인이다.

의 우수(偶數)가 서로 섞여 있는 것에 불과할 따름이다. 그러므로 태양의 자리(1)는 곧 태음의 수(6)이고, 태음의 자리(4)는 곧 태양의 수(9)이고, 소음의 자리(2)는 곧 소양의 수(7)이고, 소양의 자리(3)는 곧 소음의 수(8)이니, 그 음으로 갈마들고 양으로 갈마들어서 음양이 서로 섞여 있음을 볼 수 있으니 생수와 성수가 되는 것이다. 천수 5와 지수 10이 중앙에 자리하는 것은, 지수 10은 또한 천수 5의 성수이다. 대개 1 · 2 · 3 · 4가 이미 6 · 7 · 8 · 9를 머금고 있는 것은 5가 탔기 때문이니, 대저 수는 5에 불과하다.

낙서의 수는 1 · 2 · 3 · 4가 9 · 8 · 7 · 6과 상대해 있으니, 그 수가 또한 10에 불과하다. 대개 태양은 제1의 자리를 점유하여 이미 태양의 수(9)를 머금고 있고, 소음은 제2의 자리를 점유하여 이미 소음의 수(8)를 머금고 있고, 소양은 제3의 자리를 점유하여 이미 소양의 수(7)를 머금고 있고, 태음은 제4의 자리를 점유하여 이미 태음의 수(6)를 머금고 있다. 비록 음과 양이 제각각 수를 이루지만 그러나 5가 중앙에 자리하여 태양이 1에 자리하여 5를 얻어서 6이 이루어지고, 소음이 2에 자리하여 5를 얻어서 7이 이루어지고, 소양이 3에 자리하여 5를 얻어서 8이 이루어지고, 태음이 4에 자리하여 5를 얻어서 9가 이루어지니, 하도가 하나의 음과 하나의 양이 서로 섞여서 생수와 성수가 되는 것과 더불어 또한 다른 것이 없다."

○각헌 채씨(覺軒蔡氏)[77]가 말하였다. "하도는 자리와 수가 항상 서로 섞여 있다. 그러나 5가 중앙에 자리하여 1이 5를 얻어서 6이 되고, 2가 5를 얻어서 7이 되고, 3이 5를 얻어서 8이 되고, 4가 5를 얻어서 9가 되어 각각 그 방소에 자리해 있으니, 비록 서로 섞여있지만 상대해 있지 않은 것도 없다.

---

77) 각헌 채씨(覺軒蔡氏) : 남송 때의 학자 채모(蔡模)로, 자는 중각(仲覺), 호는 각헌(覺軒)이고, 채침(蔡沈)의 아들이다.

낙서는 자리와 수가 항상 상대해 있다. 그러나 5의 수가 가운데에 자리하여 1은 5를 얻어서 뒤 오른쪽의 6이 되고, 2는 5를 얻어서 오른쪽의 7이 되고, 3은 5를 얻어서 뒤 왼쪽의 8이 되고, 4는 5를 얻어서 앞의 9가 되어 종횡으로 서로 모여 있으니, 비록 상대해 있지만 서로 섞여 있지 않은 것도 없다."

曰其多寡之不同은 何也오 曰河圖는 主全이라 故로 極於十하야 而奇偶之位ㅣ 均하니 論其積實然後에 見其偶贏而奇乏也요 洛書는 主變이라 故로 極於九하야 而其位與實이 皆奇贏而偶乏也하니 必皆虛其中也然後에 陰陽之數ㅣ 均於二十而无偏爾니라

偶 : 짝수 우. 奇 : 홀수 기. 均 : 고를 균. 贏 : 남을 영. 乏 : 모자랄, 부족할 핍.

묻기를 "그 많고 적음이 같지 않은 것은 무엇 때문인가?" 하자, 다음과 같이 대답하였다.

"하도(河圖)는 완전함을 주장하기 때문에 10에 지극하여 기수(奇數)와 우수(偶數)의 자리가 균등하니, 그 더한 실수(實數)를 논한 연후에 우수는 남고 기수는 부족함을 볼 수 있고, 낙서(洛書)는 변화를 주장하기 때문에 9에 지극하여 그 자리와 수가 모두 기수는 남고 우수는 부족하니, 반드시 모두 그 중앙을 비운 연후에 음양의 수가 20으로 균등하여 치우침이 없다."

【小註】玉齋胡氏ㅣ 曰河圖ㅣ 偶贏而奇乏者는 地三十、天二十五也요 洛書ㅣ 奇贏而偶乏者는 天二十五、地二十也라 河圖ㅣ 虛其中之十五하고 洛書ㅣ 虛其中之五하면 則陰陽之數ㅣ 均於二十矣니라

옥재 호씨가 말하였다. “하도가 우수(偶數)는 남고 기수(奇數)는 부족하다는 것은, 지수(地數 2 · 4 · 6 · 8 · 10)는 합한 수가 30이고 천수(天數 1 · 3 · 5 · 7 · 9)는 합한 수가 25임을 말한다. 낙서가 기수는 남고 우수는 부족하다는 것은, 천수(1 · 3 · 5 · 7 · 9)는 합한 수가 25이고 지수(2 · 4 · 6 · 8)는 합한 수가 20임을 말한다. 하도에서 그 중앙의 15를 비우고 낙서에서 그 중앙의 5를 비우면 음양의 수가 20씩 균등하게 된다.”

曰其序之不同은 何也오 曰河圖는 以生出之次言之하면 則始下、次上、次左、次右하야 以復于中而又始于下也요 以運行之次言之하면 則始東、次南、次中、次西、次北하야 左旋一周而又始于東也라 其生數之在內者는 則陽居下左而陰居上右也요 其成數之在外者는 則陰居下左而陽居上右也라 洛書之次ㅣ 其陽數則首北、次東、次中、次西、次南이요 其陰數則首西南、次東南、次西北、次東北也니 合而言之하면 則首北、次西南、次東、次東男、次中、次西北、次西、次東北而究于南也라 其運行則水克火、火克金、金克木、木克土하야 右旋一周而土復克水也하니 是ㅣ 亦各有說矣니라

周 : 돌 주. 究 : 다할, 끝 구.

묻기를 “그 차례가 같지 않은 것은 무엇 때문인가?” 하자, 다음과 같이 대답하였다.

“하도를 생겨나는 차례를 가지고 말하면, 아래(1)에서 시작하여 다음 위(2), 다음 왼쪽(3), 다음 오른쪽(4)으로 가서 중앙(5)으로 돌아와 또 아래에서 시작하고, 운행하는 차례를 가지고 말하면 처음 동쪽(목(木)), 다음 남쪽(화(火)), 다음 중앙(토(土)), 다음 서쪽(금(金)), 다음 북쪽(수(水))으로 가서 좌선(左旋 시계 방향)으로 한 바퀴 돌아 또

동쪽(목(木))에서 시작한다. 그 생수가 안에 있는 것은 양이 아래(1)와 왼쪽(3)에 있고 음이 위(2)와 오른쪽(4)에 있으며, 그 성수가 밖에 있는 것은 음이 아래(6)와 왼쪽(8)에 있고 양이 위(7)와 오른쪽(9)에 있다.

낙서의 차례는, 그 양수는 처음 북쪽(1), 다음 동쪽(3), 다음 중앙(5), 다음 서쪽(7), 다음 남쪽(9)이고, 그 음수는 처음 서남쪽(2), 다음 동남쪽(4), 다음 서북쪽(6), 다음 동북쪽(8)이다. 통합하여 말하면 처음 북쪽(1), 다음 서남쪽(2), 다음 동쪽(3), 다음 동남쪽(4), 다음 중앙(5), 다음 서북쪽(6), 다음 서쪽(7), 다음 동북쪽(8)으로 가서 남쪽(9)에서 끝난다. 그 운행하는 차례는 수(水 1 · 6)가 화(火 2 · 7)를 이기고, 화(火 2 · 7)가 금(金 4 · 9)을 이기고, 금(金 4 · 9)이 목(木 3 · 8)을 이기고, 목(木 3 · 8)이 토(土 5)를 이겨서 오른쪽(시계 반대 방향)으로 한 바퀴 돌아 토(土 5)가 다시 수(水 1 · 6)를 이기니, 이 또한 각각 설이 있다.”

【小註】思齋翁氏ㅣ 曰河圖ㅣ 運行之序는 自北而東하야 左旋相生은 固也라 然이나 對待之位는 則北方一六水ㅣ 克南方二七火하고 西方四九金이 克東方三八木하야 而相克者ㅣ 已寓於相生之中이니라 洛書ㅣ 運行之序는 自北而西하야 右轉相克은 固也라 然이나 對待之位는 則東南方四九金이 生西北方一六水하고 東北方三八木이 生西南方二七火하야 其相生者ㅣ 已寓於相克之中이니라 蓋造化之運이 生而不克하면 則生者ㅣ 无從而裁制하고 克而不生하면 則克者ㅣ 有時而間斷이니 此ㅣ 圖書生成之妙ㅣ 未嘗不各自全備也니라

寓 : 부쳐 살 우. 裁 : 제어할 재. 斷 : 끊어질 단.

사재 옹씨가 말하였다. “하도 운행의 순서는, 북쪽에서 동쪽으로 돌아 좌선(左旋 시계 방향)으로 상생하는 것은 틀림없다. 그러나 마주대하고 있는 자리

는, 북방의 1 · 6 수(水)가 남방의 2 · 7 화(火)를 이기고, 서방의 4 · 9 금(金)이 동방의 3 · 8 목(木)을 이겨서 상극(相克)이 이미 상생(相生)하는 가운데에 붙어 있다. 낙서 운행의 순서는, 북쪽에서 서쪽으로 돌아 오른쪽(시계 반대 방향)으로 상극하는 것은 틀림없다. 그러나 마주대하고 있는 자리는, 동남방 4 · 9 금(金)이 서북방 1 · 6 수(水)를 낳고, 동북방 3 · 8 목(木)이 서남방 2 · 7 화(火)를 낳아서 그 상생이 이미 상극하는 가운데에 붙어 있다. 대개 조화의 운행이 상생만 있고 상극이 없으면 생겨나는 것을 재제할 수 없고, 상극만 있고 상생이 없으면 상극하는 것이 언젠가는 끊김이 있게 되니, 이는 하도와 낙서의 생성하는 묘리가 일찍이 각각 전부 갖추어져 있지 않은 것이 없는 것이다.”

曰其七八九六之數ㅣ 不同은 何也오 曰河圖는 六七八九ㅣ 既附於生數之外矣니 此는 陰陽老少進退饒乏之正也라 其九者는 生數一三五之積也라 故로 自北而東하고 自東而西하야 以成于四之外하고 其六者는 生數二四之積也라 故로 自南而西하고 自西而北하야 以成于一之外하며 七則九之自西而南者也요 八則六之自北而東者也니 此又陰陽老少ㅣ 互藏其宅之變也니라

藏 : 감출 장. 饒 : 넉넉할 요. 饒乏 : 많고 적다.

묻기를 “그 7 · 8 · 9 · 6의 수가 같지 않은 것은 무엇 때문인가?” 하자, 다음과 같이 대답하였다.

"하도는 6 · 7 · 8 · 9가 이미 생수의 밖에 붙어 있으니, 이것은 음양의 노소(老少)[78]가 나아가고 물러나며 많고 적은 준칙이다. 그 9는 생수 1 · 3 · 5가 더해진 것이다. 그러므로 북쪽(1)에서 동쪽(3)으로, 동쪽(3)에서 서쪽으로 가서 4의 밖에서 이루어지고, 그 6은 생수 2 · 4가 더해진 것이다. 그러므로 남쪽(2)에서 서쪽(4)으로, 서쪽(4)에서 북쪽으로 가서 1의 밖에서 이루어지는 것이다. 7은 9가 서쪽에서 남쪽으로 간 것이고, 8은 6이 북쪽에서 동쪽으로 간 것이니, 이는 또한 음양의 노(老) · 소(少)가 서로 그 집에 감추어져 있는 변화이다.

【小註】朱子ㅣ 曰老陽之位는 一이요 老陰之位는 四라 今河圖ㅣ 以老陽之九로 居乎四之外하고 而老陰之六은 却居乎一之外하니 是는 老陰老陽이 互藏其宅也라 少陰之位는 二요 少陽之位는 三이라 而河圖ㅣ 以少陰之八로 居乎三之外하고 少陽之七은 却居乎二之外하니 是는 少陰少陽이 互藏其宅也니라 又曰一六共宗하니 一爲老陽之位요 六爲老陰之數며 四九爲友하니 四爲老陰之位요 九爲老陽之數라 此固二老之合이라 然이나 陽居陰位하고 陰居陽位하니 亦二老ㅣ 互藏其宅也니라 二七爲朋하니 二爲少陰之位요 七爲少陽之數며 三八同道하니 三爲少陽之位요 八爲少陰之數라 此則二少之合이라 然이나 亦陽居陰位하고 陰居陽位하니 亦二少ㅣ 互藏其宅也니라

却 : 어조사, 발어사 각.

78) 음양의 노소(老少) : 6 · 7 · 8 · 9에서 6은 노음(老陰)의 수(數)이므로 음(陰)의 노(老)이고, 9는 노양(老陽)의 수이므로 양(陽)의 노(老)이고, 7은 소양(少陽)의 수이므로 양의 소(少)이고, 8은 소음(少陰)의 수이므로 음의 소(少)가 된다.

주자가 말하였다. “노양(老陽)의 자리는 1이고 노음(老陰)의 자리는 4이다. 지금 하도는 노양의 수인 9가 〈노음의 자리인〉 4의 밖에 있고 노음의 수인 6은 〈노양의 자리인〉 1의 밖에 있으니, 이는 노음과 노양이 서로 그 집에 감추어져 있는 것이다. 소음(少陰)의 자리는 2이고 소양(少陽)의 자리는 3이다. 그런데 하도는 소음의 수인 8이 〈소양의 자리인〉 3의 밖에 있고 소양의 수인 7이 〈소음의 자리인〉 2의 밖에 있으니, 이는 소음과 소양이 서로 그 집에 감추어져 있는 것이다.”

또 말하였다. “1 · 6이 종통을 함께 하니 1은 노양의 자리이고 6은 노음의 수이며, 4 · 9가 벗이 되니 4는 노음의 자리이고 9는 노양의 수이다. 이는 참으로 두 노양 · 노음이 함께 있는 것이다. 그러나 노양의 수(9)는 노음의 자리(4)에 있고 노음의 수(6)는 노양의 자리(1)에 있으니, 또한 두 노양 · 노음이 서로 그 집에 감추어져 있는 것이다. 2 · 7이 벗이 되니 2는 소음의 자리이고 7은 소양의 수이며, 3 · 8이 도(道)를 함께 하니 3은 소양의 자리이고 8은 소음의 수이다. 이는 두 소양 · 소음이 함께 있는 것이다. 그러나 또한 소양의 수(7)는 소음의 자리(2)에 있고 소음의 수(8)는 소양의 자리(3)에 있으니, 또한 두 소양 · 소음이 서로 그 집에 감추어져 있는 것이다.”

洛書之縱橫은 十五而七八九六이 迭爲消長하고 虛五分十而一含九하고 二含八하고 三含七하고 四含六하니 則參伍錯綜하야 无適而不遇其合焉하니 此는 變化无窮之所以爲妙也니라

消 : 사라질 소. 長 : 자라날 장. 虛 : 비울 허. 參 : 섞일 참. 伍 : 섞일 오. 適 : 갈 적.

낙서의 종횡은 15인데 7 · 8과 9 · 6이 번갈아 소멸하고 생장하며, 가운데 5를 비우면 〈종횡이〉 10으로 나뉘어져 1은 9를 머금고, 2는 8을 머금고, 3은 7을 머금고, 4는 6

을 머금어서 종횡으로 이리저리 뒤섞여서 가는 곳마다 그 합(15)을 만나지 않음이 없으니, 이는 변화가 무궁하여 묘함이 되는 까닭이다.”

【小註】玉齋胡氏ㅣ 曰洛書는 雖縱橫有十五之數나 實皆七八九六之迭爲消長이라 一得五爲六而與南方之九로 迭爲消長하고 四得五爲九而與西北之六으로 迭爲消長하고 三得五爲八而與西方之七로 迭爲消長하고 二得五爲七而與東北之八로 迭爲消長이라 數之進者ㅣ 爲長이요 退者ㅣ 爲消며 長者ㅣ 退則又消하고 消者ㅣ 進則又長이라 六進爲九하면 則九長而六消하고 九退爲六하면 則九反消而六又長矣며 七進爲八하면 則八長而七消하고 八退爲七하면 則八反消而七又長矣라 虛五分十者는 虛其中五之外는 則縱橫皆十이니 以其十者로 分之하면 則九者는 十分一之餘요 八者는 十分二之餘요 七者는 十分三之餘요 六者는 十分四之餘也라 參伍錯綜하야 無適而不遇七八九六之合焉이니라

옥재 호씨가 말하였다. “낙서는 비록 종횡으로 15의 수가 있다고 하더라도 실상 모두 7 · 8과 9 · 6이 번갈아 소멸하고 생장하는 것이다. 1이 5를 얻어 6이 되어 남방의 9와 더불어 번갈아 소멸하고 생장하며,[79] 4가 5를 얻어 9가 되어 서북방의 6과 더불어 번갈아 소멸하고 생장하며, 3이 5를 얻어 8이 되어 서방

79) 1이……생장하며 : 낙서(洛書)의 가운데 세로는 9 · 5 · 1이다. 그런데 1과 5를 더하면 6이 되므로 이는 9 · 6이 번갈아 소멸하고 생장하는 것이 된다. 아래도 이와 같다.

의 7과 더불어 번갈아 소멸하고 생장하며, 2가 5를 얻어 7이 되어 동북방의 8과 더불어 번갈아 소멸하고 생장한다. 수가 나아가는 것은 생장하는 것이 되고 물러나는 것은 소멸하는 것이 되며, 생장하던 것이 물러나면 또한 소멸하는 것이 되고 소멸하던 것이 나아가면 또한 생장하는 것이 된다. 6이 나아가 9가 되면 9는 생장하는 것이 되고 6은 소멸하는 것이 되며, 9가 물러나 6이 되면 9는 도리어 소멸하는 것이 되고 6은 또한 생장하는 것이 된다. 7이 나아가 8이 되면 8은 생장하는 것이 되고 7은 소멸하는 것이 되며, 8이 물러나 7이 되면 8은 도리어 소멸하는 것이 되고 7은 또한 생장하는 것이 된다.

'5를 비우면 10으로 나뉜다.'라는 것은, 가운데 5를 비우면 바깥이 종횡으로 모두 10이니, 그 10을 가지고 나누면 9는 10에서 1을 나눈 나머지이고, 8은 10에서 2를 나눈 나머지이고, 7은 10에서 3을 나눈 나머지이고, 6은 10에서 4를 나눈 나머지이다. 종횡으로 이리저리 뒤섞여서 가는 곳마다 7 · 8과 9 · 6의 합(15)을 만나지 않음이 없다."

然則聖人之則之也는 奈何오 曰則河圖者는 虛其中이요 則洛書者는 總其實也라 河圖之虛五與十者는 太極也요 奇數二十과 偶數二十者는 兩儀也요 以一二三四로 爲六七八九者는 四象也요 析四方之合하야 以爲乾坤離坎하고 補四隅之空하야 以爲兌震巽艮者는 八卦也니라

總 : 모두, 총괄할 총. 析 : 쪼갤, 나눌 석. 補 : 기울, 도울 보.

묻기를 "그렇다면 성인이 본받으신 것은 무엇인가?" 하자, 다음과 같이 대답하였다.

"하도를 본받아 팔괘를 그은 복희씨는 그 중앙(5 · 10)을 비웠고[80] 낙서를 본받아 홍범구주를 만든 우임금은 그 실수를 총괄하였다. 하도에서 5와 10을 비운 것은 태극(太極)이고, 기수(奇數) 20과 우수(偶數) 20은 양의(兩儀)이고, 1 · 2 · 3 · 4로 6 · 7 · 8 · 9를 삼은 것은 사상(四象)이고, 네 정방의 합을 나누어 건(乾 ☰) · 곤(坤 ☷) · 이(離 ☲) · 감(坎 ☵)을 삼고[81] 네 모퉁이의 빈자리를 메워서 태(兌 ☱) · 진(震 ☳) · 손(巽 ☴) · 간(艮 ☶)을 삼은 것[82]은 팔괘이다.

【小註】朱子ㅣ 曰以四象觀之하면 太陽之位는 居一而數則九니 乾得其數而兌得其位라 故로 乾爲九而兌爲一이요 少陰之位는 居二而數則八이니 離得其數而震得其位라 故로 離爲八而震爲二요 少陽之位는 居三而數則七이니 坎得其數而巽得其位라 故로 坎爲七而巽爲三이요 太陰之位는 居四而數則六이니 坤得其數而艮得其位라 故로 坤爲六而艮爲四라 今析六七八九之合하야 以爲乾坤離坎而在四正之位하고 依一二三四之次하야 以爲震兌巽艮而補四隅之空也니라

依 : 따를, 의지할 의.

---

80) 하도를……비웠고 : 복희씨는 하도를 본받아서 팔괘를 그었는데, 〈복희팔괘방위지도〉를 보면 가운데가 비어있다. 그러므로 그 중앙을 비웠다고 한 것이다.

81) 네……삼고 : 〈복희팔괘방위지도〉에서 건(乾 ☰) · 곤(坤 ☷) · 이(離 ☲) · 감(坎 ☵)이 각각 정방인 동, 서, 남, 북에 자리하고 있음을 말한다.

82) 네……것 : 〈복희팔괘방위지도〉에서 태(兌 ☱) · 진(震 ☳) · 손(巽 ☴) · 간(艮 ☶)이 각각 모퉁이인 동남, 동북, 서남, 서북쪽에 자리하고 있음을 말한다.

주자가 말하였다. “사상(四象)을 가지고 관찰해 보면, 태양(太陽 ⚌)의 자리는 1이고 수는 9이니, 건(乾 ☰)은 그 수를 얻고 태(兌 ☱)는 그 자리를 얻으므로 건(乾 ☰)은 9가 되고 태(兌 ☱)는 1이 된다. 소음(少陰 ⚍)의 자리는 2이고 수는 8이니, 이(離 ☲)는 그 수를 얻고 진(震 ☳)은 그 자리를 얻으므로 이(離 ☲)는 8이 되고 진(震 ☳)은 2가 된다. 소양(少陽 ⚎)의 자리는 3이고 수는 7이니, 감(坎 ☵)은 그 수를 얻고 손(巽 ☴)은 그 자리를 얻으므로 감(坎 ☵)은 7이 되고 손(巽 ☴)은 3이 된다. 태음(太陰 ⚏)의 자리는 4이고 수는 6이니, 곤(坤 ☷)은 그 수를 얻고 간(艮 ☶)은 그 자리를 얻으므로 곤(坤 ☷)은 6이 되고 간(艮 ☶)은 4가 된다. 지금 6 · 7 · 8 · 9의 합을 나누어 건(乾 ☰) · 곤(坤 ☷) · 이(離 ☲) · 감(坎 ☵)을 삼아 사방 정위에 있고, 1 · 2 · 3 · 4의 차서에 따라서 진(震 ☳) · 태(兌 ☱) · 손(巽 ☴) · 간(艮 ☶)을 삼아 사방 모퉁이의 빈자리를 메운 것이다.”

洛書之實은 其一은 爲五行이요 其二는 爲五事요 其三은 爲八政이요 其四는 爲五紀요 其五는 爲皇極이요 其六은 爲三德이요 其七은 爲稽疑요 其八은 爲庶徵이요 其九는 爲福極이니 其位與數ㅣ 尤曉然矣니라

낙서의 수(數)는 첫 번째는 오행(五行)이고, 두 번째는 오사(五事)이고, 세 번째는 팔정(八政)이고, 네 번째는 오기(五紀)이고, 다섯 번째는 황극(皇極)이고, 여섯 번째는 삼덕(三德)이고, 일곱 번째는 계의(稽疑)이고, 여덟 번째는 서징(庶徵)이고, 아홉 번째는 복극(福極)이니, 그 자리와 수가 더욱 분명하다.”

【小註】玉齋胡氏ㅣ 曰大禹之則洛書하야 以作範也에 未必拘拘於書之位次

이정주지선후 연 자일지구지수 실유이묵계성인작범지심
하야 以定疇之先後라 然이나 自一至九之數ㅣ 實有以默啓聖人作範之心이라

고 자초일지오행 포천지자연지수 여팔법 즉시대우 참작천
故로 自初一之五行으로 包天地自然之數하고 餘八法은 則是大禹ㅣ 參酌天

시인사이류지 불필진협어화목토금지위야
時人事而類之요 不必盡協於火木土金之位也니라

默 : 묵묵할 묵. 啓 : 열, 인도할 계. 餘 : 나머지 여. 酌 : 참작할 작. 類 : 나눌 류.

옥재 호씨가 말하였다. "우임금이 낙서를 본받아 홍범구주를 만들 때에 반드시 낙서의 위차에 구애되어 홍범구주의 선후를 정한 것은 아니다. 그러나 1부터 9까지의 수가 실상 성인(우임금)이 홍범구주를 만든 마음을 묵묵히 열어줌이 있었다. 그러므로 첫 번째 오행(五行)으로부터 천지자연의 수를 포함하고, 나머지 8법은 우임금이 천시(天時)와 인사(人事)를 참작하여 분류한 것이고 반드시 모두 화(火)·목(木)·토(土)·금(金)의 자리에 맞춘 것은 아니다."

왈낙서이허기중오 즉역태극야 기우 각거이십 즉역양의야
曰洛書而虛其中五는 則亦太極也요 奇偶ㅣ 各居二十은 則亦兩儀也요

일이삼사이함구팔칠육 종횡십오이호위칠팔구육 즉역사상야 사방
一二三四而含九八七六하야 縱橫十五而互爲七八九六은 則亦四象也요 四方

지정 이위건곤이감 사우지편 이위태진손간 즉역팔괘야 하
之正으로 以爲乾坤離坎하고 四隅之偏으로 以爲兌震巽艮은 則亦八卦也라 河

도지일육위수 이칠위화 삼팔위목 사구위금 오십위토 즉고홍범
圖之一六爲數와 二七爲火와 三八爲木과 四九爲金과 五十爲土는 則固洪範

지오행 이오십오자 우구주지자목야 시즉낙서 고가이위역 이
之五行이요 而五十五者는 又九疇之子目也니 是則洛書ㅣ 固可以爲易이요 而

하도 역가이위범의 우안지도지불위서 서지불위도야야 왈시 기
河圖도 亦可以爲範矣니 又安知圖之不爲書하고 書之不爲圖也耶아 曰是는 其

시 수유선후 수 수유다과 연 기위리즉일이이 단역 내복희
時ㅣ 雖有先後하고 數ㅣ 雖有多寡나 然이나 其爲理則一而已라 但易은 乃伏羲

지선득호도이초무소대어서 범즉대우지소독득호서이미필추고어도이
之先得乎圖而初无所待於書요 範則大禹之所獨得乎書而未必追考於圖爾

라 且以河圖而虛十하면 則洛書四十有五之數也요 虛五하면 則大衍五十之數也요 積五與十하면 則洛書縱橫十五之數也요 以五乘十하고 以十乘五하면 則又皆大衍之數也니라 洛書之五ㅣ 又自含五하면 則得十而通爲大衍之數矣요 積五與十하면 則得十五而通爲河圖之數矣니 苟明乎此하면 則橫斜曲直이 无所不通하니 而河圖洛書ㅣ 又豈有先後彼此之間哉아

安 : 어찌 안. 追 : 좇을 추. 考 : 상고할 고. 爾 : 뿐 이. '耳'와 뜻이 같음.
衍 : 넓을, 넓힐 연. 乘 : 곱할 승. 苟 : 진실로, 참으로 구.

"낙서에서 그 중앙 5를 비우면 또한 태극(太極)이고, 기수(奇數)와 우수(偶數)가 각각 20으로 나뉘는 것은 또한 양의(兩儀)이고, 1 · 2 · 3 · 4가 9 · 8 · 7 · 6을 머금어서 종횡으로 15가 되어 서로 7 · 8과 9 · 6이 되는 것은 또한 사상(四象)이고, 사방의 정위로 건(乾 ☰) · 곤(坤 ☷) · 이(離 ☲) · 감(坎 ☵)을 삼고 네 모퉁이의 구석진 자리로 태(兌 ☱) · 진(震 ☳) · 손(巽 ☴) · 간(艮 ☶)을 삼는 것은 또한 팔괘(八卦)이다. 하도의 1 · 6이 수(水)가 되고 2 · 7이 화(火)가 되고 3 · 8이 목(木)이 되고 4 · 9가 금(金)이 되고 5 · 10이 토(土)가 되는 것은 진실로 홍범구주의 오행(五行)이요, 〈하도의〉 55는 또한 구주의 세목이니, 이는 낙서가 참으로 역(易)이 될 수 있고 하도가 또한 홍범구주가 될 수 있는 것이니, 또한 하도가 낙서가 되지 않고 낙서가 하도가 되지 않는다는 것을 어떻게 알 수 있겠는가."

"이는 그 시기에 비록 선후가 있고 수(數)에 비록 다과가 있지만 그러나 그 이치가 됨은 하나일 따름이다. 다만 역(易)은 바로 복희씨가 먼저 하도에서 얻은 것으로서 애초에 낙서를 기다린 바가 없었고, 홍범구주는 우임금이 홀로 낙서에서 얻은 것으로서 반드시 하도를 추고(追考)한 것은 아니다. 또한 하도에서 10을 비우면 낙서 45의 수이

고, 5를 비우면 대연(大衍) 50의 수[83]이고, 5와 10을 더하면 낙서의 종횡 15의 수이고, 5를 10과 곱하고 10을 5와 곱하면 또한 모두 대연수(大衍數)이고, 낙서의 5가 또 스스로 5를 머금으면 10을 얻어 통틀어 대연수가 되고,[84] 5와 10을 더하면 15를 얻어 통틀어 하도의 수가 된다. 진실로 이것을 분명하게 안다면 횡사(橫斜)와 곡직(曲直)에 통하지 않는 바가 없으니, 하도와 낙서에 또한 어찌 선후와 피차의 사이가 있겠는가."

【小註】玉齋胡氏ㅣ 曰洛書之五ㅣ 又自含五而得十者는 下一點은 含天一之象이요 上一點은 含地二之象이요 左一點은 含天三之象이요 右一點은 含地四之象이요 中一點은 含天五之象이니 所謂五ㅣ 自含五而得十이니 通在外四十하야 爲大衍之數라 績五與十而得十五者는 以其所含之五로 積之則又合五與十而爲十五하니 通在外四十하야 而爲河圖之五十五也니라

옥재 호씨가 말하였다. "'낙서의 5가 또한 스스로 5를 머금어서 10을 얻는다.'라는 것은, 〈중앙 5(⁜)의〉 아래 한 점은 천수 1을 머금은 상이고, 위 한 점은 지수 2를 머금은 상이고, 왼쪽 한 점은 천수 3을 머금은 상이고, 오른쪽 한 점은 지수 4를 머금은 상이고, 가운데 한 점은 천수 5를 머금은 상이니, 이른바 '5가 스스로 5를 머금어서 10을 얻는다.'라는 것이니, 바깥에 있는 40과 통합하여 대연(大衍)의 수 50이 된다. '5와 10을 더하여 15를 얻는다.'라는 것은, 그 머금은

83) 대연(大衍) 50의 수 : 하늘을 표상하는 둥근 원에서 3을 취하고 땅을 표상하는 네모난 정사각형에서 2를 취하여 이 둘을 합하면 5가 되는데 이는 곧 천수(天數)와 지수(地數)가 합해져서 얻어진 수이다. 대연수(大衍數) 50은 천수와 지수의 합인 5를 크게 넓힌 수라고 할 수 있다.

84) 낙서의……되고 : 낙서(洛書)의 가운데 5가 스스로 5를 머금으면 10이 되는데, 이 10을 낙서의 가운데를 제외한 나머지 40과 더하면 대연수(大衍數) 50이 됨을 말한다.

5를 더하면 또한 5와 10이 합하여 15가 되니, 바깥에 있는 40과 통합하여 하도의 55가 된다."

○西山蔡氏ㅣ 曰古今傳記에 自孔安國、劉向夫子、班固로 皆以爲河圖授羲하고 洛書錫禹라하고 關子明、邵康節은 皆以爲十爲河圖하고 九爲洛書라하니 蓋大傳에 既陳天地五十有五之數하고 洪範에 又明言天乃錫禹洪範九疇라하니 而九宮之數는 戴九履一하고 左三右七하며 二四ㅣ 爲肩하고 六八ㅣ 爲足하니 正龜背之象也라 唯劉牧意見은 以九爲河圖하고 十爲洛書하야 託言出於希夷라하니 既與先儒舊說不合이요 又引大傳하야 以爲二者ㅣ 皆出於伏羲之世라하니 其易置圖書는 並无明驗이로대 但謂伏羲ㅣ 兼取圖書는 則易範之數ㅣ 誠相表裏하니 爲可疑耳나 其實은 天地之理ㅣ 一而已矣니 雖時有古今先後之不同이나 而其理則不容有二也라 故로 伏羲ㅣ 但據河圖以作易하니 則不必預見洛書로되 而已逆與之合矣요 大禹ㅣ 但據洛書以作範하니 則亦不必追考河圖로되 而已暗與之符矣라 其所以然者는 何哉오 誠以此理之外에 无復他理故也니라

班 : 나눌 반. 錫 : 줄 석. 陳 : 늘어놓을 진. 並 : 모두, 아우를 병. '竝'과 동자(同字).
驗 : 증좌, 증거 험. 預 : 미리 예. 暗 : 몰래, 은밀히 암. 符 : 들어맞을, 부합할 부.

○서산 채씨(西山蔡氏)[85]가 말하였다. "고금에 전하는 기록 가운데 공안국(孔安國, BC 156~BC 74)으로부터 유향(劉向, BC 77~BC 6) · 유흠(劉歆, BC 50~BC 23) 부자, 반고(班固, 32~92)[86]에 이르기까지 모두 '하도는 복희씨에게 주었고 낙서는 우임금에게 내려주었다.'라고 하였고, 관자명(關子明 관랑(關朗)과 소강절(邵康節 소옹(邵雍))은 모두 '10은 하도가 되고 9는 낙서가 된다.'라고 하였다. 대개 대전(大傳)에 이미 천지 55의 수를 나열하였고,[87]《서경(書經)》〈홍범(洪範)〉에 '하늘이 마침내 우임금에게 홍범구주를 내려주었다.'라고 분명하게 말하였는데, 구궁(九宮)의 수는 9를 머리에 이고 1을 밟고 있으며, 왼쪽은 3이고 오른쪽은 7이며, 2와 4는 어깨가 되고, 6과 8은 발이 되니, 바로 거북이 등껍질의 상이다.

오직 유목(劉牧, 1011~1064)의 의견만은 9를 하도로 삼고 10을 낙서로 삼아 희이(希夷)[88]에게서 나왔다고 가탁하여 말하였으니, 이미 선유의 구설(舊說)과 부합하지 않고, 또《대전》을 인용하여 '두 도(圖)가 모두 복희씨 시대에 나왔다.'라고 하였으니, 하도와 낙서를 바꾸어 말한 것은 모두 분명한 증거가 없다. 다만 '복희씨가 하도와 낙서를 겸하여 취하였다.'라고 한 것은 역(易)과 홍범구주의 수가 참으로 서로 표리가

---

85) 서산 채씨(西山蔡氏) : 남송 때의 학자 채원정(蔡元定, 1135~1198)으로, 자는 계통(季通), 호는 서산(西山)이다. 이정(二程)과 소옹(邵雍), 장재(張載)의 학문을 배웠고, 나중에 주희(朱熹)에게 수학했다.

86) 반고(班固, 32~92) : 중국 후한(後漢) 초의 저명한 역사가로, 부친 반표(班彪, 3~54)의 뜻을 이어받아 전한의 역사서인《한서(漢書)》를 저술했다.

87) 대전(大傳)에……나열하였고 : 대전(大傳)은 〈단전(彖傳)〉, 〈상전(象傳)〉, 〈문언전(文言傳)〉 등 공자가 지은 십익(十翼)을 말하는데, 여기서는 〈계사전(繫辭傳)〉을 가리킨다. 〈계사상전(繫辭上傳)〉 9장에 "천수가 25이고 지수가 30이다. 모두 천지의 수가 55니, 이것이 변화를 이루고 귀신을 행하는 바이다.〔天數二十有五, 地數三十, 凡天地之數, 五十有五, 此所以成變化而行鬼神也.〕"라고 하였다.

88) 희이(希夷) : 북송시대 저명한 도가학자인 진단(陳摶, 871~989)으로, 그의 사호(賜號)가 희이 선생(希夷先生)이다. 자는 도남(圖南)이고, 호는 부요자(扶搖子)이다.

되니 의심할 만하나, 그 실상은 천지의 이치는 하나일 뿐이다. 비록 시대에 고금과 선후의 차이가 있다고 하더라도 그 이치는 둘이 있을 수 없다. 그러므로 복희씨는 다만 하도에 의거하여 역을 만들었은즉 반드시 미리 낙서를 본 것은 아니지만 이미 미리 낙서와 더불어 부합한 것이고, 우임금은 다만 낙서에 의거하여 홍범을 만들었은즉 또한 반드시 하도를 미루어 상고한 것은 아니지만 이미 은연중에 하도와 더불어 부합한 것이었다. 그 그러한 까닭은 무엇 때문인가. 참으로 이 이치 이외에 다시 다른 이치는 없기 때문이다.

【小註】潛室陳氏ㅣ 曰河圖는 以生數統成數하고 洛書는 以奇數統偶數하야 若不相似也라 然이나 一必配六하고 二必配七하고 三必配八하고 四必配九하고 五必居中而配十하니 圖書ㅣ 未嘗不相似也라 河圖之生成同方하고 洛書之奇偶異位하야 若不嘗似也라 然이나 同方者는 有內外之分하니 是는 河圖ㅣ 猶洛書也요 異位者는 有比肩之議하니 是는 洛書ㅣ 亦猶河圖也니라 ○節齋蔡氏ㅣ 曰河圖數偶니 偶者는 靜이라 靜은 以動爲用이라 故로 河圖之行合은 皆奇하니 一合六하고 二合七하고 三合八하고 四合九하고 五合十이라 是故로 易之吉凶은 生乎動하니 蓋靜者는 必動而後生也니라 洛書數奇니 奇者는 動이라 動은 以靜爲用이라 故로 洛書之位合은 皆偶하니 一合九하고 二合八하고 三合七하고 四合六이라 是故로 範之吉凶은 見乎靜하니 蓋動者는 必靜而後成也니라

似 : 닮을 사. 靜 : 고요할 정. 動 : 움직일 동.

잠실 진씨가 말하였다. "하도는 생수(生數)가 성수(成數)를 통솔하고, 낙서는 기수(奇數)가 우수(偶數)를 통솔하여 서로 유사하지 않은 듯하다. 그러나 〈하도

와 낙서 모두〉 1은 반드시 6과 짝하고, 2는 반드시 7과 짝하고, 3은 반드시 8과 짝하고, 4는 반드시 9와 짝하고, 5는 반드시 중앙에 거하여 10과 짝하니, 하도와 낙서가 서로 유사하지 않은 것이 없다.

하도의 생수와 성수는 같은 방위에 있고, 낙서의 기수와 우수는 자리를 달리해 있어서 서로 유사하지 않은 듯하다. 그러나 같은 방위에 있는 것은 안팎의 구분이 있으니 이는 하도가 낙서와 같은 것이고, 자리를 달리해 있는 것은 어깨를 나란히 하는 뜻이 있으니 이는 낙서가 또한 하도와 같은 것이다."

○절재 채씨(節齋蔡氏)[89]가 말하였다. "하도는 수가 우수(偶數)이니, 우수는 정적이다. 정적인 것은 동(動)으로써 용(用)을 삼으므로 하도의 오행의 합은 모두 기수(奇數)이니, 1은 6과 합하고, 2는 7과 합하고, 3은 8과 합하고, 4는 9와 합하고, 5는 10과 합한다.[90] 이 때문에 역(易)의 길흉은 동(動)에서 생겨나니, 대개 정적인 것은 반드시 동(動)한 뒤에 생겨나는 것이다.

낙서는 수가 기수(奇數)이니, 기수는 동적이다. 동적인 것은 정(靜)으로써 용(用)을 삼으므로 낙서의 자리의 합은 모두 우수(偶數)이니, 1은 9와 합하고, 2는 8과 합하고, 3은 7과 합하고, 4는 6과 합한다. 이 때문에 홍범의 길흉은 정(靜)에 나타나니, 동적인 것은 반드시 정(靜)한 이후에 이루어지는 것이다."

然이나 不特此耳라 律呂有五聲十二律而其相乘之數ㅣ 究於六十하고 日名有十幹十二支而其相乘之數ㅣ 亦究於六十하니 二者는 皆出於易之後요 其起數

89) 절재 채씨(節齋蔡氏) : 남송 때의 학자 채연(蔡淵)으로, 자는 백정(伯靜), 호는 절재(節齋)다. 채원정(蔡元定)의 맏아들로, 가학을 이으면서 주희(朱熹)를 사사했다.

90) 1은……합한다 : 1에 6을 더하면 7이고, 2에 7을 더하면 9이고, 3에 8을 더하면 11이고, 4에 9를 더하면 13이고, 5에 10을 더하면 15로 그 합이 모두 기수(奇數)이다.

우각부동 연 여역지음양책수노소 자상배합 개위육십자
ㅣ 又各不同이나 然이나 與易之陰陽策數老少로 自相配合하야 皆爲六十者로

무불약합부계야
无不若合符契也니라

律 : 가락, 음율 률(율). 幹 : 줄기 간. 支 : 지지(地支) 지.
策 : 점대 책. 점을 치는 데 쓰는 댓가지. 契 : 들어맞을 계.

그러나 이뿐만이 아니다. 율려(律呂)에 오성(五聲)과 십이율(十二律)이 있는데 그 서로 곱한 수가 60에 이르고[91] 일진(日辰)에 십간(十干)과 십이지(十二支)가 있는데 그 서로 곱한 수가 또한 60에 이르니,[92] 두 가지는 모두 역(易)이 생겨난 이후에 나왔고 그 수를 일으키는 방법이 또한 각각 같지 않다. 그러나 역의 음양 노소(老少)의 책수(策數)가 자연히 서로 배합하여 모두 60이 되는 것과 더불어 부절(符節)을 합한 것처럼 부합하지 않는 것이 없다.[93]

---

91) 율려(律呂)에……이르고 : 오성(五聲)은 오음(五音)으로, 궁(宮) · 상(商) · 각(角) · 치(徵) · 우(羽)의 다섯 음률을 가리킨다. 율려(律呂)는 십이율(十二律)의 양률(陽律)인 육률(六律)과 음려(陰呂)인 육려(六呂)를 통틀어 일컫는 말이다. 육률은 황종(黃鐘) · 태주(太簇) · 고선(姑洗) · 유빈(蕤賓) · 이칙(夷則) · 무역(無射)이고 육려는 대려(大呂) · 협종(夾鐘) · 중려(中呂) · 임종(林鐘) · 남려(南呂) · 응종(應鐘)이다.

92) 일진(日辰)에……이르니 : 십간(十干)은 천간(天干)이라고도 하며 갑(甲) · 을(乙) · 병(丙) · 정(丁) · 무(戊) · 기(己) · 경(庚) · 신(辛) · 임(壬) · 계(癸)를 말하고, 십이지(十二支)는 십이지지(十二地支)라고도 하며 자(子) · 축(丑) · 인(寅) · 묘(卯) · 진(辰) · 사(巳) · 오(午) · 미(未) · 신(申) · 유(酉) · 술(戌) · 해(亥)를 말한다. 천간과 십이지지를 결합하면 갑자(甲子) · 을축(乙丑) · 병인(丙寅) · 정묘(丁卯) · 무진(戊辰) 등의 순서로 60개가 되는데 이를 육십간지(六十干支), 육갑(六甲), 육십갑자(六十甲子)라고 하여 연월일 등을 표시하는 데에 쓴다.

93) 역의……없다 : 점을 칠 때에 시초를 세고 남은 수가 36책(策)이면 노양(老陽)이고, 24책이면 노음(老陰)이며, 32책이면 소음(少陰)이고, 28책이면 소양(少陽)이 된다. 그런데 노양과 노음의 책수를 합하고 소음과 소양의 책수를 합하면 각각 60이 되므로 이렇게 말한 것이다. 참고로 노양의 책수 36은 노양의 수(數) 9에 4를 곱한 수이고, 노음의 책수 24는 노음의 수 6에 4를 곱한 수이고, 소음의 책수 32는 소음의 수 8에 4를 곱한 수이고, 소양의 책수 28은 소양의 수 7에 4를 곱한 수이다.

주자 왈범역수 삼십육 대이십사 삼십이 대이십팔
【小註】朱子ㅣ 曰凡易數ㅣ 三十六는 對二十四하고 三十二는 對二十八하니

개육십야 이차 지천지지수 이육십위절
皆六十也라 以此로 知天地之數는 以六十爲節이니라

주자가 말하였다. "역(易)의 수가 36은 24와 상대하고 32는 28과 상대하니, 모두 60이다. 이것으로 천지의 수가 60으로 마디를 삼는다는 것을 알 수 있다."

하지운기 참동 태일지속 수부족도 연 역무불상통 개자연
下至運氣、參同、太一之屬하야는 雖不足道나 然이나 亦无不相通하니 蓋自然

지리야
之理也니라

아래로 오운(五運)과 육기(六氣)[94], 《참동계(參同契)》[95], 《태일(太一)》의 등속에 이르러서는 비록 족히 말할 것이 못되지만 그러나 또한 상통하지 않는 것이 없으니, 대개 자연스러운 이치이다.

---

94) 오운(五運)과 육기(六氣) : 오운은 토운(土運) · 금운(金運) · 수운(水運) · 목운(木運) · 화운(火運)으로, 오행(五行)과 천간(天干)을 결합시킨 것이다. 천간(天干)의 갑(甲) · 기(己)가 토(土)에 배합되어 토운이 되고, 을(乙) · 경(庚)이 금(金)에 배합되어 금운이 되고, 병(丙) · 신(辛)이 수(水)에 배합되어 수운이 되고, 정(丁) · 임(壬)이 목(木)에 배합되어 목운이 되고, 무(戊) · 계(癸)가 화(火)에 배합되어 화운이 된다. 육기는 풍(風) · 한(寒) · 서(暑) · 습(濕) · 조(燥) · 화(火) 6가지와 십이지(十二支)를 결합시킨 것으로, 자(子) · 오(午)가 배합되어 소음군화(少陰君火)가 되고 축(丑) · 미(未)가 배합되어 태음습토(太陰濕土)가 되고 인(寅) · 신(申)이 배합되어 소양상화(少陽相火)가 되고 묘(卯) · 유(酉)가 배합되어 양명조금(陽明燥金)이 되고 진(辰) · 술(戌)이 배합되어 태양한수(太陽寒水)가 되고 사(巳) · 해(亥)가 배합되어 궐음풍목(厥陰風木)이 된다. 풍목(風木) · 군화(君火) · 상화(相火) · 습토(濕土) · 조금(燥金) · 한수(寒水)의 차례로 1년의 24절기를 주관하며, 오운과 육기로 그 해가 어느 운(運)에 속하는지 추산하였다.

95) 《참동계(參同契)》 : 《주역참동계(周易參同契)》의 약칭으로, 후한 때 위백양(魏伯陽, 151~221)의 저술로서 도교의 조기 경전이다. 위백양의 본명은 위고(魏翶)이고 자(字)는 백양(伯阳)이다.

【小註】玉齋胡氏ㅣ 曰五運者는 甲己化土하고 乙庚化金하고 丙辛化水하고 丁壬化木하고 戊癸化火ㅣ 是也요 六氣는 子午少陰君火와 寅申少陽相火[96]와 丑未太陰濕土[97]와 辰戌太陽寒水와 巳亥厥陰風木이 各司天爲主氣ㅣ 是也라 參同契는 修養之書니 漢魏伯陽作이요 太一은 日家에 有太一統紀之書하니라

옥재 호씨가 말하였다. “오운(五運)은 갑(甲)·기(己)는 토(土)가 되고, 을(乙)·경(庚)은 금(金)이 되고, 병(丙)·신(辛)은 수(水)가 되고, 정(丁)·임(壬)은 목(木)이 되고, 무(戊)·계(癸)는 화(火)가 되는 것이 이것이다. 육기(六氣)는 자(子)·오(午)는 소음군화(少陰君火), 축(丑)·미(未)는 태음습토(太陰濕土), 인(寅)·신(申)은 소양상화(少陽相火), 묘(卯)·유(酉)는 양명조금(陽明燥金), 진(辰)·술(戌)은 태양한수(太陽寒水), 사(巳)·해(亥)는 궐음풍목(厥陰風木)이 각각 하늘을 맡아 기(氣)를 주장하는 것이 이것이다. 《참동계(參同契)》는 수양서(修養書)이니, 한나라 위백양(魏伯陽, 151~221)의 저술이고, 태일(太一)은 일가(日家)에 《태일통기(太一統紀)》라는 책이 있다.”

假令今世에 復有圖書者ㅣ 出이라도 其數ㅣ 亦必相符하리니 可謂伏羲ㅣ 有取於今日而作易乎아 大傳所謂河出圖 洛出書 聖人則之者는 亦汎言聖人이 作易

---

96) 【校】寅申少陽相火 : 저본에는 육기(六氣) 가운데 ‘寅申少陽相火’ 다음의 ‘卯酉陽明燥金’이 빠졌다. 번역문에 ‘卯酉陽明燥金’을 보충하여 번역하였다.

97) 【校】寅申少陽相火와 丑未太陰濕土 : 십이지지는 자(子)·축(丑)·인(寅)·묘(卯)·진(辰)·사(巳)의 순서로 되어 있으므로 ‘寅申少陽相火’와 ‘丑未太陰濕土’는 마땅히 순서가 바뀌어야 한다. 번역문에 수정하여 번역하였다.

作範에 其原이 皆出於天之意니 如言以卜筮者尙其占과 與莫大乎蓍龜之類니 易之書ㅣ 豈有龜與卜之法乎아 亦言其理ㅣ 無二而已爾니라

汎 : 두루, 넓을 범. 筮 : 점, 점대 서. 尙 : 숭상할, 높일 상. 蓍 : 시초(蓍草), 점대 시.

가령 지금 세상에 다시 하도와 낙서가 나온다고 하더라도 그 수가 또한 반드시 서로 부합할 것이니, 복희씨가 지금 세상에서 취하였다고 말할 수 있겠는가. 《대전》(〈계사상전〉 제11장)에 이른바 '하수에서 하도가 나오고 낙수에서 낙서가 나오자 성인(복희씨와 우임금)이 이것을 본받았다.'라는 것은 또한 성인이 역(易)을 만들고 홍범구주를 만듦에 그 근원이 모두 하늘에서 나왔다는 뜻을 범연히 말한 것이다. 예컨대 '복서(卜筮)하는 자는 그 점을 숭상한다.'[98]라는 것과 '시초와 거북점보다 더 큰 것이 없다.'[99]라고 말하는 유와 같으니, 역(易)의 책에 어찌 거북과 거북점을 치는 법이 있겠는가. 또한 그 이치는 둘이 없음을 말한 것일 뿐이다."

○朱子ㅣ 曰世傳一至九數者는 爲河圖요 一至十數者는 爲洛書라하야 正是反而置之하니 予ㅣ 於啓蒙에 辨之詳矣라 近讀大戴禮明堂篇하니 言其制度에 有曰二九四、七五三、六一八이어늘 鄭氏註云 法龜文也라하니 得此一證則漢人이 固以此九數者로 爲洛書矣니라

辨 : 분별할, 변론할 변.

---

98) '복서(卜筮)하는……숭상한다.' : 《주역전의대전》〈역전서(易傳序)〉에 보인다.

99) '시초와……없다.' : 《주역전의대전》〈계사상전(繫辭上傳〉 제11장에 보인다.

○주자가 말하였다. “세상에서 전하기를 1부터 9까지의 수는 하도가 되고 1부터 10까지의 수는 낙서가 된다고 하여 정반대로 두었으니, 내가《역학계몽(易學啟蒙)》[100]에서 상세하게 변론하였다. 근래에《대대례(大戴禮)》[101] 〈명당(明堂)〉편을 읽어보니, 그 제도를 말한 부분에 ‘2 · 9 · 4, 7 · 5 · 3, 6 · 1 · 8’이 있는데, 정씨(鄭氏)[102]의 주에 ‘거북이 무늬를 본받은 것이다.’라고 하였으니, 이 한 가지 증거를 보면 한나라 사람들은 참으로 이 9수를 낙서라고 여겼던 것이다.”

又曰夫以河圖洛書로 爲不足信은 自歐陽公以來로 已有此說이나 然이나 終无奈顧命繫辭論語에 皆有是言이요 而諸儒所傳二圖之數ㅣ 雖有交互而无乖戾하고 順數逆推에 縱橫曲直이 皆有明法하니 不可得而破除也라 至如河圖하야는 與易之天一至地十者合이요 而載天地五十有五之數하니 則固易之所自出也며 洛書는 與洪範之初一至次九者合이요 而具九疇之數하니 則固洪範之所自出也라 繫辭에 雖不言伏羲ㅣ 受河圖以作易이나 然이나 所謂仰觀俯察 近取遠取가 安知河圖ㅣ 非其中之一事耶아 大抵聖人의 制作所由ㅣ 初非一端이나 然

---

100)《역학계몽(易學啟蒙)》: 주희(朱熹)의 저술로, 모두 4권이다. 상(象)을 보는 것을 위주로 하여 체용(體用)으로 구분할 때 역(易)의 체(體)가 되며, 역의 용(用)이 되는 주희의《주역본의(周易本義)》와 더불어 서로 참조가 된다.

101)《대대례(大戴禮)》: 서한(西漢) 때 대덕(戴德)이 진한(秦漢) 이전의 각종 고대 예의에 관한 문헌에서 85편을 선정하여 만든 책이다. 대덕의 조카 대성(戴聖)은 대덕의『대대례기(大戴禮記)』중에서 고대의 각종 예의와 관련된 49편을 뽑아『소대례기(小戴禮記)』를 편찬했는데, 이것이 지금의『예기(禮記)』라 한다.

102) 정씨(鄭氏) : 후한의 경학자인 정현(鄭玄)을 말한다. 金碩鎭, 앞의 책, p.77. 참조.

기 법 상 지 규 모 필 유 최 친 절 처 여 홍 황 지 세 천 지 지 간 음 양 지 기
이나 其法象之規模는 必有最親切處하니 如鴻荒之世天地之間에 陰陽之氣ㅣ

수 각 유 상 연 초 미 상 유 수 야 지 어 하 도 지 출 연 후 오 십 유 오 지 수
雖各有象이나 然이나 初未嘗有數也러니 至於河圖之出然後에 五十有五之數

기 우 생 성 찬 연 가 견 차 기 소 이 심 발 성 인 지 독 지 우 비 범 연 기 상 지 소
와 奇偶生成을 粲然可見하니 此其所以深發聖人之獨智니 又非汎然氣象之所

가 득 이 의 야 시 이 앙 관 부 찰 원 구 근 취 지 차 이 후 양 의 사 상 팔 괘
可得而擬也라 是以로 仰觀俯察하고 遠求近取하야 至此而後에 兩儀四象八卦

지 음 양 기 우 가 득 이 언 수 계 사 소 논 성 인 작 역 지 유 자 비 일 이 불 해
之陰陽奇偶를 可得而言하니 雖繫辭所論聖人作易之由者ㅣ 非一이나 而不害

기 득 차 이 후 결 야
其得此而後決也니라

歐 : 성(姓) 구. 无奈 : 유감스럽게도. 공교롭게도. 乖 : 어그러질, 어긋날 괴. 戾 : 어그러질 려. 破 : 깨뜨릴 파. 除 : 없앨 제. 端 : 가지, 갈래 단. 鴻荒 : 태고. 홍황(洪荒). 鴻 : 클 홍. '洪'과 통용. 荒 : 클 황. 粲 : 밝을, 환할 찬. 擬 : 헤아릴, 흉내 낼 의. 害 : 해로울 해. 決 : 결단할, 과감할 결.

또 말하였다. "무릇 하도(河圖)와 낙서(洛書)를 족히 믿을 만하지 못하다고 한 것은 구양공(歐陽公)[103] 이래로 이미 이런 설이 있었다. 그러나 《서경(書經)》〈고명(顧命)〉과 《주역》〈계사전〉과 《논어(論語)》에 모두 이와 관련된 기록이 있고,[104] 여러 유자가 전한바 하도와 낙서 두 그림의 수가 비록 바뀐 경우는 있었으나 어긋남은 없으며 순으로 세고 역으로 미룸에 종횡과 곡직에 모두 분명한 법이 있으니, 타파할 수 없다.

---

103) 구양공(歐陽公) : 송나라 때 정치가이면서 문인인 구양수(歐陽脩, 1007~1072)이다.

104) 《서경(書經)》……있고 : 《서경》〈고명(顧命)에 "대옥(大玉)과 이옥(夷玉)과 천구(天球)와 하도(河圖)는 동서(東序)에 있었다.〔大玉夷玉天球河圖, 在東序.〕"라는 기록이 있고, 《주역》〈계사상전(繫辭上傳)〉 제11장에 "하수에서 하도가 나오고 낙수에서 낙서가 나오자 성인이 이것을 본받았다.〔河出圖洛出書, 聖人則之.〕"라는 기록이 있고, 《논어》〈자한(子罕)〉에 "공자께서 말씀하였다. '봉황새가 이르지 않고 하수에서 하도가 나오지 않으니, 나는 끝났나보다.'〔子曰 : '鳳鳥不至, 河不出圖, 吾已矣夫.'〕"라는 기록이 있다.

하도로 말하면 역(易)이 천수 1부터 지수 10까지 이르는 것과 더불어 부합하고[105] 천지 55의 수가 실려 있으니 진실로 역(易)이 이로부터 나온 것이며, 낙서는 홍범구주(洪範九疇)의 첫 번째로부터 다음 아홉 번째에 이르는 것과 더불어 부합하고[106] 구주(九疇)의 수가 갖추어져 있으니 진실로 홍범이 이로부터 나온 것이다.

〈계사전〉에 비록 복희씨가 하도를 받아 역을 만들었다고 말하지는 않았다. 그러나 이른바 〈《계사하전》 제2장에〉'우러러 하늘에서 상(象)을 관찰하고 굽어 땅에서 법을 살핀다.'라는 것과 '가까이 몸에서 취하고 멀리 사물에서 취했다.'라는 것이, 하도가 그 가운데의 한 가지 일이 아니라는 것을 어찌 알 수 있겠는가.

대저 성인이 만드셨을 때 말미암은 바가 애당초 한 가지가 아니었을 것이지만 그러나 그 법(法)과 상(象)의 규모는 반드시 가장 친절한 부분이 있을 것이다. 예컨대, 태초의 시대 천지의 사이에 음양의 기(氣)가 비록 각각 상(象)은 있었지만 그러나 애초에 일찍이 수(數)가 있지는 않았다. 그런데 하도가 나온 연후에 55수의 기수(奇數)·우수(偶數), 생수(生數)·성수(成數)를 찬연히 볼 수 있게 되었으니, 이는 성인의 독특한 지혜를 깊이 발현시킨 것으로서 또한 범연한 기상으로 헤아릴 수 있는 것이 아니다. 이 때문에 우러러 하늘에서 상을 관찰하고 굽어 땅에서 법을 살피며 멀리 사물에서 취하고 가까이 몸에서 취하여 이 하도의 수를 얻음에 이른 이후에 양의(兩儀)·사상(四象)·팔괘의 음양(陰陽)과 기우(奇偶)를 말할 수 있게 되었으니, 비록 〈계사전〉에서 논한바 성인이 역(易)을 만드셨을 때에 말미암은 것이 한 가지가 아니지만

---

105) 하도로……부합하고 : 《주역전의대전》〈계사상전〉 제9장에 "천수 1, 지수 2, 천수 3, 지수 4, 천수 5, 지수 6, 천수 7, 지수 8, 천수 9, 지수 10이니, 천수가 다섯이고 지수가 다섯이다.〔天一地二天三地四天五地六天七地八天九地十, 天數五, 地數五.〕"라는 기록과 하도가 부합함을 말한다.

106) 낙서는……부합하고 : 《서경》〈홍범(洪範)〉에 "첫 번째는 오행(五行)이고 …… 아홉 번째는 향함을 오복(五福)으로써 하고 위엄을 보임을 육극(六極)으로써 하는 것이다.〔初一曰五行, …… 次九曰嚮用五福, 威用六極.〕"라는 기록과 낙서가 부합함을 말한다.

이 하도를 얻은 뒤에 역을 만들었다고 해도 무방하다.”

【小註】玉齋胡氏ㅣ 曰先天八卦에 乾兌는 生於老陽之四九하고 離震은 生於少陰之三八하고 巽坎은 生於少陽之二七하고 艮坤은 生於老陰之一六하야 其卦ㅣ 未嘗不與洛書之位數合이요 後天八卦에 坎一六數와 離二七火와 震巽三八木과 乾兌四九金과 坤艮五十土는 其卦ㅣ 未嘗不與河圖之位水合하니 此ㅣ 圖書所以相爲經緯요 而先後天이 亦有相爲表裏之妙也니라 ○雙湖胡氏ㅣ 曰河圖洛書ㅣ 皆木數居東方하고 伏羲畫卦ㅣ 自下而上하니 卽木之自根而幹하고 幹而枝也라 其畫三은 木之生數也요 其卦八은 木之成數也라 重卦도 亦兩其三、八其八爾니 三八木數ㅣ 大備而後에 六十四卦ㅣ 大成이라 一六水、二七火、四九金、五十土ㅣ 皆在包羅中矣니 此는 春이 所以貫四時하고 仁이 所以包四端하고 元이 所以統四德이라 大哉라 易也여 斯其至矣로다

羅 : 망라할, 포괄할 라. 貫 : 꿸 관. 斯 : 이 사.

옥재 호씨가 말하였다. “선천 팔괘(〈복희팔괘방위지도〉)에서 건(乾 ☰) · 태(兌 ☱)는 노양(老陽)의 4 · 9에서 생기고, 이(離 ☲) · 진(震 ☳)은 소음(少陰)의 3 · 8에서 생기고, 손(巽 ☴) · 감(坎 ☵)은 소양(少陽)의 2 · 7에서 생기고, 간(艮 ☶) · 곤(坤 ☷)은 노음(老陰)의 1 · 6에서 생겨서 그 괘가 낙서(洛書)의 위(位) · 수(數)와 더불어 부합하지 않는 것이 없다. 후천 팔괘(〈문왕팔괘방위지도〉)에서 감(坎 ☵) 1 · 6 수(水), 이(離 ☲) 2 · 7 화(火), 진(震 ☳) · 손(巽 ☴) 3 · 8 목(木), 건(乾 ☰) · 태(兌 ☱) 4 · 9 금(金), 곤(坤 ☷) · 간(艮 ☶) 5 · 10 토(土)는 그 괘가 하도(河圖)의 위(位) · 수(數)와 더불어 부합하지 않는 것이 없

다. 이는 하도와 낙서가 서로 경(經) · 위(緯)가 되는 것이면서 선천 팔괘와 후천 팔괘가 또한 서로 표(表) · 리(裏)가 되는 오묘함이 있는 것이다."

○쌍호 호씨가 말하였다. "하도와 낙서 모두 목(木 3 · 8)의 수(數)가 동방에 자리해 있고 복희씨가 괘를 그음에 아래로부터 위로 올라갔으니, 곧 나무가 뿌리로부터 줄기가 생기고 줄기에서 가지를 뻗는 것과 같다. 그 획 3은 목(木)의 생수이고, 그 괘 8은 목(木)의 성수이다. 중괘(重卦)도 그 3획을 두 번 겹치고 그 팔괘에 팔괘를 겹친 것과 같으니, 3 · 8 목(木)의 수가 크게 갖춰진 뒤에 64괘가 크게 이루어진다. 1 · 6 수(水), 2 · 7 화(火), 4 · 9 금(金), 5 · 10 토(土)는 모두 〈3 · 8 목이〉 포괄하는 가운데에 있으니, 이는 봄이 사시(四時)를 관통하고 인(仁)이 사단(四端)[107]을 포괄하고 원(元)이 사덕(四德 원(元) · 형(亨) · 이(利) · 정(貞))을 통솔하는 것과 같다. 위대하구나, 역(易)이여. 그 지극하도다."

우왈이대전지문상지 하도낙서 개개성인소취 이위팔괘자 이구
又曰以大傳之文詳之하면 河圖洛書는 蓋皆聖人所取하야 以爲八卦者요 而九
주 역병출언 금이기상관지 즉허기중자 소이위역야 실기중자
疇도 亦幷出焉이라 今以其象觀之하면 則虛其中者는 所以爲易也요 實其中者는
소이위홍범야 기소이위역자 이구어전단의 소이위홍범 즉하도구주
所以爲洪範也니 其所以爲易者ㅣ 已具於前段矣라 所以爲洪範은 則河圖九疇
지상 낙서오행지수 유불가무자 공불득이기출어위서이략지야
之象과 洛書五行之數ㅣ 有不可誣者하니 恐不得以其出於緯書而略之也니라

幷 : 아우를 병. 虛 : 비울 허. 實 : 채울 실. 段 : 부분, 단락 단. 略 : 경시할 략.

또 말하였다. "《대전》(〈계사전〉)의 글을 가지고 살펴보면, 하도와 낙서는 대개 모두

---

107) 사단(四端) : 단(端)은 실마리의 뜻으로, 사람의 본성(本性)에서 우러나는 네 가지 마음씨란 뜻이다. 곧 인(仁)에서 우러나는 측은지심(惻隱之心), 의(義)에서 우러나는 수오지심(羞惡之心), 예(禮)에서 우러나는 사양지심(辭讓之心), 지(知)에서 우러나는 시비지심(是非之心)의 네 가지를 말한다. 《孟子 公孫丑上》

성인이 취하여 팔괘를 만드신 것이고, 구주(九疇)도 함께 나온 것이다. 지금 그 상(象)을 가지고 살펴보면, 그 중앙 5 · 10을 비우는 것은 역(易)을 만드는 것이고 그 중앙을 채우는 것은 홍범을 만드는 것이니, 역(易)이 만들어지는 것은 이미 앞 단락에 갖추어져 있고 홍범을 만드는 것은 하도에 구주(九疇)의 상(象)과 낙서에 오행(五行)의 수를 속일 수 없으니, 위서(緯書)에서 나왔다고 하여 경시해서는 안 될 듯하다."

○古人ㅣ 做易에 其巧를 不可言이라 太陽數九요 少陰數八이요 少陽數七이요 太陰數六이니 初亦不知其數如何恁地요 元來只是十數라 太陽居一하니 除了本身하면 便是九箇요 少陰居二하니 除了本身하면 便是八箇요 少陽居三하니 除了本身하면 便是七箇요 太陰居四하니 除了本身하면 便是六箇라 這處를 都不曾有人見得이니라

恁 : 이러할 임. '如此'와 뜻이 같음. 了 : 어조사 료. 결정 또는 과거 · 완료 등의 뜻을 나타내기 위하여 어미에 첨가하는 조사. 本身 : 그 자신. 這 : 이 저. 都 : 모두 도.

○옛사람이 역(易)을 만듦에 그 공교로움을 이루 말할 수 없다. 태양(太陽 ⚌)의 수는 9이고, 소음(少陰 ⚎)의 수는 8이고, 소양(少陽 ⚍)의 수는 7이고, 태음(太陰 ⚏)의 수는 6이니, 애초에 또한 그 수가 어떻게 해서 이렇게 된 것인지 알 수 없고 원래 다만 10수일뿐이다. 태양(太陽 ⚌)은 1에 자리하니 그 본신을 빼면 곧 9이고, 소음(少陰 ⚎)은 2에 자리하니 그 본신을 빼면 곧 8이고, 소양(少陽 ⚍)은 3에 자리하니 그 본신을 빼면 곧 7이고, 태음(太陰 ⚏)은 4에 자리하니 그 본신을 빼면 곧 6이니, 이런 부분에 대하여 모두 일찍이 아는 사람이 있지 않았다.

問老陽少陰少陽老陰이 除了本身一二三四하면 便是九八七六之數니 今觀啓

몽　양진음퇴지설　야시여차　왈타진퇴　역시여차　불시인거강
蒙컨대 陽進陰退之說도 也是如此잇가 曰他進退도 亦是如此하니 不是人去强
교타진퇴　단시이십언지　즉여전설　대고분효　약이십오언지
敎他進退라 但是以十言之하면 則如前說하야 大故分曉요 若以十五言之하면
즉구변대육　칠변대팔　효득시　저물사　야호칙극
則九便對六하고 七便對八하니 曉得時에 這物事ㅣ 也好則劇이니라

强 : 억지로 강. 敎 : 하여금 교. ~로 하여금 ~하게 하다. 他 : 그 타. 也 : 또한 야.
大故 : 매우. 몹시. 曉 : 깨달을 효. 劇 : 연극 극.

묻기를 “노양 · 소음 · 소양 · 노음이 본신 1 · 2 · 3 · 4를 제하면 곧 9 · 8 · 7 · 6의 수이니, 지금《역학계몽(易學啟蒙)》을 보건대, 양(陽)은 나아가고 음(陰)은 물러난다는 설도 이와 같은가?” 하자, 다음과 같이 대답하였다.

“그 진퇴도 이와 같으니, 사람이 억지로 그것으로 하여금 나아가고 물러가게 하는 것이 아니다. 다만 10을 가지고 말해보면 앞에서 설명한 것처럼 매우 분명하고, 만약 15를 가지고 말하면 9는 6과 상대하고 7은 8과 상대하니, 이것을 깨달으면 이 일이 또한 칙극(則劇)[108]을 보는 것처럼 좋다.”

문간하도상차수　공정료　왈천지　지시불회설　타성인출래설
○問看河圖上此數ㅣ 控定了한대 曰天地ㅣ 只是不會說일새 倩他聖人出來說이
약천지　자회설화　상갱설득호재　여하도낙서　변시천지　획출
라 若天地ㅣ 自會說話인댄 想更說得好在리라 如河圖洛書는 便是天地ㅣ 畫出
저
底니라

控 : 당길, 던질 공. 會 : 능숙할 회. 倩 : 고용할 청. 更 : 더욱 갱. 底 : 어조사 저.

---

108) 칙극(則劇) : 연극을 말하는 듯하다. 퇴계(退溪) 이황(李滉)은 다음과 같이 풀이했다. “《남촌철경록(南村輟耕錄)》에 ‘송(宋)의 양태후(楊太后)는 어려서 궁중에 들어가서 칙극(則劇)을 하는 어린아이가 되었다.’라고 하였으니, 칙극이란 연극의 명칭일 것이며, 칙극을 하는 어린 아이라 함은 지금의 연화대(連花隊)라 하는 것이나 마찬가지일 것이다.”《退溪集 啓蒙傳疑》

○하도(河圖)에 이 수가 나열된 것을 보는 방법을 물었는데,[109] 다음과 같이 대답하였다.

"천지가 다만 말을 하지 못하기 때문에 성인을 빌어 설명한 것이다. 만약 천지가 스스로 말을 할 수 있었다면 생각건대 더욱 잘 설명했을 것이다. 하도와 낙서 같은 것은 곧 천지가 그려낸 것이다."

위 감 숙 회 왈 증 간 하 도 낙 서 수 부 무 사 시 호 간 차 득 자 가 심 유 전 득 동
○謂甘叔懷曰曾看河圖洛書數否아 无事時好看이니 且得自家心流轉得動이니라

曾 : 이전에 증. 否 : 의문사 부.

○감숙회(甘叔懷)에게 다음과 같이 말하였다. "전에 하도와 낙서의 수를 본적이 있는가? 일이 없을 때 보는 것이 좋고 또한 자신의 마음이 유전하여 생동함을 알 수 있을 것이다."

---

109) 하도(河圖)에……물었는데 : 김석진(金碩鎭)은 "묻기를 '하도를 보면 이런 숫자가 다 설명되어 있습니까?'"로 번역하였다. 金碩鎭, 앞의 책, p.81. 참조.

2) 〈복희팔괘차서지도(伏羲八卦次序之圖)〉

伏 羲 入 卦 次 序 之 圖								
8	7	6	5	4	3	2	1	
坤☷	艮☶	坎☵	巽☴	震☳	離☲	兌☱	乾☰	八卦
太陰⚏		少陽⚎		少陰⚍		太陽⚌		四象
陰⚋				陽⚊				兩儀
太極								

우 계사전 왈역유태극 시생양의 양의 생사상 사상 생팔
右는 **繫辭傳**에 **曰易有太極**하니 **是生兩儀**하고 **兩儀**ㅣ **生四象**하고 **四象**이 **生八**
괘 소자 왈일분위이 이분위사 사분위팔야 설괘전
卦라하니 **邵子**ㅣ **曰一分爲二**하고 **二分爲四**하고 **四分爲八也**라하니라 **說卦傳**에
왈역 역수야 소자 왈건일 태이 이삼 진사 손오 감육 간칠 곤
曰易은 **逆數也**라하니 **邵子**ㅣ **曰乾一、兌二、離三、震四、巽五、坎六、艮七、坤**
팔 자건지곤 개득미생지괘 약역추사시지비야 후육십사괘차서
八이니 **自乾至坤**은 **皆得未生之卦**하니 **若逆推四時之比也**라 **後六十四卦次序**
방차
도 **倣此**라하니라

逆 : 거꾸로, 미리 역. 倣 : 본뜰 방.

위는 〈계사상전(繫辭上傳)〉 제11장에 "역(易)에 태극(太極)이 있으니, 이것이 양의(兩儀)를 낳고 양의가 사상(四象)을 낳고 사상이 팔괘(八卦)를 낳는다." 하였는데, 소자(邵子)는 말하기를 "하나가 나뉘어 둘이 되고 둘이 나뉘어 넷이 되고 넷이 나뉘어 여덟이 된다." 하였다. 〈설괘전(說卦傳)〉에 "역(易)은 역수(逆數)이다." 하였는데, 소자는

말하기를 “건(乾 ☰)이 1, 태(兌 ☱)가 2, 이(離 ☲)가 3, 진(震 ☳)이 4, 손(巽 ☴)이 5, 감(坎 ☵)이 6, 간(艮 ☶)이 7, 곤(坤 ☷)이 8이니, 건(乾 ☰)으로부터 곤(坤 ☷)에 이르기까지는 모두 아직 생겨나지 않은 괘를 얻은 것이니, 예컨대 사시(四時 사계절)를 미리 추산하는 것에 비유할 수 있다. 뒤의 〈복희육십사괘차서지도(伏羲六十四卦次序之圖)〉도 이와 같다.” 하였다.

흑 백 지 위 본 비 고 법 단 금 욕 이 효 차 위 차 이 우 지 이 후
【小註】 黑白之位는 本非古法이로대 但今欲易曉하야 且爲此以寓之耳라 後
육 십 사 괘 차 서 방 차
六十四卦次序도 倣此하니라

흑백으로 구분한 자리[110]는 본래 옛 법이 아니다. 다만 지금 쉽게 이해하고자 하여 우선 이렇게 만들어서 뜻을 부친 것일 뿐이다. 뒤의 〈복희육십사괘차서지도(伏羲六十四卦次序之圖)〉도 이와 같다.

【附錄】

주 자 왈 태 극 자 상 수 미 형 이 기 리 이 구 지 칭 형 기 이 구 이 기 리 무 짐 지 목
朱子ㅣ 曰太極者는 象數未形而其理已具之稱이요 形器已具而其理无朕之目
재 하 도 낙 서 개 허 중 지 상 야 태 극 지 판 시 생 일 기 일 우 이 위 일 획 자
이니 在河圖洛書에 皆虛中之象也라 太極之判하야 始生一奇一偶而爲一畫者
이 시 위 양 의 기 수 즉 양 일 이 음 이 재 하 도 낙 서 즉 기 우 시 야 양 의
ㅣ 二면 是爲兩儀니 其數則陽一而陰二니 在河圖洛書則奇偶ㅣ 是也라 兩儀
지 상 각 생 일 기 일 우 이 위 이 획 자 사 시 위 사 상 기 위 즉 태 양 일 소 음
之象에 各生一奇一偶而爲二畫者ㅣ 四면 是謂四象이니 其位則太陽一、少陰
이 소 양 삼 태 음 사 기 수 즉 태 양 구 소 음 팔 소 양 칠 태 음 육 이 하 도 언
二、少陽三、太陰四요 其數則太陽九、少陰八、少陽七、太陰六이라 以河圖言

110) 흑백으로 구분한 자리 : 위 〈복희팔괘차서지도(伏羲八卦次序之圖)〉에서 양(陽)은 흰색으로, 음(陰)은 검은 색으로 구분한 것을 말한다.

지 즉육자 일이득어오자야 칠자 이이득어오자야 팔자 삼이득
之하면 則六者는 一而得於五者也요 七者는 二而得於五者也요 八者는 三而得

어오자야 구자 사이득어오자야 이낙서언지 즉구자 십분일지여
於五者也요 九者는 四而得於五者也며 以洛書言之하면 則九者는 十分一之餘

야 팔자 십분이지여야 칠자 십분삼지여야 육자 십분사지여야
也요 八者는 十分二之餘也요 七者는 十分三之餘也요 六者는 十分四之餘也라

사상지상 각생일기일우이위삼획자 팔 어시 삼재 략구이유팔괘
四象之象에 各生一奇一偶而爲三畫者ㅣ 八이면 於是에 三才ㅣ 略具而有八卦

지명의 기위즉건일 태이 이삼 진사 손오 감육 간칠 곤팔 재하도
之名矣니 其位則乾一、兌二、離三、震四、巽五、坎六、艮七、坤八이라 在河圖

즉건곤이감 분거사실 태진손간 분거사허 재낙서즉건곤이감
則乾坤離坎이 分居四實하고 兌震巽艮이 分居四虛하며 在洛書則乾坤離坎이

분거사방 태진손간 분거사우야
分居四方하고 兌震巽艮이 分居四隅也니라

稱 : 명칭, 칭호 칭. 朕 : 조짐, 징조 짐. 判 : 나뉠 판.

주자가 말하였다. "태극(太極)은 상(象)과 수(數)가 아직 드러나지 않았으나 그 이치가 이미 갖추어져 있는 것의 칭호이고 형(形)과 기(器)가 이미 갖추어져 있으나 그 이치가 조짐이 없는 것의 명칭이니, 하도와 낙서에 있어서 모두 중앙을 비운 상이다. 태극이 나뉘어 처음 하나의 기(奇 ─)와 하나의 우(偶 --)를 낳아 한 획인 것이 둘이 되면 이것이 양의(兩儀)이니, 그 수는 양(陽 ─)이 1이고 음(陰 --)이 2이니, 하도와 낙서에 있어서는 기수(奇數)와 우수(偶數)가 이것이다. 양의의 위에 각각 하나의 기(奇 ─)와 하나의 우(偶 --)를 낳아 2획인 것이 넷이 되면 이것을 사상(四象)이라 하니, 그 자리는 태양(太陽 ═)이 1, 소음(少陰 ==)이 2, 소양(少陽 ==)이 3, 태음(太陰 ==)이 4이고, 그 수는 태양(太陽 ═)이 9, 소음(少陰 ==)이 8, 소양(少陽 ==)이 7, 태음(太陰 ==)이 6이다. 하도를 가지고 말하면 6은 1에서 5를 얻은 것이고, 7은 2에서 5를 얻은 것이고, 8은 3에서 5를 얻은 것이고, 9는 4에서 5를 얻은 것이며, 낙서를 가지고 말하면 9는 10에서 1을 나눈(뺀) 나머지이고, 8은 10에서 2를 나눈 나머지이고, 7은 10에서 3을 나눈 나머지이고, 6은 10에서 4를 나눈 나머지이다. 사상(四象)의 위에 각각 하나

의 기(奇 —)와 하나의 우(偶 --)를 낳아 3획인 것이 여덟이 되면, 이에 삼재(三才 천지인(天地人))가 대략 갖추어져 팔괘(八卦)의 명칭이 있게 되니[111] 그 자리는 건(乾 ☰)이 1, 태(兌 ☱)가 2, 이(離 ☲)가 3, 진(震 ☳)이 4, 손(巽 ☴)이 5, 감(坎 ☵)이 6, 간(艮 ☶)이 7, 곤(坤 ☷)이 8이다. 하도에 있어서는 건(乾 ☰)·곤(坤 ☷)·이(離 ☲)·감(坎 ☵)이 나뉘어 네 실한 자리[112]에 거하고 태(兌 ☱)·진(震 ☳)·손(巽 ☴)·간(艮 ☶)이 나뉘어 네 빈자리에 거하며, 낙서에 있어서는 건(乾 ☰)·곤(坤 ☷)·이(離 ☲)·감(坎 ☵)이 나뉘어 네 정방에 거하고 태(兌 ☱)·진(震 ☳)·손(巽 ☴)·간(艮 ☶)이 나뉘어 네 모퉁이에 거한다."

【小註】盤澗董氏ㅣ 曰自兩儀生四象하면 則太陽太陰은 不動而少陰少陽則交하고 自四象生八卦하면 則乾坤震巽은 不動而兌離坎艮則交하니 蓋二老ㅣ 不動者는 陽儀還生陽之象하고 陰儀還生陰之象이요 二少則交者는 陽儀乃生陰之象하고 陰儀乃生陽之象也요 乾坤震巽不動者는 陽象還生陽爻하고 陰象還生陰爻요 兌離艮坎則交者는 陽象乃生陰爻하고 陰象乃生陽爻니라

還 : 다시, 도리어 환.

111) 삼재(三才 천지인(天地人))가……되니 : 삼재(三材)는 천(天)·지(地)·인(人)을 가리킨다. 팔괘는 3획으로 이루어져있는데 맨 위 효는 천(天), 맨 아래 효는 지(地), 중간 효는 인(人)을 상징한다. 《주역전의대전》의 〈계사하전(繫辭下傳)〉 제10장에 "천도(天道)가 있고, 인도(人道)가 있고, 지도(地道)가 있으니, 삼재(三才)를 겸하여 이를 둘로 하였다. 그러므로 6이다. 6은 다른 것이 아니라 삼재의 도이다.〔有天道焉, 有人道焉, 有地道焉, 兼三才而兩之, 故六, 六者, 非他也, 三才之道也.〕" 하였다.

112) 네 실한 자리 : 동, 서, 남, 북 네 정방을 말한다. 뒤의 네 빈자리는 동남, 동북, 서남, 서북의 네 모퉁이를 말한다. 하도는 동서남북과 중앙에 1·6 수(水), 2·7 화(火), 3·8 목(木), 4·9 금(金), 5·10 토(土)가 자리해 있으므로 실한 자리라고 한 것이다.

반간 동씨가 말하였다. "양의(兩儀)에서 사상(四象)이 생겨나면 태양(太陽 ⚌) · 태음(太陰 ⚏)은 움직이지 않으나 소음(少陰 ⚍) · 소양(少陽 ⚎)은 사귀고, 사상(四象)에서 팔괘(八卦)가 생겨나면 건(乾 ☰) · 곤(坤 ☷) · 진(震 ☳) · 손(巽 ☴)은 움직이지 않으나 태(兌 ☱) · 이(離 ☲) · 감(坎 ☵) · 간(艮 ☶)은 사귄다. 대개 두 노양(老陽 ⚌)과 노음(老陰 ⚏)이 움직이지 않는 것은 양의(陽儀 ⚊)에서 다시 양(陽)의 상(象)이 생겨나고 음의(陰儀 ⚋)에서 다시 음(陰)의 상(象)이 생겨나기 때문이며, 소음(少陰 ⚍)과 소양(少陽 ⚎)이 사귀는 것은 양의(陽儀 ⚊)에서 이에 음(陰)의 상(象)이 생겨나고 음의(陰儀 ⚋)에서 이에 양(陽)의 상(象)이 생겨나기 때문이다. 건(乾 ☰) · 곤(坤 ☷) · 진(震 ☳) · 손(巽 ☴)이 움직이지 않는 것은 양(陽)의 상(象)에서 다시 양효(陽爻 ⚊)가 생겨나고 음(陰)의 상(象)에서 다시 음효(陰爻 ⚋)가 생겨나기 때문이며, 태(兌 ☱) · 이(離 ☲) · 감(坎 ☵) · 간(艮 ☶)이 사귀는 것은 양(陽)의 상(象)에서 이에 음효(陰爻 ⚋)가 생겨나고 음(陰)의 상(象)에서 이에 양효(陽爻 ⚊)가 생겨나기 때문이다."

○問易有太極 是生兩儀 兩儀生四象 四象生八卦한대 曰此太極은 却是爲畫卦說이라 當未畫卦前엔 太極이 只是一箇混淪底道理라 裏面에 包含陰陽剛柔奇偶하야 无所不有러니 及畫一奇一偶하야 是生兩儀하고 再於一奇畫上加一奇하면 此是陽中之陽이요 又於一奇畫上加一偶하면 此是陽中之陰이요 又於一偶上加一奇하면 此是陰中之陽이요 又於一偶上加一偶하면 此是陰中之陰이니 是謂四象이라 所謂八卦者는 一象上에 有兩卦하야 每象에 各添一奇一偶하면 便是八卦니라 或說一爲儀요 二爲象이요 三爲卦라 四象은 如春夏秋冬、金木

水火、東西南北을 无不可推矣니라

混淪 : '渾淪'과 뜻이 같다. 마구 뒤섞여 있어 갈피를 잡을 수 없는 상태.
混 : 섞일 혼. 淪 : 빠질 륜. 剛 : 양(陽) 강. 柔 : 음(陰) 유. 奇 : 홀수 기. 偶 : 짝수 우. 添 : 더할 첨.

○'역(易)에 태극(太極)이 있으니 이것이 양의(兩儀)를 낳고 양의가 사상(四象)을 낳고 사상이 팔괘(八卦)를 낳는다.'라는 것에 대해 물었는데, 다음과 같이 대답하였다.

"여기에서의 태극은 바로 괘를 긋는 것을 말한 것이다. 아직 괘를 긋기 전에는 태극이 다만 한 개의 혼륜한 도리일 뿐이므로 그 이면에 음양(陰陽)·강유(剛柔)·기우(奇偶)를 포함하여 있지 않은 것이 없다가 하나의 기(奇 ─)와 하나의 우(偶 --)를 그음에 미쳐서 이것이 양의(兩儀)를 낳고, 거듭 하나의 기(奇 ─) 획 위에 하나의 기(奇 ─)를 더하면 이것이 양 가운데의 양(陽 ═)이 되고 또 하나의 기(奇 ─) 획 위에 하나의 우(偶 --)를 더하면 이것이 양 가운데의 음(陰 ==)이 되며, 또 하나의 우(偶 --) 위에 하나의 기(奇 ─)를 더하면 이것이 음 가운데의 양(陽 ==)이 되고 또 하나의 우(偶 --) 위에 하나의 우(偶 --)를 더하면 이것이 음 가운데의 음(陰 ==)이 되니, 이것을 사상(四象)이라 한다. 이른바 팔괘는 하나의 상(象) 위에 두 괘가 있어서 매 상(象)마다 각각 하나의 기(奇 ─)와 하나의 우(偶 --)를 더하면 바로 팔괘가 된다. 혹자는 '1은 양의이고, 2는 사상이고, 3은 팔괘이다. 사상은 춘·하·추·동, 금(金)·목(木)·수(水)·화(火), 동·서·남·북에 미루지 못하는 것이 없다.'라고 한다."

【小註】朱子ㅣ 曰太極之義는 正謂理之極致耳라 有是理하면 卽有是物하야 无先後次序之可言이라 故로 曰易有太極이라하니 則是太極은 乃在陰陽之中而非在陰陽之外也라 若以乾坤未判과 大衍未分之時로 論之則非也니라 形而上者를 謂之道요 形而下者를 謂之器니 有是理하면 卽有是氣하니 理는 一

而已요 氣則无不兩者라 故로 曰太極이 生兩儀라하야늘 而老子ㅣ 乃謂道生一而後에 乃生二라하니 則其察理ㅣ 亦不精矣니라 ○西山眞氏ㅣ 曰朱子此言은 可謂有功於學者로다 大抵自周子以前으로 凡論太極者는 皆以氣言하니 莊子는 以道로 在太極之先이라하니 所謂太極은 乃是指作天地人三者ㅣ 氣形已具而渾淪未判者之名이요 而道ㅣ 又別是一懸空底物이 在太極之先이니 則道與太極이 爲二矣라 不知道ㅣ 卽太極이요 太極이 卽道니라 以其通行而言則曰道라하고 以其極致而言則曰極이라하니 又何嘗有二耶아 若列子渾淪之云과 漢志函三爲一之說은 所指皆同하니 倘非周子ㅣ 啓其秘하고 而朱子ㅣ 又闡而明之런들 孰知太極之爲理而非氣也哉리오

致 : 다할 치. 形 : 모양, 형상 형. 懸 : 매달릴 현. 函 : 쌀, 넣을 함.
倘 : 만일, 혹시 낭. 秘 : 숨길 비. 闡 : 밝힐, 열 천.

주자가 말하였다. “태극의 뜻은 바로 이(理)의 극치를 이른 것일 뿐이다. 이 이(理)가 있으면 곧 이 물(物)이 있어서 선후차서로서 말할 수 없다. 그러므로 ‘역(易)에 태극이 있다.’라고 하는 것이니, 이 태극은 바로 음양(陰陽)의 가운데에 있는 것이고 음양의 밖에 있는 것이 아니다. 만약 건(乾 하늘) · 곤(坤 땅)이 아직 나뉘지 않고 대연(大衍)이 아직 나뉘지 않은 시점을 가지고 논한다면 잘못이다. 형이상(形而上)을 도(道)라 하고 형이하(形而下)를 기(器)라 하니, 이 이(理)가 있으면 곧 이 기(氣)가 있으니, 이(理)는 하나일 뿐이고, 기(氣)는 둘씩 짝으로 이루어져 있지 않은 것이 없다. 그러므로 ‘태극이 양의를 낳는다.’라고 하는 것인데, 노자는 이에 ‘도(道)가 1을 낳은 뒤에 이에 2를 낳는다.’라고 하

였으니,[113] 그 이치를 살핌이 또한 정밀하지 못하다."

○서산 진씨(西山眞氏)[114]가 말하였다. "주자의 이 말은 학자에게 공이 있다고 이를 만하다. 대저 주자(周子 주돈이(周敦頤)) 이전에 무릇 태극을 논한 자들은 모두 기(氣)로써 말하였으니, 장자(莊子)는 '도(道)는 태극의 앞에 있다.'라고 하였으니,[115] 그렇다면 이른바 태극은 바로 천(天)·지(地)·인(人) 세 가지가 기(氣)·형(形)이 이미 갖추어져 있으나 혼륜하여 아직 나뉘지 않은 것을 가리키는 명칭이고 도(道)는 또한 별도로 하나의 공중에 매달린 물건이 태극의 앞에 있는 것이 되니, 이는 도(道)와 태극이 두 가지가 되는 것이다. 도가 곧 태극이고 태극이 곧 도임을 알지 못한 것인 것이다. 통행(通行)하는 것으로써 말하면 도(道)라 하고, 극치(極致)로써 말하면 극(極)이라 하니, 또한 어찌 일찍이 두 가지가 있겠는가. 예컨대 열자(列子)가 혼륜하다고 이른 것[116]과 한나라 기록에 셋(천·지·인)을 포함하여 하나가 된다는 설[117]은 가리키는 것이 모두 같으니, 만약 주자(周子 주돈이(周敦頤))가 그 비밀을 열고 주자(朱子 주희)가 또 드러내어 밝히지 않았다면 누가 태극이 이(理)가 되고 기(氣)가 아니라는 것을 알 수 있었겠는가."

---

113) 노자는……하였으니 : 노자의 《도덕경(道德經)》에 "도(道)가 1을 낳고, 1이 2를 낳고, 2가 3을 낳고, 3이 만물을 낳고, 만물이 음(陰)을 지고 양(陽)을 안았다.〔道生一, 一生二, 二生三, 三生萬物, 萬物負陰而抱陽.〕" 하였다.

114) 서산 진씨(西山眞氏) : 남송 때의 학자 진덕수(陳德秀, 1178~1235)로, 자는 경원(景元), 호는 서산(西山)이다. 주희(朱熹)의 문인으로 《심경(心經)》 등 많은 저작을 남겼다.

115) 장자(莊子)는……하였으니 : 《장자(莊子)》 〈대종사(大宗師)〉에 "무릇 도(道)는 태극보다 앞서서 존재한다.〔夫道, …… 在太極之先.〕" 하였다.

116) 열자(列子)가……것 : 《열자(列子)》에 "만물이 서로 혼륜하여 서로 떨어지지 않는다.〔萬物相渾淪而未相離.〕" 하였다.

117) 한나라……설 : 《전한서(前漢書)》에 보인다.

3) 〈복희팔괘방위지도(伏羲八卦方位之圖)〉

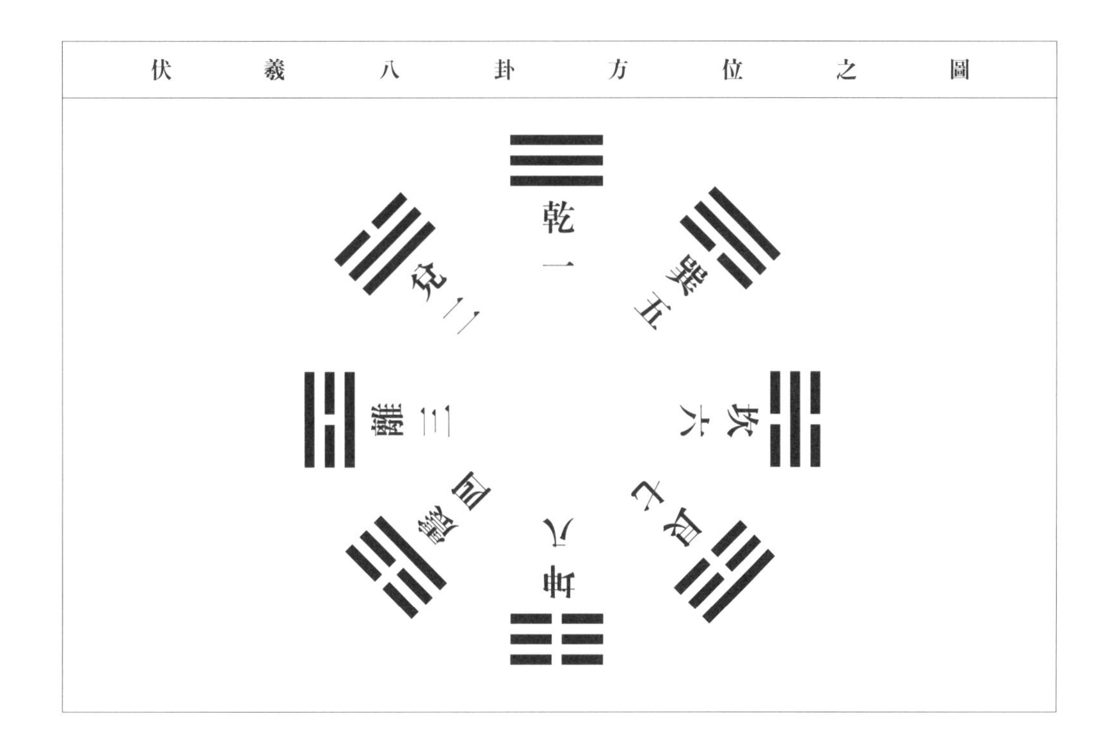

우　설괘전　왈천지　정위　산택　통기　뇌풍　상박　수화　불상
右는 **說卦傳**에 **曰天地**ㅣ **定位**하며 **山澤**이 **通氣**하며 **雷風**이 **相薄**하며 **水火**ㅣ **不相**
팔괘상착　수왕자　순　지래자　역　소자　왈건남　곤북
射하야 **八卦相錯**하니 **數往者**는 **順**코 **知來者**는 **逆**이라하니 **邵子**ㅣ **曰乾南**、**坤北**、
이동　감서　진동북　태동남　손서남　간서북　자진지건　위순　자손
離東、**坎西**、**震東北**、**兌東南**、**巽西南**、**艮西北**하니 **自震至乾**은 **爲順**이요 **自巽**
지곤　위역　후육십사괘방위　방차
至坤은 **爲逆**이라 **後六十四卦方位**도 **倣此**라하니라

薄 : 가까이할, 침범할 박. 射 : 쏠, 맞힐 석. 數 : 셀 수. 錯 : 석일 착.

위는 〈설괘전(說卦傳)〉 제3장에 "하늘〔乾 ☰〕과 땅〔坤 ☷〕이 자리를 정해 있으며, 산〔艮 ☶〕과 못〔兌 ☱〕이 기운을 통하며, 우레〔震 ☳〕와 바람〔巽 ☴〕이 서로 부닥치며, 물〔坎 ☵〕과 불〔離 ☲〕이 서로 해치지 않아서 팔괘가 서로 교착해 있으니, 지나간 것을 세는 것은 순(順)이고 올 것을 아는 것은 역(逆)이다."라고 하였는데, 소자(邵子)는 말하기를 "건(乾 ☰)은 남쪽, 곤(坤 ☷)은 북쪽, 이(離 ☲)는 동쪽, 감(坎 ☵)은 서쪽, 진(震 ☳)은 동북쪽, 태(兌 ☱)는 동남쪽, 손(巽 ☴)은 서남쪽, 간(艮 ☶)은 서북쪽에 자리하니, 진(震 ☳)에서부터 건(乾 ☰)에 이르기까지는 순(順)이 되고 손(巽 ☴)에서부터 곤(坤 ☷)까지는 역(逆)이 된다." 하였다. 뒤에 〈복희육십사괘방위지도(伏羲六十四卦方位之圖)〉도 이와 같다.

【附錄】

邵子ㅣ 曰乾坤縱而六子橫은 易之本也라 又曰震은 始交陰而陽生하고 巽은 始消陽而陰生하며 兌는 陽長也요 艮은 陰長也니 震兌는 在天之陰也요 巽艮은 在地之陽也라 故로 震兌는 上陰而下陽하고 巽艮은 上陽而下陰이라 天은 以始生言之라 故로 陰上而陽下하니 交泰之義也요 地는 以旣成言之라 故로 陽上而陰下하니 尊卑之位也라 乾坤은 定上下之位하고 坎離는 列左右之門하니 天地之所闔闢이요 日月之所出入이니 春夏秋冬과 晦朔弦望과 晝夜長短과 行度盈縮이 莫不由乎此矣니라

泰 : 클, 편안할 태. 闔 : 닫힐 합. 闢 : 열릴 벽. 晦 : 그믐 회. 朔 : 초하루 삭.
弦 : 활시위, 초승달 현. 望 : 보름 망. 盈 : 찰 영. 縮 : 오그라들 축.

소자가 말하였다. "건(乾 ☰)과 곤(坤 ☷)이 세로로 되어 있고 나머지 여섯 괘가 가로로 되어 있는 것이 역(易)의 근본이다."

또 말하였다. "진(震 ☳)은 처음 음과 사귀어 양이 생겨난 것이고 손(巽 ☴)은 처음 양이 사라져서 음이 생겨난 것이며, 태(兌 ☱)는 양이 자라난 것이고 간(艮 ☶)은 음이

자라난 것이니, 진(震 ☳) · 태(兌 ☱)는 하늘에 있는 음이고 손(巽 ☴) · 간(艮 ☶)은 땅에 있는 양이다. 그러므로 진(震 ☳) · 태(兌 ☱)는 위는 음효(陰爻 --)이고 아래는 양효(陽爻 —)이며, 손(巽 ☴) · 간(艮 ☶)은 위는 양효이고 아래는 음효인 것이다. 하늘은 처음 생겨나는 것을 가지고 말한 것이기 때문에 음효가 위에 있고 양효가 아래에 있으니 음양이 사귀어 편안한 뜻이고,[118] 땅은 이미 이루어진 것을 가지고 말한 것이기 때문에 양효가 위에 있고 음효가 아래에 있으니 존비(尊卑)의 자리이다.[119]

건(乾 ☰) · 곤(坤 ☷)은 상하의 자리를 정해 있고 감(坎 ☵) · 이(離 ☲)는 좌우의 문에 벌여있으니, 하늘과 땅이 닫히고 열리는 것이고 해와 달이 떠오르고 들어가는 것이다.[120] 춘 · 하 · 추 · 동, 회(晦 그믐) · 삭(朔 초하루) · 현(弦 상현 · 하현) · 망(望 보름), 밤낮의 길고 짧음, 행도(行度)의 차고 기우는 것이 여기에서 말미암지 않는 것이 없다."

【小註】朱子ㅣ 曰此條는 是說圓圖라 震與坤接하니 是震始交陰而一陽生也요 巽與乾接하니 是巽始消陽而一陰生也니라 ○進齋徐氏ㅣ 曰一氣循環하야 自復至乾이 爲陽하니 生物之始也라 故로 震兌는 陰上而陽下하야 爲交泰之

---

118) 하늘은……뜻이고 : 양효(陽爻 —)는 위로 나아가는 성향이 있고 음효(陰爻 --)는 아래로 물러나는 성향이 있다. 그런데 진(震 ☳), 이(離 ☲), 태(兌 ☱), 건(乾 ☰) 네 괘는 양효가 아래에 있고 음효가 위에 있어서 양효는 올라가 음효와 만나고 음효는 내려와 양효와 만난다. 그러므로 음양이 사귀어 편안한 뜻이 되는 것이다.

119) 땅은……자리이다 : 손(巽 ☴), 감(坎 ☵), 간(艮 ☶), 곤(坤 ☷) 네 괘는 양효가 위에 있고 음효가 아래에 있어서 양효는 올라가고 음효는 내려가 서로 사귀지 않는다. 그러므로 존비(尊卑)의 자리가 되는 것이다.

120) 해와……것이다 : 〈복희팔괘방위지도〉에서 이(離 ☲)와 감(坎 ☵)이 각각 동쪽과 서쪽에 위치해 있는데, 이(離 ☲)는 화(火) · 태양(해)을 상징하고, 감(坎 ☵)은 수(水) · 달을 상징하기 때문에 이렇게 말한 것이다.

義하니 蓋主動而言이라 太極之用이 所以行이요 自姤至坤이 爲陰하니 成物之終也라 故로 巽艮은 陽上而陰下하야 爲尊卑之位하니 蓋主靜而言이라 太極之體ㅣ 所以立也니라 ○思齋翁氏ㅣ 曰卯爲日門하니 太陽所生이오 酉爲月門하니 太陰所生이라 不但日月이 出入於此라 大而天地之開物이 雖始於寅이나 至卯而門彌闢하고 閉物이 雖始於戌이나 至酉而門已闔하야 一歲而春夏秋冬과 一月而晦朔弦望과 一日而晝夜行度ㅣ 莫不由乎左右之門이니 所以極贊坎離功用之大也니라

接 : 접할, 가까이할 접. 循 : 돌 순. 環 : 돌 환. 彌 : 더욱 미. 閉 : 닫힐 폐. 贊 : 찬사, 칭찬할 찬.

주자가 말하였다. "이 조목은 원도(圓圖 복희팔괘방위지도)를 설명한 것이다. 진(震 ☳)이 곤(坤 ☷)과 접해 있으니 이는 진(震 ☳)이 처음 음과 사귀어 하나의 양이 생겨난 것이고, 손(巽 ☴)이 건(乾 ☰)과 접해 있으니 이는 손(巽 ☴)이 처음 양을 사리지게 하여 하나의 음이 생겨난 것이다."

○진재 서씨(進齋徐氏)[121]가 말하였다. "하나의 기(氣)가 순환하여 복괘(復卦 ䷗)로부터 건괘(乾卦 ䷀)까지가 양이 되니,[122] 만물을 낳는 시초이다. 그러므로 진(震 ☳)·태(兌 ☱)는 음효가 위에 있고 양효가 아래에 있어서 음양이 사귀어 편안한 뜻이 되니, 대개 동(動)을 위주로 말한 것으로서 태극의 용(用)이 운행하는 바이다. 구괘(姤卦 ䷫)로부터 곤괘(坤卦 ䷁)까지는 음이 되니, 만물을 이

121) 진재 서씨(進齋徐氏) : 송나라 때 인물 서기(徐幾)로, 자는 자여(子與), 호는 진재(進齋)이다.

122) 복괘(復卦 ䷗)로부터……되니 : 〈복희육십사괘방위지도(伏羲六十四卦方位之圖)〉를 참조하기 바람.

루는 끝이다. 그러므로 손(巽 ☴) · 간(艮 ☶)은 양효가 위에 있고 음효가 아래에 있어서 존비(尊卑)의 자리가 되니, 대개 정(靜)을 위주로 말한 것으로서 태극의 체(體)가 서는 바이다."

○사재 웅씨가 말하였다. "묘방(卯方 정동)은 해의 문이 되니 태양(太陽 해)이 떠오르는 곳이고, 유방(酉方 정서)은 달의 문이 되니 태음(太陰 달)이 떠오르는 곳이다. 다만 해와 달이 여기에서 드나들 뿐만 아니라 크게는 천지가 만물을 여는 것이 비록 인방(寅方 동남쪽)에서 시작하지만 묘방에 이르러 문이 더욱 열리고, 만물을 닫는 것이 비록 술방(戌方 서남쪽)에서 시작하지만 유방(酉方)에 이르러 문이 이미 닫혀서, 한 해의 춘 · 하 · 추 · 동과 한 달의 회(晦 그믐) · 삭(朔 초하루) · 현(弦 상현 · 하현) · 망(望 보름)과 하루의 주야(晝夜) · 행도(行度)가 좌우의 문에서 말미암지 않는 것이 없으니, 감(坎 ☵) · 이(離 ☲)의 공용(功用)의 위대함을 지극히 찬미하는 까닭이다."

又曰此一節은 明伏羲八卦也라 八卦相錯者는 明交相錯而成六十四也라 數往者順은 若順天而行이면 是左旋也니 皆已生之卦也라 故로 云數往也요 地來者逆은 若逆天而行이면 是右行也니 皆未生之卦也라 故로 云知來也라하니 夫易之數는 由逆而成矣라 此一節은 直解圖意하니 若逆知四時之謂也니라

直 : 바로 직.

또 말하였다. "이 한 절은 〈복희팔괘방위지도〉를 밝힌 것이다. '팔괘가 서로 교착해 있다.'라는 것은 서로 교착하여 64괘를 이룸을 밝힌 것이다. '지나간 것을 세는 것은

순(順)이다.’라는 것은 만약 하늘에 순응하여 운행하면 이는 좌선(左旋)[123]이니, 모두 이미 생겨난 괘이다. 그러므로 지나간 것을 센다고 하는 것이다. ‘올 것을 아는 것은 역(逆)이다.’라는 것은 만약 하늘에 역행하여 운행하면 이는 우행(右行)[124]이니, 모두 아직 생겨나지 않은 괘이다. 그러므로 올 것을 아는 것이라고 하는 것이다. 무릇 역(易)의 수는 역(逆)으로 말미암아 이루어진다. 이 한 절은 바로 〈복희팔괘방위지도〉의 뜻을 해석한 것이니, 사시(四時)를 미리 아는 것과 같다.”

【小註】朱子ㅣ 曰以橫圖觀之하면 有乾一而後에 有兌二하고 有兌二而後에 有離三하고 有離三而後에 有震四하고 有震四而巽五、坎六、艮七、坤八이 亦以次而生焉하니 此易之所以成也요 而圓圖之左方은 自震之初爲冬至하고 離兌之中爲春分하야 以至於乾之末爲夏至焉하니 皆進而得其已生之卦니 猶自今日而追數昨日也라 故로 曰數往者는 順이라하고 其右方은 自巽之初爲夏至하고 坎艮之中爲秋分하야 以至於坤之末而交冬至焉하니 皆進而得其未生之卦하니 猶自今日而逆計來日也라 故로 曰知來者는 逆이라하니라 然이나 本易之所以成하면 則其先後始終이 如橫圖及圓圖右方之序而已라 故로 曰易은 逆數也라하니라 ○玉齋胡氏ㅣ 曰邵子ㅣ 據經文解釋하면 則先圓圖而後에 及橫圖하고 朱子ㅣ 釋邵子之說하면 則先自橫圖而論者는 誠以橫圖는 可

---

123) 좌선(左旋) : 북쪽에서부터 동쪽으로 진(震 ☳), 이(離 ☲), 태(兌 ☱), 건(乾 ☰)으로 운행하는 것을 좌선이라고 한 것이다.

124) 우행(右行) : 남쪽에서부터 서쪽으로 손(巽 ☴), 감(坎 ☵), 간(艮 ☶), 곤(坤 ☷)으로 운행하는 것을 우선이라고 한 것이다.

以見卦畫之立이요 圓圖는 可以見卦氣之行이니 所謂圓圖者는 其實은 卽橫圖를 規而圓之耳니라 又曰嘗因邵子ㅣ 冬至子半之說推之하야 以卦分配節候하니 復爲冬至子之半하고 頤、屯、益爲小寒丑之初하고 震、噬嗑、隨爲大寒丑之半하고 无妄、明夷爲立春寅之初하고 賁、旣濟、家人爲雨水寅之半하고 豐、離、革爲驚蟄卯之初하고 同人、臨爲春分卯之半하고 損、節、中孚爲淸明辰之初하고 歸妹、睽、兌爲穀雨辰之半하고 履、泰爲立夏巳之初하고 大畜、需、小畜爲小滿巳之半하고 大壯、大有、夬爲芒種午之初하고 至乾之末하야 交夏至午之半焉하니 此三十二卦는 皆進而得夫震離兌乾已生之卦也니라 姤爲夏至午之半하고 大過、鼎、恒爲小暑未之初하고 巽、井、蠱爲大暑未之半하고 升、訟爲立秋申之初하고 困、未濟、解爲處暑申之半하고 渙、坎、蒙爲白露酉之初하고 師、遯爲秋分酉之半하고 咸、旅、小過爲寒露戌之初하고 漸、蹇、艮爲霜降戌之半하고 謙、否爲立冬亥之初하고 萃、晉、豫爲小雪亥之半하고 觀、比、剝爲大雪子之初하고 至坤之末하야 交冬至子之半焉하니 此三十二卦는 皆進而得夫巽坎艮坤未生之卦也니라 二分、二至、四立은 總爲八節이니 每節에 各計兩卦하면 如坤、復爲冬至하고 无妄、明夷爲立春하고 同人、臨爲春分之類ㅣ 是也요 其十六氣는 每氣에 各計三卦하면 如頤、屯、益爲小寒하고 至觀、比、剝爲大雪之類ㅣ 是也라 八節計十六卦하고 十六氣計四十八卦하니 合之하면 爲六十四卦하니 此以卦配氣者ㅣ 然也니라

據 : 의거할 거. 候 : 기후, 계절 후. 頤 : 턱, 괘 이름 이. 噬 : 씹을, 삼킬 서. 嗑 : 입 다물 합.

賁 : 꾸밀, 괘 이름 비. 蟄 : 숨을, 잠잘 칩. 睽 : 노려볼, 괘 이름 규. 芒 : 까끄라기 망.
渙 : 풀릴, 흩어질, 괘 이름 환. 蒙 : 어리석을, 괘 이름 몽. 遯 : 달아날, 괘 이름 둔.
蹇 : 절뚝발이, 괘 이름 건. 否 : 막힐, 괘 이름 비. 萃 : 모을, 괘 이름 췌. 剝 : 벗길, 괘 이름 박.

주자가 말하였다. "횡도(橫圖 복희팔괘차서지도)를 가지고 관찰해 보면, 건일(乾一 ☰)이 있은 뒤에 태이(兌二 ☱)가 있고, 태이(兌二 ☱)가 있은 뒤에 이삼(離三 ☲)이 있고, 이삼(離三 ☲)이 있은 뒤에 진사(震四 ☳)가 있고, 진사(震四 ☳)가 있은 뒤에 손오(巽五 ☴), 감육(坎六 ☵), 간칠(艮七 ☶), 곤팔(坤八 ☷)이 또한 차례대로 생겨나니, 이는 역(易)이 이루어지는 원리이다.

그런데 원도(圓圖 복희팔괘방위지도)의 왼쪽은 진(震 ☳)의 초(初)가 동지(冬至)가 됨으로부터 이(離 ☲) · 태(兌 ☱)의 가운데가 춘분이 되고, 건(乾 ☰)의 끝에 이르러 하지(夏至)가 되니,[125] 모두 나아가서 이미 생겨난 괘를 얻은 것으로서 오늘로부터 어제를 미루어 세는 것과 같다. 그러므로 '지나간 것을 세는 것은 순(順)이다.'라고 하는 것이다. 오른쪽은 손(巽 ☴)의 초(初)가 하지(夏至)가 됨으로부터 감(坎 ☵)과 간(艮 ☶)의 가운데가 추분(秋分)이 되고, 곤(坤 ☷)의 끝에 이르러 동지(冬至)와 사귀니, 모두 나아가서 아직 생겨나지 않은 괘를 얻은 것으로서 오늘로부터 내일을 미리 세는 것과 같다. 그러므로 '올 것을 아는 것은 역(逆)이다.'라고 하는 것이다. 그러나 역(易)이 이루어진 것을 근원해 보면 그 선후와 시종이 횡도와, 원도의 오른쪽의 차서[126] 와 같을 따름이다. 그러므로 '역은 역수(逆數)이다.'라고 하는 것이다."

---

125) 진(震 ☳)의……되니 : 24절기(節氣)를 〈복희팔괘방위지도〉, 〈복희육십사괘방위지도(伏羲六十四卦方位之圖)〉와 배합하면 정북은 동지(冬至), 동북은 입춘(立春), 동쪽은 춘분(春分), 동남은 입하(立夏), 정남은 하지(夏至), 서남은 입추(立秋), 서쪽은 추분(秋分), 서북은 입동(立冬)이 되며, 나머지 절기는 그 사이에 위치한다.

126) 원도의 오른쪽의 차서 : 〈복희팔괘방위지도〉의 오른쪽 손(巽 ☴) · 감(坎 ☵) · 간(艮 ☶) · 곤(坤 ☷)을 말한다.

○옥재 호씨가 말하였다. “소자(邵子 소옹)가 경문(經文)에 근거하여 해석할 때에는 원도를 먼저 말한 뒤에 횡도를 언급하고 주자가 소자의 설을 해석할 때에는 먼저 횡도부터 논하는 것은, 진실로 횡도는 괘의 획(劃)이 성립되는 것을 볼 수 있고 원도는 괘의 기(氣)가 운행하는 것을 볼 수 있기 때문이니, 이른바 원도는 그 실상은 곧 횡도를 가지고 그림쇠로 원을 그린 것일 뿐이다.”

또 말하였다. “일찍이 소자의 ‘동지(冬至)는 자반(子半)이다.’라는 설로 인하여 미루어서 괘를 절후(節候 24절기)에 분배해 보니, 복(復 ䷗)은 동지(冬至)로 자방(子方)의 반(半)이 되고, 이(頤 ䷚) · 둔(屯 ䷂) · 익(益 ䷩)은 소한(小寒)으로 축방(丑方)의 초(初)가 되고, 진(震 ䷲) · 서합(噬嗑 ䷔) · 수(隨 ䷐)는 대한(大寒)으로 축방(丑方)의 반이 되고, 무망(无妄 ䷘) · 명이(明夷 ䷣)는 입춘(立春)으로 인방(寅方)의 초가 되고, 비(賁 ䷕) · 기제(既濟 ䷾) · 가인(家人 ䷤)은 우수(雨水)로 인방(寅方)의 반이 되고, 풍(豊 ䷶) · 이(離 ䷝) · 혁(革 ䷰)은 경칩(驚蟄)으로 묘방(卯方)의 초가 되고, 동인(同人 ䷌) · 임(臨 ䷒)은 춘분(春分)으로 묘방(卯方)의 반이 되고, 손(損 ䷨) · 절(節 ䷻) · 중부(中孚 ䷼)는 청명(清明)으로 진방(辰方)의 초가 되고, 귀매(歸妹 ䷵) · 규(睽 ䷥) · 태(兌 ䷹)는 곡우(穀雨)로 진방(辰方)의 반이 되고, 리(履 ䷉) · 태(泰 ䷊)는 입하(立夏)로 사방(巳方)의 초가 되고, 대축(大畜 ䷙) · 수(需 ䷄) · 소축(小畜 ䷈)은 소만(小滿)으로 사방(巳方)의 반이 되고, 대장(大壯 ䷡) · 대유(大有 ䷍) · 쾌(夬 ䷪)는 망종(芒種)으로 오방(午方)의 초가 되고, 건(乾 ䷀)의 끝에 이르러 하지(夏至) 오방(午方)의 반과 사귀니, 이 32괘는 모두 나아가서 저 진(震 ☳) · 이(離 ☲) · 태(兌 ☱) · 건(乾 ☰)의 이미 생겨난 괘를 얻은 것이다.

구(姤 ䷫)는 하지(夏至)로 오방(午方)의 반이 되고, 대과(大過 ䷛) · 정(鼎 ䷱) · 항(恒 ䷟)은 소서(小暑)로 미방(未方)의 초가 되고, 손(巽 ䷸) · 정(井 ䷯) · 고(蠱 ䷑)는 대서(大暑)로 미방(未方)의 반이 되고, 승(升 ䷭) · 송(訟 ䷅)은 입추(立秋)로 신방(申方)의 초가 되고, 곤(困 ䷮) · 미제(未濟 ䷿) · 해(解 ䷧)는 처서

(處暑)로 신방(申方)의 반이 되고, 환(渙 ䷺)·감(坎 ䷜)·몽(蒙 ䷃)은 백로(白露)로 유방(酉方)의 초가 되고, 사(師 ䷆)·둔(遯 ䷠)은 추분(秋分)으로 유방(酉方)의 반이 되고, 함(咸 ䷞)·여(旅 ䷷)·소과(小過 ䷽)는 한로(寒露)로 술방(戌方)의 초가 되고, 점(漸 ䷴)·건(蹇 ䷦)·간(艮 ䷳)은 상강(霜降)으로 술방(戌方)의 반이 되고, 겸(謙 ䷎)·비(否 ䷋)는 입동(立冬)으로 해방(亥方)의 초가 되고, 췌(萃 ䷬)·진(晉 ䷢)·예(豫 ䷏)는 소설(小雪)로 해방(亥方)의 반이 되고, 관(觀 ䷓)·비(比 ䷇)·박(剝 ䷖)은 대설(大雪)로 자방(子方)의 초가 되고, 곤(坤 ䷁)의 끝에 이르러 동지 자방(子方)의 반과 사귀니, 이 32괘는 모두 나아가서 손(巽 ☴)·감(坎 ☵)·간(艮 ☶)·곤(坤 ☷)의 아직 생겨나지 않은 괘를 얻은 것이다.

춘분·추분, 하지·동지, 입춘·입하·입추·입동은 모두 여덟 절기이니, 매 절기마다 각각 2괘씩 계산하면 곤(坤 ䷁)·복(復 ䷗)은 동지가 되고 무망(无妄 ䷘)·명이(明夷 ䷣)는 입춘이 되고 동인(同人 ䷌)·임(臨 ䷒)은 춘분이 되는 것과 같은 유(類)가 이것이다. 그 나머지 열여섯 절기는 매 절기마다 각각 3괘씩 계산하면 예컨대 이(頤 ䷚)·둔(屯 ䷂)·익(益 ䷩)은 소한이 되고 관(觀 ䷓)·비(比 ䷇)·박(剝 ䷖)에 이르러 대설이 되는 유가 이것이다. 여덟 절기를 2괘씩 계산하면 16괘이고 열여섯 절기를 3괘씩 계산하면 48괘이니, 합하면 64괘가 되니, 이는 괘를 가지고 절기에 분배한 것이다."

○朱子ㅣ 答董銖曰所問先天圖曲折은 細詳圖意컨대 若自乾一로 橫排至坤八하면 此則全是自然이라 故로 說卦云易은 逆數也라하니라【皆自已生으로 以得未生之卦라】若如圓圖는 則須如此라야 方見陰陽消長次第니【震은 一陽이요 離兌는 二陽이요 乾은 三陽이며 巽은 一陰이요 坎艮은 二陰이요 坤은 三陰이라】雖自

稍涉安排나 然이나 亦莫非自然之理라 自冬至夏至는 爲順이니 蓋與前逆數者相反이요【皆自未生而反得已生之卦라】自夏至冬至는 爲逆이니 蓋與前逆數者同이라 其左右는 與今天文說左右不同하니 蓋從中而分하면 其初若有左右之勢爾니라【自北而東爲左하고 自南而西爲右니라】又曰易逆數也는 以康節說이라야 方可通이라 但方圖則一向皆逆이요 若以圓圖看하면 又只是一半逆이니 不知如何로라

曲 : 자세할, 구석 곡. 折 : 꺾을, 쪼갤 절. 排 : 늘어설 배. 稍 : 약간 초.
涉 : 관계할 섭. 勢 : 형세 세. 方 : 바야흐로 방.

○주자가 동수(董銖, 1152~1214)[127]에게 다음과 같이 대답하였다. "물은바 선천도[128]의 곡절은 도(圖)의 뜻을 상세히 살피건대 건일(乾一 ☰)로부터 가로로 배열되어 곤팔(坤八 ☷)에 이르니, 이는 완전히 자연스러운 것이다. 그러므로 〈설괘전(說卦傳)〉에 '역(易)은 역수(逆數)이다.'라고 한 것이다. -모두 이미 생겨난 괘로부터 아직 생겨나지 않은 괘를 얻은 것이다.- 원도(圓圖 복희팔괘방위지도)로 말하면 모름지기 이와 같아야 비로소 음양이 소장(消長)하는 차례를 볼 수 있으니, -진(震 ☳)은 양이 하나이고, 이(離 ☲)·태(兌 ☱)는 양이 둘이고, 건(乾 ☰)은 양이 셋이며, 손(巽 ☴)은 음이 하나이고, 감(坎

127) 동수(董銖, 1152~1214) : 송나라 때 사람으로 주희(朱熹)의 문인이다. 자는 자는 숙중(叔重)이고, 호는 반간(盤澗)이다.

128) 선천도 : 복희씨가 그린 〈복희팔괘차서지도〉와 〈복희팔괘방위지도〉를 말하는데, 여기서는 〈복희팔괘차서지도〉만을 가리킨다.

☵)·간(艮 ☶)은 음이 둘이고, 곤(坤 ☷)은 음이 셋이다.- 비록 다소 안배를 하였지만[129] 그러나 또한 자연의 이치 아닌 것이 없다. 동지(冬至)로부터 하지(夏至)까지는 순(順)이 되니, 대개 앞의 역수(逆數)라는 것과 서로 반대이고- 모두 아직 생겨나지 않은 괘로부터 반대로 이미 생겨난 괘를 얻은 것이다.- 하지부터 동지까지는 역(逆)이 되니, 대개 앞의 역수(逆數)라는 것과 같다. 그 좌우라는 것[130]은 지금의 천문에서 말하는 좌우와 같지 않으니, 대개 중앙으로부터 그 처음을 나누면 마치 좌우의 형세가 있는 듯한 것이다.- 북쪽에서부터 동쪽이 좌(左)가 되고, 남쪽에서부터 서쪽이 우(右)가 된다.-"

또 말하였다. "'역(易)은 역수(逆數)이다.'라는 것은 소강절의 설로 보아야 비로소 통할 수 있다. 다만 방도(方圖 복희팔괘차서지도)는 한결같이 모두 역(逆)이고, 원도를 가지고 보면 또한 다만 반만 역(逆)이니, 어떻게 해서 이렇게 된 것인지 알 수 없다."

○西山蔡氏ㅣ 曰其法은 自子中至午中은 爲陽이니 初四爻는 皆陽이요 中前二爻는 皆陰이요 後二爻는 皆陽이요 上一爻는 爲陰이요 二爻는 爲陽이요 三爻는 爲陰이요 四爻는 爲陽이라 自午中至子中은 爲陰이니 初四爻는 皆陰이요 中前二爻는 爲陽이요 後二爻는 爲陰이요 上一爻는 爲陽이요 二爻는 爲陰이요 三爻는 爲陽

---

129) 다소 안배를 하였지만 : 〈복희팔괘차서지도〉는 건(乾 ☰), 태(兌 ☱), 이(離 ☲), 진(震 ☳), 손(巽 ☴), 감(坎 ☵), 간(艮 ☶), 곤(坤 ☷)의 순으로 모두 역행(逆行)이다. 그러나 〈복희팔괘방위지도〉는 진(震 ☳), 이(離 ☲), 태(兌 ☱), 건(乾 ☰), 손(巽 ☴), 감(坎 ☵), 간(艮 ☶), 곤(坤 ☷)의 순으로 반은 순행(順行)이고 반은 역행으로 되어 있으므로 다소 안배를 하였다고 한 것이다. 〈복희팔괘방위지도〉에서 시작점은 정북쪽이라는 점에 유의해야 한다. 그러므로 진(震 ☳), 이(離 ☲), 태(兌 ☱), 건(乾 ☰), 손(巽 ☴), 감(坎 ☵), 간(艮 ☶), 곤(坤 ☷)의 순이 되는 것이다.

130) 좌우라는 것 : 앞의 '하늘에 순응하여 운행하면 이는 좌선(左旋)이다.'라는 것과 '하늘에 역행하여 운행하면 이는 우행(右行)이다.'라는 것의 좌우를 말한다.

이요 四爻는 爲陰이라 在陽中엔 上二爻則先陰而後陽하니 陽生於陰也요 在陰中엔 上二爻則先陽而後陰하니 陰生於陽也라 其序始震終坤者는 以陰陽消息爲數也일새니라

息 : 자랄 식.

○서산 채씨가 말하였다. “그 법은 자중(子中)으로부터 오중(午中)까지가 양이 되니, 네 괘의 초효(初爻)[131]는 모두 양이고, 앞 두 괘의 중효(中爻)[132]는 모두 음이고 뒤 두 괘의 중효[133]는 모두 양이며, 첫 번째 괘의 상효(上爻)는 음이고 두 번째 괘의 상효는 양이고 세 번째 괘의 상효는 음이고 네 번째 괘의 상효는 양이다. 오중(午中)으로부터 자중(子中)까지는 음이 되니, 네 괘의 초효[134]는 모두 음이고, 앞 두 괘의 중효[135]는 양이고 뒤 두 괘의 중효[136]는 음이며, 첫 번째 괘의 상효는 양이고 두 번째 괘의 상효는 음이고 세 번째 괘의 상효는 양이고 네 번째 괘의 상효는 음이다.

양의 방위 가운데에서는 위의 상효(上爻)와 중효(中爻) 두 효는 음이 먼저오고 양이

---

131) 네 괘의 초효(初爻) : 진(震 ☳) · 이(離 ☲) · 태(兌 ☱) · 건(乾 ☰) 네 괘의 맨 아래 첫 번째 효를 가리킨다.

132) 앞……중효(中爻) : 진(震 ☳) · 이(離 ☲) · 태(兌 ☱) · 건(乾 ☰)의 앞 두 괘인 진(震 ☳) · 이(離 ☲)의 가운데 효를 가리킨다.

133) 뒤……중효 : 진(震 ☳) · 이(離 ☲) · 태(兌 ☱) · 건(乾 ☰)의 뒤 두 괘인 태(兌 ☱) · 건(乾 ☰)의 가운데 효를 가리킨다.

134) 네 괘의 초효 : 손(巽 ☴) · 감(坎 ☵) · 간(艮 ☶) · 곤(坤 ☷) 네 괘의 맨 아래 첫 번째 효를 가리킨다.

135) 앞……중효 : 손(巽 ☴) · 감(坎 ☵) · 간(艮 ☶) · 곤(坤 ☷)의 앞 두 괘인 손(巽 ☴) · 감(坎 ☵)의 가운데 효를 가리킨다.

136) 뒤……중효 : 손(巽 ☴) · 감(坎 ☵) · 간(艮 ☶) · 곤(坤 ☷)의 위 두 괘인 간(艮 ☶) · 곤(坤 ☷)의 가운데 효를 가리킨다.

뒤에 오니[137] 양이 음에서 생겨나는 것이고, 음의 방위 가운데에서는 위의 상효와 중효 두 효는 양이 먼저오고 음이 뒤에 오니[138] 음이 양에서 생겨나는 것이다. 그 순서가 진(震 ☳)에서 시작하여 곤(坤 ☷)에서 끝나는 것은 음양이 생성하고 소멸하는 것으로 수(數)를 삼았기 때문이다."

【小註】雙湖胡氏ㅣ 曰觀此圖하면 以四正卦로 居四方之正位하니 乾坤坎離는 反覆只是一卦요 以二反卦로 居四隅不正之位하니 震反爲艮하고 巽反爲兌라 本只震巽二卦反而成四卦하니 合而言之하면 天位乎上하고 地位乎下하며 日生於東하고 月生於西하며 山鎭西北하고 澤注東南하며 風起西南하고 雷動東北하니 自然與天地大造化合이라 先天八卦ㅣ 對待以立體如此하니 其位則乾一坤八과 兌二艮七과 離三坎六과 震四巽五ㅣ 各各相對而合成九數하고 其畫則乾三坤六과 兌四艮五와 離四坎五와 震四[139]巽五[140]ㅣ 亦各各相對而合成九數하니 九는 老陽之數요 乾之象而无所不包也라 造化ㅣ 隱然尊乾之意

---

137) 양의……오니 : 좌측 진(震 ☳) · 이(離 ☲) · 태(兌 ☱) · 건(乾 ☰)이 양(陽)이다. 이 네 괘의 상효를 보면 음, 양, 음, 양으로 되어 있고, 중효를 보면 음, 음, 양, 양으로 되어 있어서 음이 먼저오고 양이 뒤에 온다.

138) 음의……오니 : 오른쪽 손(巽 ☴) · 감(坎 ☵) · 간(艮 ☶) · 곤(坤 ☷)이 음(陰)이다. 이 네 괘의 상효를 보면 양, 음, 양, 음으로 되어 있고, 중효를 보면 양, 양, 음, 음으로 되어 있어서 양이 먼저 오고 음이 뒤에 온다.

139) 【校】四 : '五'의 오자(誤字)이다. 진(震 ☳)은 기(奇 —)가 1개, 우(偶 --)가 2개로 모두 5획이다. 번역문에 수정하여 번역하였다.

140) 【校】五 : '四'의 오자(誤字)이다. 손(巽 ☴)은 기(奇 —)가 2개, 우(偶 --)가 2개로 모두 4획이다. 번역문에 수정하여 번역하였다.

가 건 의
를 可見矣니라

覆 : 다시, 되풀이할 복. 鎭 : 누를 진.

쌍호 호씨가 말하였다. “이 도(圖 복희팔괘방위지도)를 살펴보면 네 개의 바른 괘가 사방의 정방에 거하니 건(乾 ☰) · 곤(坤 ☷)과 감(坎 ☵) · 이(離 ☲)는 뒤집어도 다만 하나의 괘이고, 두 개의 반대되는 괘가 네 모퉁이의 바르지 않은 자리에 거하니 진(震 ☳)을 뒤집으면 간(艮 ☶)이 되고 손(巽 ☴)을 뒤집으면 태(兌 ☱)가 된다. 본래 단지 진(震 ☳) · 손(巽 ☴) 두 괘가 뒤집혀 네 괘가 이루어진다. 통합하여 말하면, 하늘〔乾 ☰〕이 위에 자리하고 땅〔坤 ☷〕이 아래에 자리하며, 해〔離 ☲〕가 동쪽에서 나오고 달〔坎 ☵〕이 서쪽에서 나오며, 산〔艮 ☶〕이 서북쪽을 누르고, 못〔兌 ☱〕이 동남쪽에서 흐르며, 바람〔巽 ☴〕이 서남쪽에서 일어나고, 우레〔震 ☳〕가 동북쪽에서 진동하니,[141] 자연히 천지의 큰 조화와 더불어 부합한다.

선천팔괘가 마주대하여 체(體)를 세움이 이와 같으니, 그 자리는 건일(乾一 ☰) · 곤팔(坤八 ☷), 태이(兌二 ☱) · 간칠(艮七 ☶), 이삼(離三 ☲) · 감육(坎六 ☵), 진사(震四 ☳) · 손오(巽五 ☴)가 각각 상대하여 9의 수를 이루고, 그 획은 건(乾 ☰)이 3획이고 곤(坤 ☷)이 6획이며, 태(兌 ☱)가 4획이고 간(艮 ☶)이 5획이며, 이(離 ☲)가 4획이고 감(坎 ☵)이 5획이며, 진(震 ☳)이 5획이고 손(巽 ☴)이 4획으로 또한 각각 상대하여 합해서 9의 수가 된다. 9는 노양(老陽)의 수이고, 하늘〔乾〕의 상(象)으로서 포함하지 않는 것이 없으니, 조화옹이 은연중에 하늘〔乾〕을 존중하는 뜻을 볼 수 있다.”

---

141) 하늘〔乾 ☰〕이……진동하니 : 건(乾 ☰)은 하늘, 곤(坤 ☷)은 땅, 이(離 ☲)는 해, 감(坎 ☵)은 달, 간(艮 ☶)은 산, 태(兌 ☱)는 못, 손(巽 ☴)은 바람, 진(震 ☳)은 우레를 각각 상징하므로 이렇게 말한 것이다.

4) 〈복희육십사괘차서지도(伏羲六十四卦次序之圖)〉

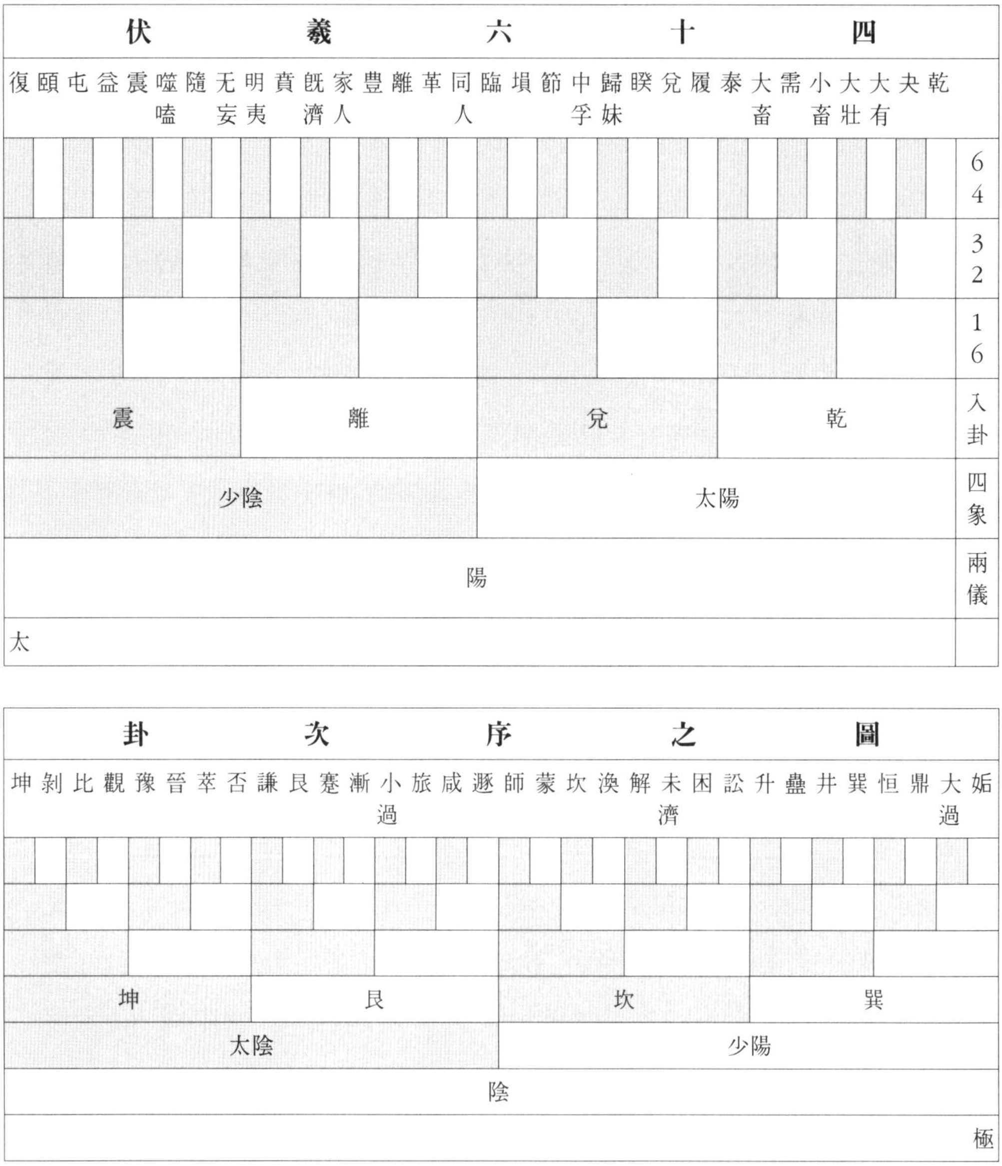

伏	羲	六	十	四	
復 頤 屯 益 震 噬嗑 隨 无妄 明夷 賁 既濟 家人 豐 離 革 同人 臨 損 節 中孚 歸妹 睽 兌 履 泰 大畜 需 小畜 大壯 大有 夬 乾					
					64
					32
					16
震	離	兌	乾		八卦
少陰		太陽			四象
陽					兩儀
太					

卦	次	序	之	圖
坤 剝 比 觀 豫 晉 萃 否 謙 艮 蹇 漸 小過 旅 咸 遯 師 蒙 坎 渙 解 未濟 困 訟 升 蠱 井 巽 恒 鼎 大過 姤				
坤	艮	坎	巽	
太陰		少陽		
陰				
				極

우전팔괘차서도 즉계사전소위팔괘성열자 차도 즉기소위인이중지
右前八卦次序圖는 卽繫辭傳所謂八卦成列者요 此圖는 卽其所謂因而重之

자야 고 하삼획 즉전도지팔괘 상삼획 즉각이기서중지 이하괘
者也라 故로 下三畫은 卽前圖之八卦요 上三畫은 則各以其序重之요 而下卦

인역각연이위팔야 약축효점생 즉소자소위팔분위십육 십육분위
ㅣ 因亦各衍而爲八也라 若逐爻漸生하면 則邵子所謂八分謂十六 十六分爲

삼십이 삼십이분위육십사자 우견법상자연지묘야
三十二 三十二分爲六十四者니 尤見法象自然之妙也니라

繫 : 달, 매달 계. 因 : 인할, 겹칠 인. 重 : 겹칠 중. 衍 : 넓힐 연.
逐 : 하나하나 축. 漸 : 점점 점. 尤 : 더욱 우.

앞의 〈복희팔괘차서지도〉는 곧 〈계사하전〉 제1장에 이른바 '팔괘가 열을 이루었다.'라는 것이고, 이 그림은 곧 이른바 '인하여 거듭하였다.'라는 것이다. 그러므로 아래 3획은 곧 앞 그림의 팔괘이고 위 3획은 각각 그 순서에 따라 중첩한 것이다. 그리고 하괘에 팔괘를 중첩해도 각각 8괘가 된다.[142] 만약 효를 따라 점차 생겨나면 소자의 이른바 '8이 나뉘어 16이 되고, 16이 나뉘어 32가 되고, 32가 나뉘어 64가 된다.'라는 것이니, 더욱 법(法)과 상(象)의 자연스러운 묘함을 볼 수 있다.

【附錄】

주자 왈역유태극 시생양의 양의 생사상 사상 생팔괘
朱子ㅣ 曰易有太極하니 是生兩儀하고 兩儀ㅣ 生四象하고 四象이 生八卦라하니

차일절 내공자 발명복희획괘자연지형체차제 최위절요 고금설자
此一節은 乃孔子ㅣ 發明伏羲畫卦自然之形體次第니 最爲切要라 古今說者에

142) 하괘에……된다 : 2에서 4, 4에서 8, 8에서 16, 16에서 32, 32에서 64가 되는 식으로 곱으로 더해가도 〈복희육십사괘차서지도〉가 만들어지고, 팔괘 위에 각각 팔괘를 중첩해도 그림처럼 됨을 말한 것이다. 예를 들면, 하괘 건(乾 ☰) 위에 팔괘를 중첩하면 건(乾 ䷀), 쾌(夬 ䷪), 대유(大有 ䷍), 대장(大壯 ䷡), 소축(小畜 ䷈), 수(需 ䷄), 대축(大畜 ䷙), 태(泰 ䷊)가 되는 식이다.

惟康節、明道二先生이 爲能知之라 故로 康節之言曰一分爲二하고 二分爲四하고 四分爲八하고 八分爲十六하고 十六分爲三十二하고 三十二分爲六十四하니 猶根之有榦하고 榦之有枝하야 愈大則愈少하고 愈細則愈繁이라하고 而明道先生以爲加一倍法이라하시니 其發明孔子之言이 又可謂最切要矣로다

愈 : 더욱 유. 繁 : 많을, 번잡할 번. 倍 : 곱, 갑절 배.

주자가 말하였다. "'역(易)에 태극이 있으니, 이것이 양의를 낳고, 양의가 사상을 낳고, 사상이 팔괘를 낳는다.'라는 이 한 절은 바로 공자가 복희씨가 괘를 그은 자연스러운 형체의 순서를 발명한 것이니, 가장 긴요하다. 고금에 설명한 이들 가운데 오직 소강절과 명도 선생 두 분만이 능히 이것을 알았다. 그러므로 소강절의 말에 '1이 나뉘어 2가 되고, 2가 나뉘어 4가 되고, 4가 나뉘어 8이 되고, 8이 나뉘어 16이 되고, 16이 나뉘어 32가 되고, 32가 나뉘어 64가 되니, 마치 뿌리에서 줄기가 생기고 줄기에서 가지가 생겨서 더욱 커질수록 더욱 적어지고 더욱 세밀해질수록 더욱 번잡해진다.'라고 한 것이고, 명도 선생은 '한 곱절씩 더하는 방법이다.'라고 하였으니, 그 공자의 말씀을 발명한 것이 가장 긴요하다고 하겠다.

蓋以河圖洛書論之하면 太極者는 虛中之象也요 兩儀者는 陰陽奇偶之象也며 四象者는 河圖之一合六、二合七、三合八、四合九요 洛書之一含九、二含八、三含七、四含六也며 八卦者는 河圖四實四虛之數요 洛書四正四隅之位也라 以卦畫言之하면 太極者는 象數未形之全體也요 兩儀者는 ⚊爲陽而⚋爲陰하니 陽數一而陰數二也요 四象者는 陽之上에 生一陽하면 則爲⚌而謂之太

陽하고 生一陰하면 則爲⚍而謂之少陰하고 陰之象에 生一陽하면 則爲⚎而謂之少陽하고 生一陰하면 則爲⚏而謂之太陰也라 四象既立하면 則太陽居一而含九하고 少陰居二而含八하고 少陽居三而含七하고 太陰居四而含六하니 此는 六七八九之數所由定也라 八卦者는 太陽之上에 生一陽하면 則爲☰而名乾하고 生一陰하면 則爲☱而名兌하며 少陰之上에 生一陽하면 則爲☲而名離하고 生一陰하면 則爲☳而名震하며 少陽之上에 生一陽하면 則爲☴而名巽하고 生一陰하면 則爲☵而名坎하며 太陰之上에 生一陽하면 則爲☶而名艮하고 生一陰하면 則爲☷而名坤하니 康節先天之說에 所謂乾一、兌二、離三、震四、巽五、坎六、艮七、坤八者ㅣ 蓋謂此也라 至於八卦之上에 又各生一陰一陽하면 則爲四畫者ㅣ 十有六이니 經雖无文이나 而康節所謂八分爲十六者ㅣ 此也요 四畫之上에 又各生一陰一陽하면 則爲五畫者ㅣ 三十有二니 經雖无文이나 而康節所謂十六分爲三十二者ㅣ 此也요 五畫之上에 又各生一陰一陽하면 則爲六畫之卦ㅣ 六十有四而八卦相重하야도 又各得乾一、兌二、離三、震四、巽五、坎六、艮七、坤八之次하니 其在圖可見矣니라

대개 하도와 낙서를 가지고 논해보면, 태극(太極)은 중앙을 비운 상이고, 양의(兩儀)는 음(陰)·양(陽)과 기수(奇數)·우수(偶數)의 상이며, 사상(四象)은 하도의 1은 6과 합하고 2는 7과 합하고 3은 8과 합하고 4는 9와 합하며 낙서의 1은 9를 머금고 2는 8을 머금고 3은 7을 머금고 4는 6을 머금은 것이며, 팔괘는 하도의 네 실한 자리와 네 허한 자리의 수이며 낙서의 네 바른 자리와 네 구석진 자리이다.

괘의 획을 가지고 말해보면, 태극은 상(象)과 수(數)가 아직 드러나지 않은 전체이고, 양의는 ⚊(기(奇))은 양이 되고 ⚋(우(偶))는 음이 되므로 양의 수는 1이고 음의 수는 2인 것이며, 사상은 양 위에 하나의 양이 생겨나면 ⚌(2기)가 되어 태양(太陽)이라 하고 하나의 음이 생겨나면 ⚍(우기)가 되어 소음(少陰)이라 하며 음 위에 하나의 양이 생겨나면 ⚎(기우)가 되어 소양(少陽)이라 하고 하나의 음이 생겨나면 ⚏(2우)가 되어 태음(太陰)이라 한다. 사상이 이미 성립되면 태양(太陽 ⚌)은 1에 거하여 9를 머금고 소음(少陰 ⚍)은 2에 거하여 8을 머금고 소양(少陽 ⚎)은 3에 거하여 7을 머금고 태음(太陰 ⚏)은 4에 거하여 6을 머금으니, 이는 6 · 7 · 8 · 9의 수가 말미암아 정해지는 것이다. 팔괘는 태양(太陽 ⚌)의 위에 하나의 양이 생겨나면 ☰(삼련(三連))이 되어 건괘(乾卦)라 이름하고 하나의 음이 생겨나면 ☱(상절(上絶))이 되어 태괘(兌卦)라 이름하며, 소음(少陰 ⚍)의 위에 하나의 양이 생겨나면 ☲(허중(虛中))이 되어 이괘(離卦)라 이름하고 하나의 음이 생겨나면 ☳(하련(下連))이 되어 진괘(震卦)라 이름하며, 소양(少陽 ⚎)의 위에 하나의 양이 생겨나면 ☴(하절(下絶))이 되어 손괘(巽卦)라 이름하고 하나의 음이 생겨나면 ☵(중련(中連))이 되어 감괘(坎卦)라 이름하며, 태음(太陰 ⚏)의 위에 하나의 양이 생겨나면 ☶(상련(上連))이 되어 간괘(艮卦)라 이름하고 하나의 음이 생겨나면 ☷(삼절(三絶))이 되어 곤괘(坤卦)라 이름하니, 소강절의 선천설에 이른바 '건(乾 ☰)은 1, 태(兌 ☱)는 2, 이(離 ☲)는 3, 진(震 ☳)은 4, 손(巽 ☴)은 5, 감(坎 ☵)은 6, 간(艮 ☶)은 7, 곤(坤 ☷)은 8이다.'라는 것은 대저 이것을 이르는 것이다. 팔괘의 위에 또 각각 하나의 음과 하나의 양이 생겨나면 4획인 것이 16개가 되니, 경문에 비록 글은 없으나 소강절의 이른바 '8이 나뉘어 16이 된다.'라는 것이 이것이다. 4획 위에 또 각각 하나의 음과 하나의 양이 생겨나면 5획인 것이 32개가 되니, 경문에 비록 글은 없으나 소강절의 이른바 '16이 나뉘어 32가 된다.'라는 것이 이것이다. 5획의 위에 또 각각 하나의 음과 하나의 양이 생겨나면 6획으로 된 괘가 64개가 된다. 그런데 팔괘를 서로 중첩해도 또 각각 건(乾 ☰) 1, 태(兌 ☱) 2, 이(離 ☲) 3, 진(震 ☳) 4, 손(巽 ☴) 5, 감(坎 ☵) 6, 간(艮 ☶) 7, 곤(坤 ☷) 8의 순서를 얻으니, 그림에서 볼 수 있다.”

○天地之間이 莫非太極陰陽之妙라 聖人이 仰觀俯察하고 遠求近取하시니 固有超然而黙契於心矣라 故로 自兩儀未分하야 渾然太極으로 而兩儀、四象、六十四卦之理ㅣ 已粲然於其中이요 太極分而兩儀하면 則太極은 固太極이요 兩儀는 固兩儀也며 兩儀分而四象하면 則兩儀는 又爲太極이요 而四象은 又爲兩儀矣라 自是而推하면 四而八하고 八而十六하고 十六而三十二하고 三十二而六十四하야 以至於有百千萬億之无窮하니 雖見於模畫은 若有先後而出於人爲나 然이나 其已定之形과 已成之勢ㅣ 固已具於渾然之中하야 而不容毫髮思慮作爲於其間也니라

模 : 본뜰 모. 毫 : 터럭, 털 호. 髮 : 터럭, 머리털 발.

○천지 사이에 태극과 음양의 묘리 아닌 것이 없다. 성인이 우러러 하늘에서 상(象)을 관찰하고 숙여서 땅에서 법(法)을 살피며 멀게는 사물에서 취하고 가까이로는 몸에서 취하셨으니, 참으로 초연하게 마음에 묵묵히 들어맞는 것이 있으셨다. 그러므로 양의(兩儀)로 아직 나뉘지 않은 혼연한 태극(太極)인 상태에서부터 양의, 사상, 64괘의 이치가 이미 그 가운데 찬연하게 갖추어져 있고, 태극이 나뉘어 양의가 되면 태극은 참으로 태극이고 양의는 참으로 양의이며, 양의가 나뉘어 사상이 되면 양의는 또한 태극이 되고 사상은 또한 양의가 된다. 이로부터 미루어 나가면 4에서 8이 되고 8에서 16이 되고 16에서 32가 되고 32에서 64가 되어 백, 천, 만, 억의 무궁한 수에까지 이르게 되니, 비록 그려진 획에 나타난 것은 마치 선후가 있어서 인위적인 데에서 나온 듯하지만, 그러나 이미 정해진 형체와 이미 이루어진 형세가 참으로 이미 혼연한 태극

가운데에 갖추어져 있어서 한 터럭만큼의 사려와 작위도 그 사이에 용납되지 않는다.

○答袁樞曰要見得聖人作易根原의 直截分明인댄 不如且看卷首橫圖라 自始初止有兩畫時로 漸次看起하야 以至生滿六畫之後면 其先後多寡ㅣ 旣有次第而位置ㅣ 分明하야 不費辭說이라 於此看得하면 方見六十四卦ㅣ 全是天理自然挨排出來니라 聖人이 只是見得分明하야 便只依本畫出이요 元不曾用一毫智力添助시니라

袁 : 성(姓) 원. 費 : 소비할 비. 辭 : 말씀 사. 挨 : 늘어질 애.

○원추(袁樞, 1131~1205)에게 답하여 다음과 같이 말하였다. "성인이 역을 만든 근원의 그야말로 분명한 곳을 보고자 한다면 우선 권 앞부분의 횡도(〈복희팔괘차서지도〉)를 보는 것만 못하다. 처음에 다만 두 획이 있었던 때로부터 점차적으로 보아 나가서 6획이 생겨나 가득 찬 뒤에까지 이르게 되면 그 선후와 다과에 이미 순서가 있고 위치가 분명하여 말이 필요치 않다. 여기에서 보아 터득한다면 비로소 64괘가 온전히 천리로부터 자연스럽게 차례대로 나온 것임을 알 수 있을 것이다. 성인이 다만 보고 터득함이 분명하여 곧 근본에 따라 그려낸 것일 뿐이고 원래 일찍이 한 터럭만큼의 지력도 보탠 것이 아니다."

○問四爻五爻者는 何所主名이니잇고 曰一畫爲儀요 二畫爲象이요 三畫爲卦니 則八卦ㅣ 備矣라 此上에 若旋次各加陰陽一畫하야 則積至三重하야 再成八卦者ㅣ 八이면 方有六十四卦之名이라 若徑以八卦로 偏加乎一卦之上이면 則亦

如其位而得名焉이로되 方其四畫之時엔 未成外卦라 故로 不得而名之耳니라 又曰第四畫者는 以八卦爲太極而復生之兩儀也요 第五畫者는 八卦之四象也요 第六畫者는 八卦之八卦也니라

徧 : 두루 변. 旋 : 돌, 돌릴 선.

○"4효와 5효는 무엇이라고 이름할 수 있는가?"하고 물었는데, 다음과 같이 대답하였다. "1획은 양의가 되고, 2획은 사상이 되고, 3획은 8괘가 되니, 이렇게 하면 8괘가 갖추어진다. 이 위에 만약 순차대로 각각 음양 한 획씩 더하면 쌓여 세 번 거듭함에 이르러 다시 팔괘를 이룬 것이 8개가 되면 비로소 64괘의 명칭이 있게 된다. 만약 지레 팔괘를 한 괘의 위에 두루 더하더라도 또한 그 자리와 같이 되어 명칭을 얻게 된다. 그러나 4획일 때에는 외괘(外卦)[143]가 이루어지지 않았기 때문에 이름할 수 없는 것이다."

또 다음과 같이 말하였다. "제4획은 팔괘를 태극으로 삼아서 다시 생겨난 양의이고, 제5획은 팔괘의 사상이고, 제6획은 팔괘의 팔괘이다."

○又詩曰諸儒談易謾紛紛하니 只見繁枝不見根이라 觀象徒勞推互體요 玩辭亦是逞空言이라 須知一本能雙幹이라야 始信千兒與萬孫이라 喫緊包犧爲人意를 悠悠千古向誰論고

謾 : 아득할 만. 紛 : 어지러울 분. 玩 : 희롱할, 놀 완. 逞 : 다할, 쾌하게 할 령.
雙 : 두, 쌍 쌍. 喫緊 : 아주 긴요함. 喫 : 마실, 먹을 끽. 犧 : 희생 희.

---

143) 외괘(外卦) : 64괘 중괘(重卦)에서 아래 세 효를 내괘(內卦) · 하괘(下卦)라 하고, 위 세 효를 외괘(外卦) · 상괘(上卦)라고 한다. 항괘(恒卦 ䷟)를 예로 들면, 내괘 · 하괘는 손괘(巽 ☴)이고 외괘 · 상괘는 진괘(震 ☳)이다.

○또 시에 다음과 같이 말하였다.

유자들이 역에 대해 말하는 것 부질없이 분분하니

번잡한 가지만 볼뿐 뿌리는 보지 못하네

상을 관찰하며 한갓 수고롭게 호체(互體)를 미룰 뿐이요[144)]

말을 늘어놓으며 또한 부질없는 말만 다할 뿐이네

모름지기 한 뿌리에서 두 줄기로 나뉨을 알아야

비로소 천만의 자손으로 퍼져 감을 믿을 수 있다네

긴요한 복희씨의 사람들을 위한 뜻을

아득한 천고에 누구와 더불어 논할까

【小註】雲莊劉氏ㅣ 曰易畫은 生於太極이라 故로 其理ㅣ 爲天下之至精하고 易畫은 原於圖書라 故로 其數ㅣ 爲天下之至變하니 太極은 理也며 形而上者也라 必有所依而後立이라 故로 雖不雜乎圖書之數而亦不離乎圖書之數하고 太極은 爲理之原하고 圖書는 爲數之祖하니 理之與數는 本非二致也라 合而觀之라야 斯可矣니라

精 : 정밀할 정. 雜 : 섞일 잡. 離 : 떠날, 떨어질 리.

---

144) 상을……뿐이요 : 호체(互體)는 호괘(互卦)로, 중괘(重卦)에서 초효와 상효를 제외하고 가운데에 있는 이효, 삼효, 사효, 오효 네 효를 서로 연결하여 중괘를 만드는 것을 말한다. 곧 이효, 삼효, 사효를 연결하여 하나의 괘를 만들고 삼효, 사효, 오효를 연결하여 하나의 괘를 만들어 두 괘를 중첩하여 중괘를 만드는 것이다. 이효부터 사효까지를 하호괘(下互卦)라 하고, 삼효부터 오효까지를 상호괘(上互卦)라 하며, 하호괘와 상호괘가 합쳐져서 호괘가 된다. 예를 들면, 뇌풍 항괘(恒卦 ䷟)의 상호괘는 태(兌 ☱)이고 하호괘는 건(乾 ☰)인데 이 두 괘를 중첩하면 호괘 택천 쾌괘(夬卦 ䷪)가 되는 것과 같다.

운장 유씨가 말하였다. "역의 획은 태극에서 생겨나기 때문에 그 이(理)는 천하의 지극한 정밀함이 되고, 역의 획은 하도와 낙서에 근원하기 때문에 그 수는 천하의 지극한 변화가 된다. 태극은 이(理)이면서 형이상의 것이다. 반드시 의지하는 바가 있은 뒤에 설 수 있기 때문에 비록 하도 · 낙서의 수와 섞이지 않지만 또한 하도 · 낙서의 수와 떨어지지도 않는다. 태극은 이(理)의 근원이 되고 하도 · 낙서는 수의 원조가 되니, 이(理)와 수(數)는 본래 두 가지가 아니다. 통합하여 살피는 것이 바람직하다."

5) 〈복희육십사괘방위지도(伏羲六十四卦方位之圖)〉

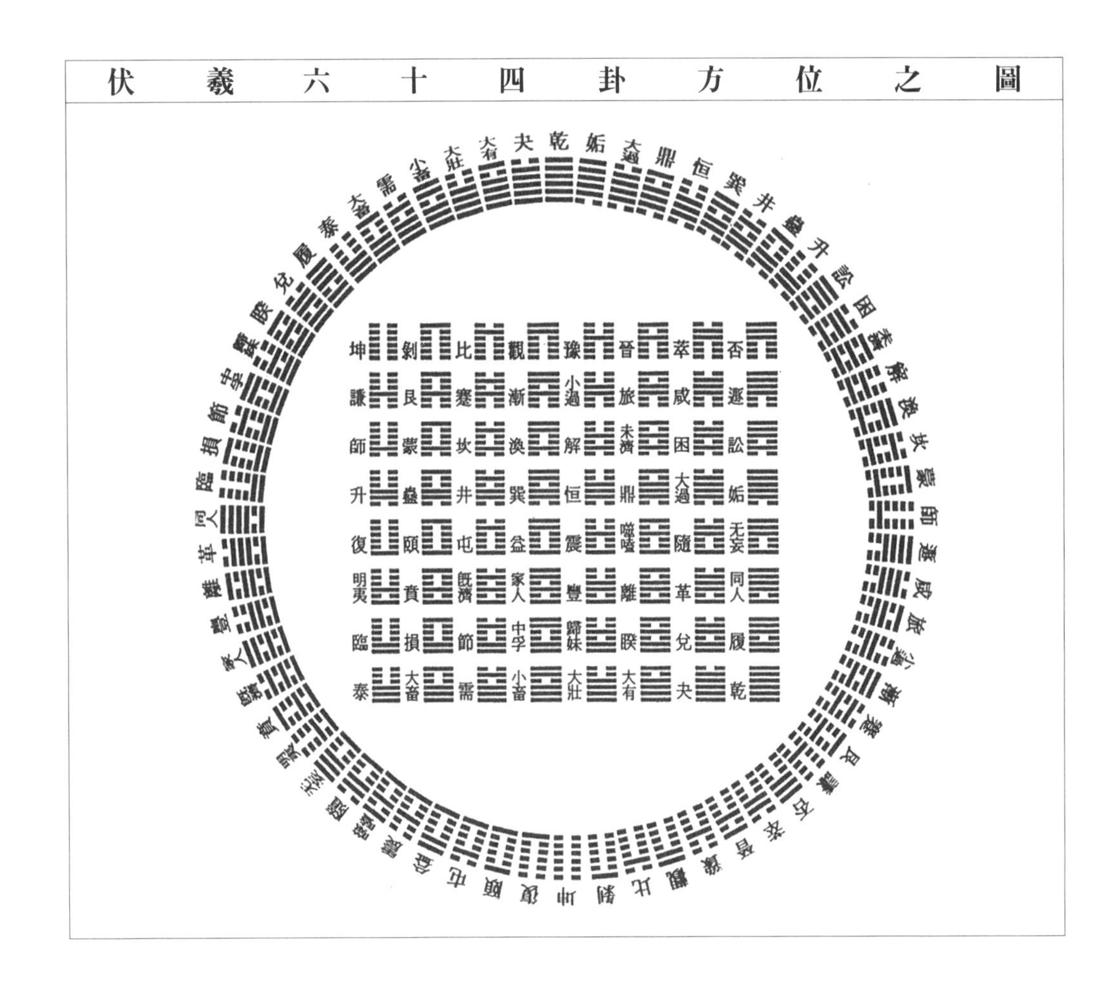

우복희사도 기설 개출어소씨 개소씨 득지이지재 정지 정지
右伏羲四圖는 其說이 皆出於邵氏하니 蓋邵氏는 得之李之才 挺之하고 挺之는
득지목수 백장 백장 득지화산 희이선생 진단 도남자 소위선천지
得之穆脩 伯長하고 伯長은 得之華山 希夷先生 陳摶 圖南者하니 所謂先天之
학야 차도원포자 건진오중 곤진자중 이진묘중 감진유중
學也라 此圖圓布者는 乾盡午中하고 坤盡子中하며 離盡卯中하고 坎盡酉中하야
양생어자중 극어오중 음생어오중 극어자중 기양재남 기
陽生於子中하야 極於午中하고 陰生於午中하야 極於子中하야 其陽在南하고 其

陰在北하며 **方布者**는 **乾始於西北**하고 **坤盡於東南**하야 **其陽在北**하고 **其陰在南**하니 **此二者**는 **陰陽對待之數**라 **圓於外者**는 **爲陽**이요 **方於中者**는 **爲陰**이니 **圓者**는 **動而爲天**이요 **方者**는 **靜而爲地者也**니라

挺 : 빼어날, 뺄, 뽑을 정. 穆 : 화목할 목. 脩 : 포(脯) 수. 摶 : 뭉칠 단.

이상 복희씨의 네 가지 도(圖)[145]는 그 설이 모두 소씨(소강절)에게서 나왔다. 대개 소씨는 이지재(李之才, 980~1045)[146] 정지(挺之)에게서 얻었고, 정지는 목수(穆脩, 979~1032)[147] 백장(伯長)에게서 얻었고, 백장은 화산(華山) 희이 선생(希夷先生) 진단(陳摶, 871~989)[148] 도남(圖南)에게서 얻었으니, 이른바 선천학이라는 것이다.

이 그림에 둥글게 분포되어 있는 것은, 건괘(乾卦 ☰)는 오중(午中)에서 다하고 곤괘(坤卦 ☷)는 자중(子中)에서 다하며 이괘(離卦 ☲)는 묘중(卯中)에서 다하고 감괘(坎卦 ☵)는 유중(酉中)에서 다한다. 양(陽)은 자중(子中)에서 생겨나 오중(午中)에서 다하고 음은 오중(午中)에서 생겨나 자중(子中)에서 다하며, 그 양은 남쪽에 있고 그 음은 북쪽에 있다. 네모지게 분포되어 있는 것은, 건괘(乾卦 ☰)는 서북쪽에서 시작하고 곤괘(坤卦 ☷)는 동남쪽에서 다하여 그 양은 북쪽에 있고 그 음은 남쪽에 있으니,

---

145) 이상……도(圖) : 〈복희팔괘차서지도〉, 〈복희팔괘방위지도〉, 〈복희육십사괘차서지도〉, 〈복희육십사괘방위지도〉를 말한다.

146) 이지재(李之才, 980~1045) : 자(字)는 정지(挺之)이다. 북송시대 사람으로, 역학에 정통하였다. 스승인 목수(穆脩)에게 역(易)을 배웠으며, 뒤에 소강절의 스승이 되었다.

147) 목수(穆脩, 979~1032) : 자(字)는 백장(伯長)이다. 진단(陳摶)에게 역수학(易數學)을 배워 송나라 이학(理學)의 선도자가 되었다.

148) 진단(陳摶, 871~989) : 자(字)는 도남(圖南)이고, 호(號)는 부요자(扶搖子)이며, 송 태종으로부터 희이 선생(希夷先生)이라는 호를 하사받았다. 북송시대 저명한 도가학자이자 양생가이며, 황노학(黃老學)을 존봉하였다. 화산(華山)에 은거하였다.

이 두 가지는 음양이 서로 마주대하고 있는 수(數)이다. 밖에서 둥글게 분포되어 있는 것은 양이 되고, 안에서 네모지게 분포되어 있는 것은 음이 되니, 둥근 원은 동적이면서 하늘이 되고 방정한 네모는 정적이면서 땅이 된다.

【附錄】

邵子ㅣ 曰太極이 旣分이면 兩儀ㅣ 立矣요

소자(邵子)가 말하였다. "태극이 이미 나뉘면 양의(兩儀)가 서고,

【小註】朱子ㅣ 曰此下四節은 通論伏羲六十四卦圓圖하니 此一節은 以第一爻而言이라 左一奇爲陽하고 右一偶爲陰하니 所謂兩儀者也라 今此一奇爲左三十二卦之初爻하고 一偶爲右三十二卦之初爻하니 乃以累變而分이요 非本卽有此六十四段也라 後放此하니라

累 : 여러, 자주 루.

"이하 네 절은 〈복희육십사괘방위지도〉의 원도를 통론한 것이니, 이 한 절은 제1효를 가지고 말한 것이다. 좌측의 1기(奇 —)는 양(陽)이 되고 우측의 1우(偶 --)는 음(陰)이 되니, 이른바 양의(兩儀)라는 것이다. 지금 이 1기(奇 —)는 좌측 32괘의 초효(初爻)가 되고 1우(偶 --)는 오른쪽 32괘의 초효가 되니, 바로 여러 번 변하여 나누어진 것이고 본래 곧 이런 64단이 있었던 것은 아니다. 아래도 이와 같다."

陽上交於陰하고 陰下交於陽하면 而四象生矣요

양(陽)이 올라가서 음(陰)과 사귀고 음이 내려가서 양과 사귀면 사상(四象)이 생기며,

【小註】朱子ㅣ 曰此一節은 以第一爻生第二爻而言也라 陽下之半이 上交於陰上之半하면 則生陰中第二爻之一奇一偶而爲少陽太陰矣요 陰上之半이 下交於陽下之半하면 則生陽中第二爻之一奇一偶而爲太陽少陰矣니 所謂兩儀生四象者也라 太陽一奇ㅣ 今分爲左上十六卦之第二爻하고 少陰一偶ㅣ 今分爲左下十六卦之第二爻하며 少陽太陰도 其分放此而初爻之二도 亦分爲四矣니라

주자가 말하였다. "이 한 절은 제1효에서 제2효가 생겨나는 것을 가지고 말한 것이다. 양 아래의 반절[149]이 올라가서 음 위의 반절[150]과 사귀면 음 가운데 제2효의 1기(奇 ─) 1우(偶 --)가 생겨서 소양(少陽 ==)과 태음(太陰 ==)이 되고, 음 위의 반절이 내려가서 양 아래의 반절과 사귀면 양 가운데 제2효의 1기(奇 ─) 1우(偶 --)가 생겨서 태양(太陽 ═)과 소음(少陰 ==)이 되니, 이른바 양의에서 사상(四象)이 생겨난다는 것이다. 태양(太陽 ═)의 1기(奇 ─)가 지금

149) 양 아래의 반절 : 원도에서 좌측 양(陽)의 초효 32효를 상하로 구분할 때 아래의 16효를 말한다.

150) 음 위의 반절 : 원도에서 우측 음(陰)의 초효 32효를 상하로 구분할 때 위 16효를 말한다.

나뉘어 좌측 위 16괘의 제2효가 되고, 소음(少陰 ==)의 1우(偶 --)가 지금 나뉘어 좌측 아래 16괘의 제2효가 된다. 소양(少陽 ==)과 태음(太陰 ==)도 그 나뉘는 것이 이와 같으며, 초효(初爻)의 2(양효 · 음효)가 또한 나뉘어 4(태양 · 소음 · 소양 · 태음)가 된 것이다."

陽交於陰하고 陰交於陽하면 而生天之四象하고 剛交於柔하고 柔交於剛하면 而生地之四象하야

양(陽 태양)이 음(陰 태음)과 사귀고 음(陰 태음)이 양(陽 태양)과 사귀면 하늘의 사상을 낳고, 강(剛 소양)이 유(柔 소음)와 사귀고 유(柔 소음)가 강(剛 소양)과 사귀면 땅의 사상을 낳아

【小註】朱子ㅣ 曰此一節은 以第二爻生第三爻言也라 陽은 謂太陽하고 陰은 謂太陰하며 剛은 謂少陽하고 柔는 謂少陰이라 太陽之下半이 交於太陰之上半하면 則生太陰中第三爻之一奇一偶而爲艮爲坤矣요 太陰之上半이 交於太陽之下半하면 則生太陽中第三爻之一奇一偶而爲乾爲兌矣며 少陽之上半이 交於少陰之下半하면 則生少陰中第三爻之一奇一偶而爲離爲震矣요 少陰之下半이 交於少陽之上半하면 則生少陽中第三爻之一奇一偶而爲巽爲坎矣니 此ㅣ 所謂四象生八卦也라 乾一奇ㅣ 今分爲八卦之第三爻하고 坤一偶ㅣ 今分爲八卦之第三爻하니 餘皆放此而初爻二爻之四ㅣ 今又分而爲八矣라 乾兌艮坤은 生於二太라 故로 爲天之四象하고 離震巽坎은 生於二少라 故라 爲地之四象하니라

주자가 말하였다. “이 한 절은 제2효에서 제3효가 생겨나는 것을 가지고 말한 것이다. 양(陽)은 태양(太陽)을 이르고 음(陰)은 태음(太陰)을 이르며, 강(剛)은 소양(少陽)을 이르고 유(柔)는 소음(少陰)을 이른다. 태양(太陽 ⚌)의 아래 반절[151]이 태음(太陰 ⚏)의 위 반절[152]과 사귀면 태음 가운데 제3효의 1기(奇 ⚊) 1우(偶 ⚋)가 생겨서 간(艮 ☶)과 곤(坤 ☷)이 되고, 태음(太陰 ⚏)의 위 반절이 태양(太陽 ⚌)의 아래 반절과 사귀면 태양 가운데 제3효의 1기(奇 ⚊) 1우(偶 ⚋)가 생겨서 건(乾 ☰)과 태(兌 ☱)가 되고, 소양(少陽 ⚎)의 위 반절이 소음(少陰 ⚍)의 아래 반절과 사귀면 소음 가운데 제3효의 1기(奇 ⚊) 1우(偶 ⚋)가 생겨서 이(離 ☲)와 진(震 ☳)이 되고, 소음(少陰 ⚍)의 아래 반절이 소양(少陽 ⚎)의 위 반절과 사귀면 소양 가운데 제3효의 1기(奇 ⚊) 1우(偶 ⚋)가 생겨서 손(巽 ☴)과 감(坎 ☵)이 되니, 이것이 이른바 ‘사상(四象)이 팔괘를 낳는다.’라는 것이다. 건괘(乾卦 ☰)의 1기(奇 ⚊)가 지금 나뉘어 여덟 괘의 제3효가 되고, 곤괘(坤卦 ☷)의 1우(偶 ⚋)가 지금 나뉘어 여덟 괘의 제3효가 되니, 나머지도 모두 이와 같으며 초효와 2효의 4(태양 · 소음 · 소양 · 태음)가 지금 또 나뉘어 8(팔괘)이 된 것이다. 건(乾 ☰) · 태(兌 ☱)와 간(艮 ☶) · 곤(坤 ☷)은 태양과 태음에서 생기기 때문에 하늘의 사상이 되고, 이(離 ☲) · 진(震 ☳)과 손(巽 ☴) · 감(坎 ☵)은 소음과 소양에서 생기기 때문에 땅의 사상이 된다.”

팔괘상착이후 만물 생언
八卦相錯而後에 萬物이 生焉이라

151) 태양(太陽 ⚌)의 아래 반절 : 〈복희육십사괘방위지도〉의 원도에서 태양(太陽 ⚌) 16개를 상하로 구분할 때 아래의 8개를 말한다. 태양의 아래 반절은 태음의 위 반절과 상대하고 있다.

152) 태음(太陰 ⚏)의 위 반절 : 〈복희육십사괘방위지도〉의 원도에서 태음(太陰 ⚏) 16개를 상하로 구분할 때 위의 8개를 말한다. 태음의 위 반절은 태양의 아래 반절과 상대하고 있다.

팔괘가 서로 교착한 뒤에 만물이 생겨난다.

【小註】朱子ㅣ 曰一卦之上에 各加八卦하야 以相間錯하면 則六十四卦ㅣ 成矣라 然이나 第三爻之相交하면 則生第四爻之一奇一偶하야 於是에 一奇一偶ㅣ 各爲四卦之第四爻而下三爻도 亦分爲十六矣요 第四爻ㅣ 又相交하면 則生第五爻之一奇一偶하야 於是에 一奇一偶ㅣ 各爲二卦之第五爻而下四爻도 亦分二爲三十二矣요 第五爻ㅣ 又相交하면 則生第六爻之一奇一偶하야 則一奇一偶ㅣ 各爲一卦之第六爻而下五爻도 亦分而爲六十四矣라 蓋八卦相乘爲六十四하고 而自三畫以上으로 三加一倍하야 以之六畫하면 則三畫者ㅣ 亦加一倍而卦體橫分하야 亦爲六十四矣라 二數殊途나 不約而會하야 如合符節하야 不差毫釐하니 正是易之妙處니라

殊 : 다를 수. 途 : 길 도. 符 : 부절 부. 대나무 · 옥 따위로 만들어 신표로 삼던 물건.
釐 : 이 리. 수, 척도, 무게, 돈의 단위. 전하여, 극소한 분량.

주자가 말하였다. "1괘의 위에 각각 팔괘를 더하여 서로 교착하면 64괘가 이루어진다. 그러나 제3효가 서로 사귀면 제4효의 1기(奇 ━) 1우(偶 --)가 생겨서 이에 1기 1우가 각각 네 괘의 제4효가 되고 아래 3효도 나뉘어 16이 되며, 제4효가 또 서로 사귀면 제5효의 1기 1우가 생겨서 이에 1기 1우가 각각 두 괘의 제5효가 되고 아래 4효도 나뉘어 32가 되며, 제5효가 또 서로 사귀면 제6효의 1기 1우가 생겨서 1기 1우가 각각 한 괘의 제6효가 되고 아래 5효도 나뉘어 64가 된다. 대개 팔괘를 서로 곱하면 64가 되고, 3획에서부터 이상으로 세 번 1배씩 더하여 6획에 이르게 되면 3획이 또한 1배 더해진 것으로서 괘체(卦體)가 가로로 나뉘어져 또한 64가 된다. 두 가지 방법이 다르지만 기약하지 않아도 모여

서 마치 부절을 합하듯 부합하여 털끝만큼의 어긋남도 없으니, 바로 이것이 역의 묘한 부분이다."

是故로 一分爲二하고 二分爲四하고 四分爲八하고 八分爲十六하고 十六分爲三十二하고 三十二分爲六十四하니 猶根之有榦하고 榦之有枝하야 愈大則愈少하고 愈細則愈繁이라 是故로 乾以分之하고 坤以翕之하고 震以長之하고 巽以消之하니 長則分하고 分則消하고 消則翕也라 乾坤은 定位也요 震巽은 一交也요 兌離坎艮은 再交也라 故로 震은 陽少而陰尙多也요 巽은 陰少而陽尙多也요 兌離는 陽浸多也요 坎艮은 陰浸多也니라

翕 : 합할, 모을, 거둘 흡. 浸 : 점점 침.

이 때문에 1(태극)이 나뉘어 2(양의)가 되고 2가 나뉘어 4(사상)가 되고 4가 나뉘어 8(팔괘)이 되고 8이 나뉘어 16이 되고 16이 나뉘어 32가 되고 32가 나뉘어 64(64괘)가 되니, 마치 뿌리에서 줄기가 생기고 줄기에서 가지가 생기는 것과 같아서 더욱 커질수록 더욱 작아지고 더욱 세밀해질수록 더욱 많아진다. 이 때문에 건(乾 ☰)으로써 나뉘고 곤(坤 ☷)으로써 모으며 진(震 ☳)으로써 자라게 하고 손(巽 ☴)으로써 사라지게 하니, 자라나면 나뉘고 나뉘면 사라지고 사라지면 합한다. 건(乾 ☰)·곤(坤 ☷)은 자리를 정해 있고, 진(震 ☳)·손(巽 ☴)은 한 번 사귄 것이고, 태(兌 ☱)·이(離 ☲)·감(坎 ☵)·간(艮 ☶)은 두 번 사귄 것이다. 그러므로 진(震 ☳)은 양이 적고 음이 아직 많고 손(巽 ☴)은 음이 적고 양이 아직 많으며, 태(兌 ☱)·이(離 ☲)는 양이 점점 많아지고, 감(坎 ☵)·간(艮 ☶)은 음이 점점 많아지는 것이다."

【小註】玉齋胡氏ㅣ 曰震者는 長之始니 雷以動之也라 歷離兌而乾하면 則長之極而爲陰陽之分限矣니 乾以君之也요 巽者는 消之始니 風以散之也라 歷坎艮而坤하면 則消之極而爲純陰之翕聚矣니 坤以藏之也라 此所以長則分하고 分則消하고 消則翕하고 翕則復長而循環無端也니라 乾은 至陽也라 居上而臨下라 故로 曰君이오 以震離兌之陽으로 得乾而有所君宰하고 坤은 至陰也라 居下而括終이라 故로 曰藏이오 以巽坎艮之陰으로 得坤而有所歸宿이라 然이나 謂乾以分之라하니 則動而陽者는 乾也요 靜而陰者도 亦乾也니 乾은 實分陰陽而无不君宰也니라 又曰乾坤은 以陰陽之純으로 定上下之位하고 震은 一交하고 兌離는 再交하니 由一陽之交로 以至二陽之交也라 巽은 一交하고 坎艮은 再交하니 由一陰之交로 以至二陰之交也라 故로 初交爲震하면 則陽尙少하고 再交爲離兌하면 則陽浸多矣요 初交爲巽하면 則陰尙少하고 再交爲坎艮하면 則陰浸多矣니라

歷 : 지날, 겪을 력. 散 : 흩뜨릴 산. 聚 : 모일, 모을 취. 藏 : 감출, 숨을 장.
端 : 끝 단. 括 : 묶을, 단속할 괄. 宰 : 다스릴 재. 尙 : 아직, 오히려 상.

옥재 호씨가 말하였다. "진(震 ☳)은 양이 처음 자라나는 것이니, 우레로써 진동하는 것이다.[153] 이(離 ☲)·태(兌 ☱)를 거쳐 건(乾 ☰)에 이르면 자라남

153) 우레로써 진동하는 것이다 : 〈설괘전(說卦傳)〉 제4장에 "우레로써 진동하고, 바람으로써 흩트리고, 비로써 윤택하게 하고, 해로써 말리고, 간(艮)으로써 그치고, 태(兌)로써 기쁘게 하고, 건(乾)으로써 임금노릇하고, 곤(坤)으로써 갈무리한다.〔雷以動之, 風以散之, 雨以潤之, 日以烜之, 艮以止之, 兌以說之, 乾以君之, 坤以藏之.〕" 하였다.

이 극도에 이르러 음양이 나뉘는 한계가 되니, 건(乾)으로써 임금노릇 하는 것이다. 손(巽 ☴)은 양이 처음 사라지는 것이니, 바람으로써 흩트리는 것이다. 감(坎 ☵)·간(艮 ☶)을 거쳐 곤(坤 ☷)에 이르면 사라짐이 극도에 이르러 순음(純陰)이 모이게 되니, 곤(坤)으로써 갈무리하는 것이다. 이는 자라나면 나뉘고 나뉘면 사라지고 사라지면 모이고 모이면 다시 자라나서 순환하여 끝이 없는 것이다. 건(乾 ☰)은 지극한 양으로, 위에 거하여 아래에 임하기 때문에 임금노릇 한다고 하는 것이고, 진(震 ☳)·이(離 ☲)·태(兌 ☱)의 양이 건(乾 ☰)을 얻음으로써 임금으로서 주재하는 바가 있는 것이다. 곤(坤 ☷)은 지극한 음으로, 아래에 거하여 끝을 묶기 때문에 갈무리한다고 하는 것이고, 손(巽 ☴)·감(坎 ☵)·간(艮 ☶)의 음이 곤(坤 ☷)을 얻음으로써 귀숙(歸宿)하는 바가 있는 것이다. 그러나 '건(乾)으로써 나뉜다.'라고 했으니, 동적이면서 양(陽)인 것이 건이고 정적이면서 음(陰)인 것도 건이니, 건은 실상 음양을 나누면서 임금으로서 주재하지 않는 바가 없는 것이다."

또 말하였다. "건(乾 ☰)과 곤(坤 ☷)은 순수한 음과 양으로 상하의 위(位)를 정하여 자리해 있다. 진(震 ☳)은 한 번 사귄 것이고 태(兌 ☱)·이(離 ☲)는 두 번 사귄 것이니, 한 양이 사귐으로 말미암아 두 양이 사귀는 데에 이르는 것이다. 손(巽 ☴)은 한 번 사귄 것이고 감(坎 ☵)·간(艮 ☶)은 두 번 사귄 것이니, 한 음이 사귐으로 말미암아 두 음이 사귀는 데에 이르는 것이다. 그러므로 처음 사귀어 진(震 ☳)이 되면 양이 아직 적고 두 번 사귀어 이(離 ☲)·태(兌 ☱)가 되면 양이 점점 많아지며, 처음 사귀어 손(巽 ☴)이 되면 음이 아직 적고 두 번 사귀어 감(坎 ☵)·간(艮 ☶)이 되면 음이 점점 많아지는 것이다."

우왈무극지전 음함양야 유상지후 양분음야 음위양지모 양위음
又曰無極之前엔 陰含陽也요 有象之後엔 陽分陰也라 陰爲陽之母하고 陽爲陰
지부 고 모잉장남이위복 부생장녀이위구 시이 양기어복이음기
之父라 故로 母孕長男而爲復하고 父生長女而爲姤라 是以로 陽起於復而陰起

於姤也니라

孕 : 아이 밸 잉.

또 말하였다. "무극(無極) 이전에는 음이 양을 머금고, 상(象)이 있은 이후는 양이 음을 나눈다. 음은 양의 어머니가 되고 양은 음의 아버지가 되므로 어머니가 장남을 잉태하여 복(復 ䷗)이 되고, 아버지가 장녀를 낳아 구(姤 ䷫)가 된다. 이 때문에 양은 복(復 ䷗)에서 일어나고 음은 구(姤 ䷫)에서 일어나는 것이다."

【小註】朱子ㅣ 曰邵子就圖上하야 說循環之意하니 自姤至坤은 是陰含陽이오 自復至乾은 是陽分陰이오 坤復之間이 乃无極이오 自坤反姤는 是无極之前이라 ○思齋翁氏ㅣ 曰无極之前에 陰含陽也는 言自巽消而至坤은 翕靜之妙也요 有象之後에 陽分陰也는 言自震長而至乾은 分動之妙也라 陰含陽이라 故로 曰母孕이오 陽分陰이라 故로 曰父生이니라 ○臨川吳氏ㅣ 曰六十四卦圓圖左邊自復卦至乾卦는 屬陽하니 陽主生하니 言生物은 自无而有也요 右邊自姤卦至坤卦는 屬陰하니 陰主殺하니 言殺物自有而无也라 无極之前은 謂自坤卦로 右旋以至於姤也요 有象之後는 謂自復卦로 左旋以至於乾也라 自坤前至姤는 皆屬陰而陰之中에 有八十陽者는 陰中所含之陽也요 自復後至乾은 皆屬陽而陽之中에 有八十陰者는 陽中所分之陰也니라

屬 : 붙을, 좇을 속.

주자가 말하였다. "소자가 원도에 나아가 순환하는 뜻을 설명한 것이다. 구(姤 ䷫)로부터 곤(坤 ䷁)에 이르기까지는 음이 양을 머금은 것이고, 복(復 ䷗)

으로부터 건(乾 ䷀)에 이르기까지는 양이 음을 나눈 것이고, 곤(坤 ䷁)과 복(復 ䷗)의 사이가 무극이고, 곤(坤 ䷁)으로부터 반대로 구(姤 ䷫)까지가 무극의 앞이다."

○사재 옹씨가 말하였다. "'무극 이전은 음이 양을 머금는다.'라는 것은, 손(巽 ䷸)으로부터 사라져 곤(坤 ䷁)에 이르기까지 모이고〔翕〕 고요한〔靜〕 묘를 말한 것이고, '상(象)이 있은 이후는 양이 음을 나눈다.'라는 것은 진(震 ䷲)으로부터 자라나 건(乾 ䷀)에 이르기까지 나뉘고〔分〕 움직이는〔動〕 묘를 말한 것이다. 음이 양을 머금으므로 '어머니가 잉태한다.'라고 한 것이고, 양이 음을 나누므로 '아버지가 낳는다.'라고 한 것이다."

○임천 오씨가 말하였다. "64괘 원도에서 왼쪽의 복괘(復卦 ䷗)로부터 건괘(乾卦 ䷀)까지는 양에 속하는데 양은 낳는 것을 주장하니, 만물을 낳는 것은 무(無)에서부터 생겨나는 것임을 말한 것이다. 오른쪽의 구괘(姤卦 ䷫)로부터 곤괘(坤卦 ䷁)까지는 음에 속하는데 음은 죽이는 것을 주장하니, 만물을 죽이는 것은 유(有)에서부터 없어지는 것임을 말한 것이다. '무극 이전'은 곤괘(坤卦 ䷁)로부터 오른쪽으로 돌아 구괘(姤卦 ䷫)까지를 이르고, '상(象)이 있은 이후'는 복괘(復卦 ䷗)로부터 왼쪽으로 돌아 건괘(乾卦 ䷀)까지를 이른다. 곤괘(坤卦 ䷁) 앞으로부터 구괘(姤卦 ䷫)까지는 모두 음에 속하는데 음 가운데 80개의 양효가 있는 것은 음 가운데 머금고 있는 바의 양이고,[154] 복괘(復卦 ䷗) 뒤에서부터 건괘(乾卦 ䷀)까지는 모두 양에 속하는데 양 가운데 80개의 음효가 있는 것은 양 가운데 나뉜 바의 음이다."

---

154) 곤괘(坤卦 ䷁)……양이고 : 64괘는 384효로 이루어져 있다. 복괘(復卦 ䷗)에서부터 건괘(乾卦 ䷀)까지 좌측 32괘와 구괘(姤卦 ䷫)로부터 곤괘(坤卦 ䷁)까지 우측 32괘는 각각 192효로 이루어져 있는데, 양방인 좌측은 음효가 80효이고 양효가 112효이며 음방인 우측은 양효가 80효이고 음효가 112효이다.

又曰陽在陰中이면 陽逆行하고 陰在陽中이면 陰逆行하며 陽在陽中하고 陰在陰中이면 則皆順行하니 此眞至之理니 按圖可見矣니라

또 말하였다. "양이 음 가운데 있으면 양이 역행하고 음이 양 가운데 있으면 음이 역행하며, 양이 양 가운데 있고 음이 음 가운데 있으면 모두 순행하니, 이는 참되고 지극한 이치이니, 원도를 살펴보면 볼 수 있다."

【小註】朱子ㅣ 曰圖左屬陽하고 右屬陰하니 自震一陽으로 離兌二陽과 乾三陽은 爲陽在陽中順行이요 自巽一陰으로 坎艮二陰과 坤三陰은 爲陰在陰中順行이라 坤은 无陽이요 艮坎은 一陽이요 巽은 二陽이니 爲陽在陰中逆行이요 乾은 无陰하고 兌離는 一陰이요 震은 二陰이니 爲陰在陽中逆行이니라 ○思齋翁氏ㅣ 曰先天圓圖ㅣ 左陽右陰이니 左三十二卦는 陽始於復之初九하야 歷十六變而二陽臨하고 又八變而三陽泰하고 又四變而四陽大壯하고 又二變而五陽夬라 而乾以君之는 陽之進也요 始緩而終速은 其進也以漸이니 所謂陽在陽中順也라 陽主升하야 自下而升도 亦順也라 復至无妄이 二十陽이요 明夷至同人이 二十八陽이요 臨至履ㅣ 亦二十八陽이요 乾至泰[155]ㅣ 三十六陽이라 二十者는 陽之微요 二十八은 陽之著요 三十六은 陽之盛이라 陽在北則微하고 在東則著하고 在南則盛도 亦順也니라 陽順而陰逆을 不言可知矣니라 陽

155) 【校】乾至泰 : 원도에서 이괘(履卦 ䷉) 다음은 태괘(泰卦 ䷊)이므로, 순서로 볼 때 '乾至泰'는 마땅히 '泰至乾'이 되어야 한다. 번역문에 수정하여 번역하였다.

在右方三十二卦則反是라 故로 曰眞至之理를 按圖可見矣라하니라

주자가 말하였다. "원도의 왼쪽은 양(陽)에 속하고 오른쪽은 음(陰)에 속한다. 양이 하나인 진(震 ☳)으로부터 양이 둘인 이(離 ☲) · 태(兌 ☱)와 양이 셋인 건(乾 ☰)까지는 양이 양 가운데 있으므로 순행이 되고, 음이 하나인 손(巽 ☴)으로부터 음이 둘인 감(坎 ☵) · 간(艮 ☶)과 음이 셋인 곤(坤 ☷)까지는 음이 음 가운데 있으므로 순행이 된다. 곤(坤 ☷)은 양이 없고 간(艮 ☶) · 감(坎 ☵)은 양이 하나이고 손(巽 ☴)은 양이 둘이니 양이 음 가운데 있어서 역행이 되고, 건(乾 ☰)은 음이 없고 태(兌 ☱) · 이(離 ☲)는 음이 하나이고 진(震 ☳)은 음이 둘이니 음이 양 가운데 있어서 역행이 된다."

○사재 옹씨가 말하였다. "선천도 원도는 왼쪽이 양이고 오른쪽이 음이니, 왼쪽 32괘는 양이 복(復 ䷗)의 초구(初九)에서 시작하여 16번의 변화를 거쳐 양이 둘인 임(臨 ䷒)이 되고 또 8번 변하여 양이 셋인 태(泰 ䷊)가 되고 또 4번 변하여 양이 넷인 대장(大壯 ䷡)이 되고 또 2번 변하여 양이 다섯인 쾌(夬 ䷪)가 된다. 그런데 건(乾)으로써 임금노릇을 하는 것은 양이 나아가는 것이고, 처음에는 느렸다가 끝에는 빨라지는 것은 그 나아감을 점차적으로 하기 때문이니, 이른바 '양이 양 가운데 있으면 순행한다.'라는 것이다. 양은 오르는 것을 주장하여 아래로부터 올라가니 또한 순행이다. 복(復 ䷗)에서 무망(无妄 ䷘)까지는 양효가 20개이고, 명이(明夷 ䷣)에서 동인(同人 ䷌)까지는 양효가 28개이고, 임(臨 ䷒)에서 이(履 ䷉)까지는 양효가 28개이고, 태(泰 ䷊)에서 건(乾 ䷀)까지는 양효가 36개이니, 20은 양이 미약한 것이고 28은 양이 드러난 것이고 36은 양이 왕성한 것이다. 양이 북쪽에서는 미약하고 동쪽에서는 드러나고 남쪽에서는 왕성하니, 또한 순행이다. 양은 순행하고 음은 역행하는 것을 말하지 않아도 알 수 있다. 양이 오른쪽 32괘에 있어서는 이와 반대이다. 그러므로 말하기를 '참되고 지극한 이치를 원도를 살펴보면 볼 수 있다.'라고 한 것이다."

又曰復至乾은 凡百一十有二陽이요 姤至坤은 凡八十陽이며 姤至坤은 凡百一十有二陰이요 復至乾은 凡八十陰이니라

또 말하였다. "복(復 ䷗)에서 건(乾 ䷀)까지는 모두 양이 112효이고 구(姤 ䷫)에서 곤(坤 ䷁)까지는 모두 양이 80효이며, 구(姤 ䷫)에서 곤(坤 ䷁)까지는 모두 음이 112효이고 복(復 ䷗)에서 건(乾 ䷀)까지는 모두 음이 80효이다."

【小註】玉齋胡氏ㅣ 曰自復至乾은 居圖之左하니 陽方也라 故로 陽多而陰少하고 自姤至坤은 居圖之右하니 陰方也라 故로 陰多而陽少하니라 左邊一畫陽은 便對右邊一畫陰하고 左邊一畫陰은 便對右邊一畫陽하야 對待以立體而陰陽이 各居其半也라 由此觀之하면 天地間에 陰陽이 各居其半하야 本无截然爲陽하고 截然爲陰之理로대 但造化ㅣ 貴陽賤陰하고 聖人이 扶陽抑陰이라 故로 於消長之際와 淑慝之分에 又不能不致其區別爾라 豈容以槩論哉리오

淑 : 착할 숙. 慝 : 악할 특. 區 : 구분할 구. 槩 : 평미레(平--: 말이나 되에 곡식을 담고 그 위를 평평하게 밀어 고르게 하는 데 쓰는 방망이 모양의 기구), 대개 개.

옥재 호씨가 말하였다. "복(復 ䷗)에서 건(乾 ䷀)까지는 원도의 왼쪽에 자리하니 양(陽)의 방향이기 때문에 양은 많고 음은 적으며, 구(姤 ䷫)에서 곤(坤 ䷁)까지는 원도의 오른쪽에 자리하니 음(陰)의 방향이기 때문에 음은 많고 양은 적다. 왼쪽 한 획의 양효는 곧 오른쪽 한 획의 음효와 상대하고, 왼쪽 한 획의 음효는 곧 오른쪽 한 획의 양효와 상대하여 서로 마주대하여 체를 세우는데, 음양이 각각 그 반씩 차지한다. 이로 말미암아 살펴보면, 천지 사이에 음양이 각각 그 반씩 자리해 있어서 본래 자른 듯 분명하게 양이 되고 자른 듯 분명하게 음이 되는 이치는 없는 것이다. 다만 조화는 양을 귀하게 여기고 음을 천하

게 여기며 성인은 양을 붙들고 음을 억제하므로 소멸하고 생장하는 즈음과 선과 악을 나눔에 또한 구별하지 않을 수 없는 것일 뿐이니, 어찌 대강 논할 수 있겠는가."

又曰坎離者는 陰陽之限也라 故로 離當寅하고 坎當申而數常踰之者는 陰陽之溢也라 然이나 用數는 不過乎中也니라

限 : 한계 한. 踰 : 넘을, 지날 유. 溢 : 넘칠 일.

또 말하였다. "감(坎 ☵)·이(離 ☲)는 음양의 분한(分限)이다. 그러므로 이(離 ☲)는 인방(寅方)에 해당하고 감(坎 ☵)은 신방(申方)에 해당하는데 수가 항상 넘는 것은 음양이 넘치기 때문이다. 그러나 수를 사용하는 것은 〈인방(寅方)과 신방(申方)의〉 중(中)을 지나지 않는다."

【小註】朱子ㅣ 曰此更宜思하니 離當卯하고 坎當酉는 但以坤爲子半에 可見矣니라 ○西山蔡氏ㅣ 曰此一節은 論陰陽往來ㅣ 皆以馴致라 以坎離言하면 離中當卯하고 坎中當酉라 然이나 離之生은 已起於寅、震中하고 坎之生은 已起於申、巽中이라 故로 謂離當寅하고 坎當申也라 坤當子半하고 乾當午半하면 則離卯、坎酉之謂也니라 ○玉齋胡氏ㅣ 曰坎離ㅣ 陰陽之限者는 就寅申而言也라 以四時言之하면 春爲陽而始於寅하니 是離當寅而爲陽之限이요 秋爲陰而始於申하니 是坎當申而爲陰之限也라 數常踰之者는 離雖當寅而盡於卯中하고 坎雖當申而盡於酉中하니 是는 踰寅申之限而爲陰陽之溢矣라 用數不過乎中者는 取寅申而不取卯酉也라 蓋子位는 陽雖生而未出乎地하고

至寅則溫厚之氣ㅣ 始用事하며 午位는 陰雖生而未害於陽이라가 至申則嚴凝之氣ㅣ 始用事하니 是所謂用數는 仍不過乎寅申之中也라 由是推之하면 則乾當巳하고 坤當亥하며 兌當卯辰하고 震當子丑하며 巽當午未하고 艮當酉戌하니 皆數之不及而邵子ㅣ 以爲中者也라 乾當午하고 坤當子하며 兌當辰巳하고 震當丑寅하며 巽當未申하고 艮當戌亥는 皆四方之中이요 四隅之會處而邵子ㅣ 以爲數常踰之者也니 此卽邵子ㅣ 怕處其盛之意니라

馴 : 순할 순. 凝 : 엉길 응. 怕 : 두려워할 파.

주자가 말하였다. "이것을 다시 생각해 보니, 이(離 ☲)를 묘방(卯方)에 해당시키고 감(坎 ☵)을 유방(酉方)에 해당시키는 것은, 다만 곤(坤 ☷)을 자반(子半)으로 삼는 경우에서 볼 수 있다."

○서산 채씨가 말하였다. "이 한 절은 음양이 왕래하되 모두 차차 이루어짐을 논한 것이다. 감(坎 ☵)·이(離 ☲)를 가지고 말하면, 이(離 ☲)의 중(中)은 묘방(卯方)에 해당하고 감(坎 ☵)의 중(中)은 유방(酉方)에 해당한다. 그러나 이(離 ☲)가 생겨나기 시작하는 것은 이미 인방(寅方)과 진괘(震卦 ☳) 가운데에서 일어나고 감(坎 ☵)이 생겨나기 시작하는 것은 이미 신방(申方)과 손괘(巽卦 ☴) 가운데에서 일어난다. 그러므로 '이(離 ☲)는 인방(寅方)에 해당하고 감(坎 ☵)은 신방(申方)에 해당한다.'라고 한 것이다. 곤(坤 ☷)을 자방(子方)의 반(半)에 해당시키고 건(乾 ☰)을 오방(午方)의 반(半)에 해당시키면, 이(離 ☲)는 묘방(卯方)에 해당하고 감(坎 ☵)은 유방(酉方)에 해당한다고 말할 수 있다."

○옥재 호씨가 말하였다. "'감(坎 ☵)·이(離 ☲)는 음양의 분한이다.'라는 것은 인방(寅方)과 신방(申方)에 나아가 말한 것이다. 사시(四時)를 가지고 말하

면, 봄은 양(陽)인데 인방(寅方)에서 시작하니 이는 이(離 ☲)가 인방(寅方)에 해당하여 양(陽)의 분한이 되는 것이고, 가을은 음(陰)인데 신방(申方)에서 시작하니 이는 감(坎 ☵)이 신방(申方)에 해당하여 음(陰)의 분한이 되는 것이다.

'수(數)가 항상 넘는다.'라는 것은 이(離 ☲)가 비록 인방(寅方)에 해당하지만 묘방(卯方)의 중(中)에서 다하고 감(坎 ☵)이 비록 신방(申方)에 해당하지만 유방(酉方)의 중(中)에서 다하니, 이는 인방(寅方)과 신방(申方)의 분한을 넘어서 음양이 넘치는 것이다.

'수를 사용하는 것은 중(中)을 지나지 않는다.'라는 것은 인방(寅方)과 신방(申方)에서 취하고 묘방(卯方)과 유방(酉方)에서 취하지 않는 것이다. 대개 자방(子方)의 자리는 양(陽)이 비록 생겨나지만 아직 땅에서 나오지 못하다가 인방(寅方)에 이르러 온후한 기운이 비로소 용사하며, 오방(午方)의 자리는 음이 비록 생겨나지만 아직 양을 해치지 못하다가 신방(申方)에 이르러 혹독하게 차가운 기운이 비로소 용사하니, 이것이 이른바 '수를 사용하는 것은 이에 인방(寅方)과 신방(申方)의 중(中)을 지나지 않는다.'라는 것이다. 이로 말미암아 미루어보면, 건(乾 ☰)은 사방(巳方)에 해당하고, 곤(坤 ☷)은 해방(亥方)에 해당하고, 태(兌 ☱)는 묘방(卯方) · 진방(辰方)에 해당하고, 진(震 ☳)은 자방(子方) · 축방(丑方)에 해당하고, 손(巽 ☴)은 오방(午方) · 미방(未方)에 해당하고, 간(艮 ☶)은 유방(酉方) · 술방(戌方)에 해당하니, 모두 수가 미치지 않는 것으로서 소자는 이것을 '중(中)'이라고 한 것이다. 건(乾 ☰)을 오방(午方)에 해당시키고 곤(坤 ☷)을 자방(子方)에 해당시키고 태(兌 ☱)를 진방(辰方) · 사방(巳方)에 해당시키고 진(震 ☳)을 축방(丑方) · 인방(寅方)에 해당시키고 손(巽 ☴)을 미방(未方) · 신방(申方)에 해당시키고 간(艮 ☶)을 술방(戌方) · 해방(亥方)에 해당시키면, 모두 사방의 중앙이면서 사방 모퉁이의 모이는 곳으로서 소자는 '수가 항상 넘는다.'라고 하였으니, 이는 곧 소자가 그 성대함을 두려워하는 뜻이다."

又大易吟(우대역음)에 曰天地定位(왈천지정위)에 否泰反類(태반류)요 山澤通氣(산택통기)에 損咸見義(손함현의)라 風雷相薄(풍뇌상박)에 恒益起意(항익기의)요 水火相射(수화상)하면 旣濟未濟(기제미제)라 四象相交(사상상교)하야 成十六事(성십육사)하고 八卦相盪(팔괘상탕)하야 爲六十四(위육십사)하나니라

盪 : 갈마들 탕.

또 〈대역음(大易吟)〉에 말하였다.

하늘(☰)과 땅(☷)이 자리를 정함에
비(否 ䷋)와 태(泰 ䷊)가 유를 반대로 하여 자리잡고[156]
산(☶)과 못(☱)이 기운을 통함에
손(損 ䷨)과 함(咸 ䷞)이 의리를 드러내네
바람(☴)과 우레(☳)가 서로 부딪침에
항(恒 ䷟)과 익(益 ䷩)이 뜻을 일으키고
물(☵)과 불(☲)이 서로 해치지 않으면[157]
기제(旣濟 ䷾)와 미제(未濟 ䷿)라네
사상이 서로 사귀어
열여섯 괘가 이루어지고

---

156) 하늘(☰)과……자리잡고 : 〈복희육십사괘방위지도〉의 방도를 보면, 건(乾 ䷀)은 서북쪽에 있고 곤(坤 ䷁)은 동남쪽에 있는데 건괘와 곤괘가 서로 합하여 만들어진 비(否 ䷋)와 태(泰 ䷊)가 각각 동북쪽과 서남쪽에 위치해 있다. 이하 시구는 모두 방도에서 서로 마주대하고 있는 괘를 들어서 읊은 것이다.

157) 물(☵)과……않으면 : 원문은 '水火相射'이다. 〈설괘전(說卦傳)〉 제 3장에 "天地定位, 山澤通氣, 雷風相薄, 水火不相射, 八卦相錯."이라고 하였는데, 모두 4자로 글자를 맞췄기 때문에 '水火不相射'에서 '不'을 생략하고 '水火相射'으로 쓴 것이다.

팔괘가 서로 섞여

육십사괘가 된다네

【小註】朱子ㅣ 曰此는 是說方圖中兩交股底라 且如西北角乾과 東南角坤은 是天地定位라 便對東北角泰는 西南角否하고 次乾是兌와 次坤是艮은 便對次否之咸과 次泰之損이라 後四卦도 亦如是하야 共十六卦니라 又曰方圖自西北으로 之東南은 便是自乾으로 以之坤이요 自東北으로 之西南은 便是由泰하야 以之否라 其間에 有咸、恒、損、益、旣濟、未濟하니 所以又於此八卦에 見義니 蓋爲是自兩角尖射上으로 與乾坤相對하니 不知怎生恁地巧로다 ○天台董氏ㅣ 曰愚因邵子大易吟하야 欲以方圖로 分作四層看하니 其第一層四隅는 乾、坤、否、泰四卦니 所謂天地定位 否泰反類也라 然이나 以周圍二十八卦橫直으로 觀之하면 皆乾一坤八之卦니 此見天地定位之不可易也라 其第二層四隅는 兌、艮、咸、損四卦니 所謂山澤通氣 損咸見義也라 然이나 以周圍二十卦橫直으로 觀之하면 亦皆兌二、艮七之卦니 此見山澤通氣之象也라 其第三層四隅는 爲坎、離、旣濟、未濟四卦니 所謂水火相射 旣濟未濟是也라 然이나 以周圍十二卦橫直으로 觀之하면 亦皆離三、坎六之卦니 此足以見水火不相射之象也라 其最裏一層은 爲震、巽、恒、益四卦니 所謂風雷相薄 恒益起意니 其象을 亦可見矣라 以此言之하면 邵子之詩ㅣ 曉然하야 足以見先天法象自然之妙니라

股 : 넓적다리, 정강이, 끝 고. 尖 : 뾰족할, 끝 첨. 怎 : 어찌하여 즘. 恁 : 이같이 임. 曉 : 환할 효.

주자가 말하였다. "이것은 방도(方圖) 가운데에서 양 모퉁이 끝에 있는 괘를 설명한 것이다. 곧 서북쪽 모퉁이에는 건(乾 ䷀)이 있고 동남쪽 모퉁이에는 곤(坤 ䷁)이 있으니, 이는 하늘과 땅이 자리를 정해 있는 것으로서 동북쪽 모퉁이의 태(泰 ䷊)는 서남쪽 모퉁이의 비(否 ䷋)와 마주대하고 있다. 건(乾 ䷀) 다음의 태(兌 ䷹)와 곤(坤 ䷁) 다음의 간(艮 ䷳)은 곧 비(否 ䷋) 다음의 함(咸 ䷞)과 태(泰 ䷊) 다음의 손(損 ䷨)과 마주대하고 있다. 뒤의 4괘도 이와 같으니, 모두 16괘이다."

또 말하였다. "방도(方圖)에서 서북쪽으로부터 동남쪽으로 가는 것은 곧 바로 건(乾 ䷀)으로부터 곤(坤 ䷁)으로 가는 것이고, 동북쪽으로부터 서남쪽으로 가는 것은 곧 바로 태(泰 ䷊)로 말미암아 비(否 ䷋)로 가는 것이다. 그 사이에 함(咸 ䷞)·항(恒 ䷟)·손(損 ䷨)·익(益 ䷩)·기제(旣濟 ䷾)·미제(未濟 ䷿)[158]가 있으니, 때문에 또한 이 여덟 괘에서 의미를 볼 수 있는 것이다. 대개 이렇게 양 모퉁이의 끝에서부터 건(乾 ䷀)·곤(坤 ䷁)과 더불어 마주대하고 있으니, 어떻게 해서 이처럼 교묘하게 만들어진 것인지 알지 못하겠다."

○천태 동씨(天台董氏)[159]가 말하였다. "나는 소자의 〈대역음(大易吟)〉으로 인하여 방도를 가지고 나누어 4층으로 만들어서 보고자 한다. 제1층 네 모퉁이는 건(乾 ䷀)·곤(坤 ䷁)과 비(否 ䷋)·태(泰 ䷊) 4괘이니, 이른바 '하늘(䷀)과 땅(䷁)이 자리를 정함에 비(否 ䷋)와 태(泰 ䷊)가 유를 반대로 하였다.'라는 것이다. 그러나 둘러있는 28괘를 가로세로로 살펴보면, 모두 건(乾 ☰) 1과 곤(坤

158) 함(咸 ䷞)·항(恒 ䷟)·손(損 ䷨)·익(益 ䷩)·기제(旣濟 ䷾)·미제(未濟 ䷿) : 원문 그대로 번역한 것이다. 방도의 바깥쪽에서부터 서로 상대해 있는 괘끼리 순서대로 나열하면 손(損 ䷨)·함(咸 ䷞), 기제(旣濟 ䷾)·미제(未濟 ䷿), 익(益 ䷩)·항(恒 ䷟)이다.

159) 천태 동씨(天台董氏) : 남송 때의 학자 동해(董楷, 1226~?)로, 자는 정숙(正叔), 호는 극재(克齋)이다. 주희(朱熹)의 문하생 진기지(陳器之)를 스승으로 섬겨, 주희의 학문을 전했다.

☷) 8의 괘이니 여기에서 하늘과 땅이 자리를 정해 있어서 바꿀 수 없음을 볼 수 있다. 제2층 네 모퉁이는 태(兌 ䷹) · 간(艮 ䷳)과 함(咸 ䷞) · 손(損 ䷨) 4괘이니, 이른바 '산(䷳)과 못(䷹)이 기운을 통함에 손(損䷨)과 함(咸 ䷞)이 의리를 드러내었다.'라는 것이다. 그러나 둘러있는 20괘를 가로세로로 살펴보면, 또한 모두 태(兌 ☱) 2와 간(艮 ☶) 7의 괘이니, 여기에서 산과 못이 기운을 통하는 상을 볼 수 있다. 제3층 네 모퉁이는 감(坎 ䷜) · 이(離 ䷝)와 기제(既濟 ䷾) · 미제(未濟 ䷿) 4괘이니, 이른바 '물(䷜)과 불(䷝)이 서로 해치지 않으면 기제(既濟 ䷾)와 미제(未濟 ䷿)이다.'라는 것이 이것이다. 그러나 둘러있는 12괘를 가로세로로 살펴보면, 또한 이(離 ☲) 3과 감(坎 ☵) 6의 괘이니 여기에서 족히 물과 불이 서로 해치지 않는 상을 볼 수 있다. 그 가장 안의 한 층은 진(震 ䷲) · 손(巽 ䷸)과 항(恒 ䷟) · 익(益 ䷩) 4괘이니, 이른바 '바람(䷸)과 우레(䷲)가 서로 부딪침에 항(恒 ䷟)과 익(益 ䷩)이 뜻을 일으킨다.'라는 것이니, 그 상을 또한 볼 수 있다. 이것을 가지고 말해보면, 소자의 시가 뚜렷하게 드러나서 선천도 법(法)과 상(象)의 자연스러운 묘함을 볼 수 있다."

우시 왈이목총명남자신 홍균부여불위빈 수탐월굴방지물 미
又詩에 曰耳目聰明男子身이니 洪鈞賦予不爲貧이라 須探月窟方知物이니 未
섭천근기식인 건우손시관월굴 지봉뇌처견천근 천근월굴한래왕
躡天根豈識人가 乾遇巽時觀月窟이요 地逢雷處見天根이라 天根月窟閒來往
삼십육궁도시춘
하니 三十六宮都是春이라

聰 : 귀 밝을 총. 明 : 눈 밝을 명. 洪鈞 : 조물주. 하늘.
鈞 : 고를 균. 窟 : 굴 굴. 躡 : 밟을 섭. 都 : 모두 도.

또 시에 말하였다.

눈과 귀 총명한 남자의 몸으로 태어나니

조물주가 나에게 부여한 것 모자라지 않다네
월굴〔姤 ䷫〕을 더듬어야 비로소 사물을 알 수 있으니
천근〔復 ䷗〕을 밟지 않고 어찌 사람을 알 수 있겠는가
건(乾☰)이 손(巽☴)을 만난 때에 월굴〔姤 ䷫〕을 볼 수 있고
땅(☷)이 우레(☳)를 만난 곳에서 천근〔復 ䷗〕을 볼 수 있네
천근〔復 ䷗〕과 월굴〔姤 ䷫〕이 한가로이 오고가니
36궁이 모두 봄이라오

【小註】朱子ㅣ 曰先天圖自復至乾은 陽也요 自姤至坤은 陰也니 陽主人하고 陰主物이라 天根月窟은 指復姤二卦니 乃是說他圖之所從起處라 三十六宮之說은 邵子ㅣ 嘗曰八卦之象에 不易者ㅣ 四니 乾、坤、坎、離요 反易者ㅣ 二니 震反爲艮하고 巽反爲兌라 本是四卦로대 以反易爲二卦하야 以六變而成八也라 重卦之象엔 不易者ㅣ 八이니 乾、坤、坎、離、頤、中孚、大·小過요 反易者ㅣ 二十八이니 如屯反爲蒙之類라 本五十六卦로대 反易하면 只二十八卦니 以三十六變爲六十四也니라 張行成이 曰天地之間에 惟一无對하고 惟中無對하니 乾坤은 陰陽之一이요 坎離는 陰陽之中이요 頤、大過는 似乾坤之一하고 中孚、小過는 似坎離之中하니 所以皆無對요 其餘五十六卦는 不純乎一與中者則有對也라 劉砥ㅣ 問都是春은 蓋云天理流行而已常周流其間之意否잇가 曰是니라

砥 : 숫돌 지.

주자가 말하였다. "선천도는 복(復 ䷗)에서부터 건(乾 ䷀)까지는 양(陽)이고, 구(姤 ䷫)에서부터 곤(坤 ䷁)까지는 음(陰)이니, 양은 사람을 주장하고 음은 사물을 주장한다. 천근(天根)과 월굴(月窟)은 복(復 ䷗)과 구(姤 ䷫) 2괘를 가리키니, 바로 선천도가 말미암아 일어난 곳을 설명한 것이다.

36궁(宮)의 설은, 소자가 일찍이 다음과 같이 말하였다. '팔괘의 상(象)에 바뀌지 않는 것이 4괘이니 건(乾 ☰)·곤(坤 ☷)·감(坎 ☵)·이(離 ☲)이고, 뒤집혀 바뀌는 것이 2괘이니 진(震 ☳)을 뒤집으면 간(艮 ☶)이 되고 손(巽 ☴)을 뒤집으면 태(兌 ☱)가 된다. 본래 4괘인데 뒤집혀 바뀌는 네 괘를 가지고 두 괘로 삼으면 6괘가 변하여 팔괘가 이루어지게 된다. 중괘(重卦)의 상(象)에 바뀌지 않는 것이 8괘이니 건(乾 ䷀)·곤(坤 ䷁)·감(坎 ䷜)·이(離 ䷝)·이(頤 ䷚)·중부(中孚 ䷼)·대과(大過 ䷛)·소과(小過 ䷽)이고, 뒤집혀 바뀌는 것이 28괘이니 둔(屯 ䷂)을 뒤집으면 몽(蒙 ䷃)이 되는 유이다. 본래 56괘인데 뒤집어 바꾸면 다만 28괘뿐이니, 이렇게 하면 36괘가 변하여 64괘가 된다.'"

장행성(張行成, ?~?)[160]이 말하였다. "천지 사이에 오직 1만이 상대가 없고 오직 중(中)만이 상대가 없으니, 건(乾 ䷀)·곤(坤 ䷁)은 음양의 1이고 감(坎 ䷜)·이(離 ䷝)는 음양의 중(中)이다. 이(頤 ䷚)·대과(大過 ䷛)는 건(乾 ䷀)·곤(坤 ䷁)의 일(一)과 비슷하고, 중부(中孚 ䷼)·소과(小過 ䷽)는 감(坎 ䷜)·이(離 ䷝)의 중(中)과 비슷하니, 이 때문에 모두 상대가 없고 그밖에 56괘는 1과 중(中)에 순수하지 않으므로 상대가 있는 것이다."

---

160) 장행성(張行成, ?~?) : 남송 때 사람으로, 자는 문요(文饒)·자요(子饒)이고, 관물 선생(觀物先生)이라 불렸다. 초정(譙定)에게 역학을 배웠고, 소옹(邵雍)의 상수학(象數學)을 계승 발전시켰다.

유지(劉砥, 1154~1199)[161]가 묻기를 "'모두 봄이다.'라는 것은 대저 천리가 유행하여 이미 항상 그 사이에 두루 유행한다는 뜻입니까?" 하니, 대답하기를 "옳다." 하였다.

○朱子ㅣ 曰圓圖는 乾在南坤在北하고 方圖는 坤在南乾在北이라 乾位는 陽畫之聚ㅣ 爲多하고 坤位는 陰畫之聚ㅣ 爲多하니 此는 陰陽之各以類而聚也니 亦莫不有自然之法象焉이니라 又曰圓圖는 象天하야 一順一逆하야 流行中有對待하니 如震八卦ㅣ 對巽八卦之類요 方圖는 象地하야 有逆无順하야 定位中有對待하야 四角相對하니 如乾八卦ㅣ 對坤八卦之類니 此則方圓圖之辨也라 圓圖ㅣ 象天者는 天圓而動하야 包乎地外하고 方圖ㅣ 象地者는 地方而靜하야 囿乎天中하니 圓圖者는 天道之陰陽이요 方圖者는 地道之柔剛이라 震、離、兌、乾은 爲天之陽地之剛이요 巽、坎、艮、坤은 爲天之陰地之柔라 地道는 承天而行하니 以地之柔剛으로 應天之陰陽은 同一理也라 特在天者는 一逆一順하니 卦氣所以運이요 在地者는 惟主乎逆하니 卦畫所以成耳니라

象 : 본뜰, 본받을 상. 囿 : 얽매일, 국한될 유.

○주자가 말하였다. "원도는 건(乾 ☰)이 남쪽에 곤(坤 ☷)이 북쪽에 있고, 방도는

161) 유지(劉砥, 1154~1199) : 자는 이지(履之)이고, 호는 존암(存庵)·세남자(世南子)이다. 주자가 염계(濂溪)의 주돈이(周敦頤), 낙양(洛陽)의 정호(程顥)·정이(程頤) 형제의 학문을 전수했다는 말을 듣고, 주자를 사사하였다.

곤(坤 ䷁)이 남쪽에 건(乾 ䷀)이 북쪽에 있다. 건(乾 ䷀)의 자리에는 양획(陽劃)이 많이 모여 있고 곤(坤 ䷁)의 자리에는 음획(陰劃)이 많이 모여 있으니, 이는 음양이 각각 그 유(類)에 따라 모여 있는 것이니, 또한 자연의 법(法)과 상(象)이 있지 않은 것이 없다."

또 말하였다. "원도(圓圖)는 하늘을 형상하여 한쪽은 순행이고 한쪽은 역행이어서 유행하는 가운데 마주대하고 있으니, 예컨대 진(震 ☳) 8괘는 손(巽 ☴) 8괘와 마주대하고 있는 유(類)와 같다.[162] 방도(方圖)는 땅을 형상하여 역행만 있고 순행은 없으며 자리를 정하여 있는 가운데 마주대하고 있어서 네 모퉁이가 상대하니, 예컨대 건(乾 ☰) 8괘는 곤(坤 ☷) 8괘와 마주대하고 있는 유와 같으니, 이는 방도와 원도를 구분하여 설명한 것이다. 원도는 하늘을 형상한다는 것은 하늘은 둥글고 동적이어서 땅의 밖을 감싸고, 방도는 땅을 형상한다는 것은 땅은 방정하고 정적이어서 하늘 안에 갇혀 있으니, 원도는 천도(天道)의 음양(陰陽)이고 방도는 지도(地道)의 강유(剛柔)이다.

진(震 ☳) · 이(離 ☲) · 태(兌 ☱) · 건(乾 ☰)은 천도(天道)의 양(陽)이면서 지도(地道)의 강(剛)이고, 손(巽 ☴) · 감(坎 ☵) · 간(艮 ☶) · 곤(坤 ☷)은 천도의 음(陰)이면서 지도의 유(柔)이다. 지도는 천도를 받들어 운행하니, 지도의 유강(柔剛)으로 천도의 음양(陰陽)에 응하는 것은 똑같이 한 이치이다. 다만 하늘에 있는 것은 한쪽은 역행이고 한쪽은 순행이니 괘기(卦氣)가 운행하기 때문이고, 땅에 있는 것은 오직 역행만을 위주로 하니 괘획(卦劃)이 이루어지기 때문이다."

---

162) 진(震 ☳)……같다 : 진(震 ☳) 8괘는 64괘 원도에서 하괘(下卦)가 진(震 ☳)인 복(復 ䷗) · 이(頤 ䷚) · 둔(屯 ䷂) · 익(益 ䷩) · 진(震 ䷲) · 서합(噬嗑 ䷔) · 수(隨 ䷐) · 무망(无妄 ䷘)이고, 손(巽 ☴) 8괘는 하괘가 손(巽 ☴)인 구(姤 ䷫) · 대과(大過 ䷛) · 정(鼎 ䷱) · 항(恒 ䷟) · 손(巽 ䷸) · 정(井 ䷯) · 고(蠱 ䷑) · 승(升 ䷭)으로, 진 8괘와 손 8괘가 각각 마주대하고 있다.

【小註】西山蔡氏ㅣ 曰邵子經世衍易圖에 一動一靜之間者는 易所謂太極也요 動靜者는 易所謂兩儀也요 陰陽剛柔者는 易所謂四象也요 太陽、太陰、少陽、少陰、少剛、少柔、太剛、太柔者는 易所謂八卦也니라 又曰動者爲天하니 天有陰陽하니 陽者는 動之始요 陰者는 動之極이라 陰陽之中에 又各有陰陽이라 故로 有太陽、太陰、少陽、少陰하니 太陽은 爲日、乾하고 太陰은 爲月、兌하고 少陽은 爲星、離하고 少陰은 爲辰、震하니 是爲天之四象이며 靜者는 爲地하니 地有柔剛하니 柔者는 靜之始요 剛者는 靜之極이니 剛柔之中에 又有剛柔라 故로 有太剛、太柔、少剛、少柔하니 太柔는 爲水、坤하고 太剛은 爲火、艮하고 少柔는 爲土、坎하고 少剛은 爲石、巽하니 是爲地之四象이니라 ○天台董氏ㅣ 曰邵子는 以乾兌離震으로 分太陽、太陰、少陽、少陰하야 爲天之四象하고 以巽坎艮坤으로 分少剛、少柔、太剛、太柔하야 爲地之四象하니 蔡氏之說이 是也라 朱子는 以乾兌、艮坤으로 分陰陽하야 爲天之四象하고 以離震、巽坎으로 分剛柔하야 爲地之四象하니 又別是一說이니 當闕疑하고 以俟知者하노라 ○玉齊胡氏ㅣ 曰邵子ㅣ 以太陽爲乾、太陰爲兌、少陽爲離、少陰爲震하니 四卦는 天四象이요 少剛爲巽、少柔爲坎、太剛爲艮、太柔爲坤하니 四卦는 地四象이라 天地各四象하니 此는 八卦也니라 朱子ㅣ 釋之하야 乃曰乾兌、艮坤은 生於二太라 故로 爲天四象하고 離震、巽坎은 生於二少라 故로 爲地四象이라 하니 其言乾兌、巽坎은 同而言離震、艮坤은 異는 何也오 蓋四象八卦之位를 邵子는 以陰陽剛柔四字分之하고 朱子는 唯以陰陽二字로 明之하니 其論四

象이 旣殊則論八卦ㅣ 亦異라 邵子ㅣ 以乾兌、離震으로 爲天四象者는 以此四卦自陽儀中來요 以巽坎、艮坤爲地四象者는 以此四卦自陰儀中來라 朱子則以乾兌、艮坤이 生於太陽、太陰이라 故로 屬其象於天하고 離震、巽坎은 生於少陰、少陽이라 故로 屬其象於地하니 二者ㅣ 各有不同也니라 但詳玩邵子本意하면 謂陰陽相交者는 指陽儀中之陰陽이요 剛柔相交者는 指陰儀中之剛柔라 是以로 老交少하고 少交老而生天之四象하니 其機ㅣ 混然而無間이요 朱子易은 陽爲太陽、陰爲太陰、剛爲少陽、柔爲少陰하야 二太相交而生天四象하고 二少相交而生地四象하야 其分이 粲然而有別하니 朱子之說은 雖非邵子本意나 然이나 因是可以見圖之分陰陽者는 以交易而成하고 象之或老或少는 初不易其分也라 朱子ㅣ 嘗言文王後天八卦에 震東、兌西는 爲長少相合於正方이요 巽東南、艮東北은 爲長少相合於偏方하야 以長少之合으로 爲非其偶하니 必若伏羲先天八卦 震以長男而合陰長之巽하야 爲雷風不相悖하고 艮以少男而合陰少之兌하야 爲山澤通氣하야 以長合長하고 少合少爲得其偶니라 又言無伏羲底하면 做文王底不成이니 其歸는 却在伏羲上이라 今邵子說四象之交는 卽文王之說也요 朱子說四象之交는 卽伏羲之說也라 觀朱子之說하면 實廣邵子未盡之意요 而觀邵子說者하면 亦庶乎有折衷矣니라

俟 : 기다릴 사. 機 : 기틀 기. 偏 : 가, 곁 편. 做 : 지을, 만들 주. 衷 : 가운데, 알맞을 충.

서산 채씨가 말하였다. “소자의 〈경세연역도(經世衍易圖)〉[163]에 ‘한 번 동(動)하고 한 번 정(靜)하는 사이’는 역에서 이른바 태극이고, ‘동(動)과 정(靜)’은 역에서 이른바 양의(兩儀)이고, ‘음양’과 ‘강유(剛柔)’는 역에서 이른바 사상(四象)이고, ‘태양(太陽) · 태음(太陰) · 소양(少陽) · 소음(少陰)’과 ‘소강(少剛) · 소유(少柔) · 태강(太剛) · 태유(太柔)’는 역에서 이른바 팔괘이다.”

또 말하였다. “동(動)은 하늘이 되니, 하늘에는 음양이 있다. 양은 동(動)의 시작이고 음은 동(動)의 끝이니, 음양 가운데 또 각각 음양이 있기 때문에 태양 · 태음 · 소양 · 소음이 있는 것이다. 태양은 해〔日〕와 건(乾 ☰)이 되고, 태음은 달〔月〕과 태(兌 ☱)가 되고, 소양은 성(星)과 이(離 ☲)가 되고, 소음은 신(辰)과 진(震 ☳)이 되니, 이는 하늘의 사상(四象)이 된다. 정(靜)은 땅이 되니, 땅에는 유강(柔剛)이 있다. 유(柔)는 정(靜)의 시작이고 강(剛)은 정(靜)의 끝이니, 강유 가운데 또 강유가 있기 때문에 태강(太剛) · 태유(太柔) · 소강(少剛) · 소유(少柔)가 있는 것이다. 태유(太柔)는 물〔水〕과 곤(坤 ☷)이 되고, 태강(太

163) 소자의 〈경세연역도(經世衍易圖)〉: 《성리대전(性理大全)》과 《황극경세서(皇極經世書)》에 실려 있다. 아래의 그림은 金再斗, 《國譯 周易傳義大全》, 學民文化社, 1997, p.203. 참조.

〈경세연역도(經世衍易圖)〉

太柔 --　太剛 —　少柔 --　少剛 —　少陰 --　少陽 —　太陰 --　太陽 —

柔 --　剛 —　陰 --　陽 —

靜 --　動 —

一動一靜之間

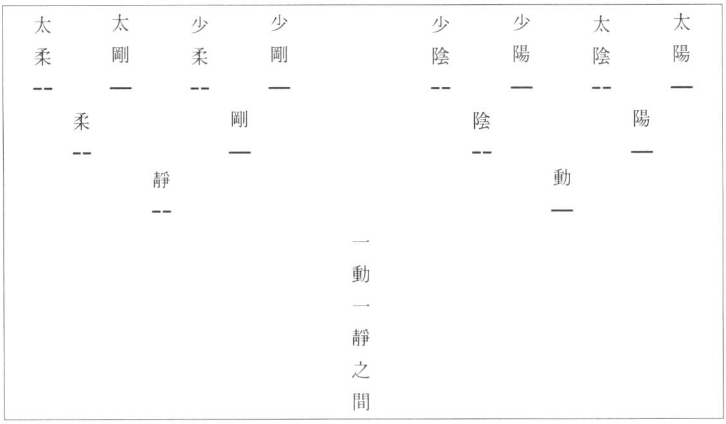

剛)은 불〔火〕과 간(艮 ☶)이 되고, 소유(少柔)는 흙〔土〕과 감(坎 ☵)이 되고, 소강(少剛)은 돌〔石〕과 손(巽 ☴)이 되니, 이는 땅의 사상(四象)이 된다."

○천태 동씨가 말하였다. "소자는 건(乾 ☰) · 태(兌 ☱) · 이(離 ☲) · 진(震 ☳)을 태양(太陽) · 태음(太陰) · 소양(少陽) · 소음(少陰)으로 나누어 하늘의 사상을 삼았고, 손(巽 ☴) · 감(坎 ☵) · 간(艮 ☶) · 곤(坤 ☷)을 소강(少剛) · 소유(少柔) · 태강(太剛) · 태유(太柔)로 나누어 땅의 사상으로 삼았으니, 채씨의 설이 이것이다. 주자는 건(乾 ☰) · 태(兌 ☱)와 간(艮 ☶) · 곤(坤 ☷)을 음양으로 구분하여 하늘의 사상을 삼았고, 이(離 ☲) · 진(震 ☳)과 손(巽 ☴) · 감(坎 ☵)을 강유로 구분하여 땅의 사상을 삼았으니, 또한 별도의 한 가지 설이다. 마땅히 의심스러운 부분은 제쳐놓고 아는 자를 기다리노라."

○옥재 호씨가 말하였다. "소자는 태양으로 건(乾 ☰)을 삼고 태음으로 태(兌 ☱)를 삼고 소양으로 이(離 ☲)를 삼고 소음으로 진(震 ☳)을 삼았으니 네 괘는 하늘의 사상(四象)이고, 소강(少剛)으로 손(巽 ☴)을 삼고 소유(少柔)로 감(坎 ☵)을 삼고 태강(太剛)으로 간(艮 ☶)을 삼고 태유(太柔)로 곤(坤 ☷)을 삼았으니 네 괘는 땅의 사상(四象)이다. 하늘과 땅에 각각 사상이 있으니, 이는 팔괘이다. 주자는 이것을 해석하여 이에 말하기를 '건(乾 ☰) · 태(兌 ☱)와 간(艮 ☶) · 곤(坤 ☷)은 2태(二太 태양 · 태음)에서 생기기 때문에 하늘의 사상이 되고, 이(離 ☲) · 진(震 ☳)과 손(巽 ☴) · 감(坎 ☵)은 2소(二少 소음 · 소양)에서 생기기 때문에 땅의 사상이 된다.'라고 하였으니, 그 건(乾 ☰) · 태(兌 ☱)와 손(巽 ☴) · 감(坎 ☵)을 말한 것은 같고 이(離 ☲) · 진(震 ☳)과 간(艮 ☶) · 곤(坤

☷)을 말한 것은 다른 까닭은 어째서인가?[164]

대저 사상과 팔괘의 자리를 소자는 음양, 강유 네 자로 구분하였고 주자는 오직 음양 두 자로 밝혔으니, 그 사상을 논한 것이 이미 다르니 팔괘를 논한 것 또한 다른 것이다. 소자가 건(乾 ☰)·태(兌 ☱)·이(離 ☲)·진(震 ☳)을 하늘의 사상으로 삼은 것은 이 4괘가 양의(陽儀 ⚊) 가운데로부터 왔기 때문이고, 손(巽 ☴)·감(坎 ☵)·간(艮 ☶)·곤(坤 ☷)을 땅의 사상으로 삼은 것은 이 4괘가 음의(陰儀 ⚋) 가운데로부터 왔기 때문이다. 주자는 건(乾 ☰)·태(兌 ☱)와 간(艮 ☶)·곤(坤 ☷)이 태양과 태음에서 생겨나기 때문에 그 상을 하늘에 소속시킨 것이고, 이(離 ☲)·진(震 ☳)과 손(巽 ☴)·감(坎 ☵)은 소음과 소양에서 생겨나기 때문에 그 상을 땅에 소속시킨 것이니, 두 분이 각각 차이가 있다.

다만 소자의 본래의 뜻을 자세히 완미해 보면, '음양이 서로 사귄다.'라고 한 것은 양의(陽儀 ⚊) 가운데의 음양을 가리키고 '강유(剛柔)가 서로 사귄다.'라고 한 것은 음의(陰儀 ⚋) 가운데의 강유를 가리킨다. 이 때문에 노(老)는 소(少)와 사귀고 소(少)는 노(老)와 사귀어 하늘과 땅의 사상이 생겨나니, 그 기틀이 혼연하여 간격이 없다. 주자의 역(易)은 양을 태양으로 삼고 음을 태음으로 삼고 강(剛)을 소양으로 삼고 유(柔)를 소음으로 삼아서 2태(二太 태양·태음)가 서로 사귀어 하늘의 사상을 낳고 이소(二少 소음·소양)가 서로 사귀어 땅의 사상을 낳아서 그 구분이 뚜렷하게 구별이 있다. 주자의 말씀은 비록 소자의 본의는 아니다. 그러나 이로 인하여 도(圖)를 음양으로 나눈 것은 서로 바꾸어 이루어지고, 상(象)이 혹은 노(老)이고 혹은 소(少)가 되는 것은 애당초 그 구분

---

164) 그……어째서인가? : 건(乾 ☰)·태(兌 ☱)를 소강절과 주자 모두 하늘의 사상으로 봤고, 손(巽 ☴)·감(坎 ☵)을 소강절과 주자 모두 땅의 사상으로 봤다. 그러나 이(離 ☲)·진(震 ☳)을 소강절은 하늘의 사상으로 봤지만 주자는 땅의 사상으로 봤고, 간(艮 ☶)·곤(坤 ☷)을 소강절은 땅의 사상으로 봤지만 주자는 하늘의 사상으로 봤기 때문에 다른 것이다.

을 바꾼 것이 아니라는 것을 볼 수 있다.

주자는 일찍이 다음과 같이 말하였다. '문왕의 후천팔괘(〈문왕팔괘방위지도〉)에 진(震 ☳)은 동쪽에 태(兌 ☱)는 서쪽에 자리하여 장남(長男)과 소녀(少女)가 정방위에서 서로 합하고, 손(巽 ☴)은 동남쪽에 간(艮 ☶) 동북쪽에 자리하여 장녀(長女)와 소남(少男)이 외진 곳에서 서로 합하여 장(長)과 소(少)가 합함으로써 그 짝이 아니게 되니, 반드시 복희씨의 선천팔괘(〈복희팔괘방위지도〉)에 진(震 ☳)이 장남으로 음의 장녀인 손(巽 ☴)과 합하여 뇌(雷)와 풍(風)이 서로 어긋나지 않고 간(艮 ☶)이 소남으로 음의 소녀인 태(兌 ☱)와 합하여 산(山)과 택(澤)이 기운을 통하여 장(長)은 장(長)과 합하고 소(少)는 소(少)와 합하는 것처럼 되어야 그 짝을 얻게 된다.'"

또 말하였다. "복희팔괘가 없으면 문왕팔괘도 이루어지지 못하니, 그 귀착은 복희팔괘에 있다. 지금 소자가 사상의 사귐을 말한 것은 곧 문왕의 설이고, 주자가 사상의 사귐을 말한 것은 곧 복희씨의 설이다. 주자의 설을 관찰해 보면 실상 소자의 미진한 뜻을 넓힌 것이고, 소자의 설을 관찰해 보면 또한 거의 절충함이 있는 것이다."

문 소 자 운 선 천 지 학 심 법 야 도 개 종 중 기 만 화 만 사 생 우 심
○問邵子云先天之學은 心法也니 圖皆從中起라 萬化萬事ㅣ 生于心이라하니
하 야 왈 기 중 백 처 변 시 태 극 삼 십 이 음 삼 십 이 양 변 시 양 의 십 육 음
何也오 曰其中白處는 便是太極이요 三十二陰三十二陽은 便是兩儀요 十六陰
십 육 양 저 변 시 사 상 팔 음 팔 양 저 변 시 팔 괘 우 왈 만 물 만 화 개 종
十六陽底는 便是四象이요 八陰八陽底는 便是八卦니라 又曰萬物萬化ㅣ 皆從
저 리 유 출 시 심 법 개 종 중 기 야
這裏流出하니 是心法이 皆從中起也니라

起 : 비롯할, 시작할 기.

○묻기를 "소자가 이르기를 '선천학은 심법이니, 그림이 모두 가운데로부터 시작된다. 온갖 변화와 온갖 사물이 마음에서 생겨난다.'라고 하였으니, 무엇을 말한 것인

가?" 하니, 다음과 같이 대답하였다.

"그 가운데 흰 곳은 곧 태극이고, 32음과 32양은 곧 양의이고, 16음과 16양은 곧 사상이고, 8음과 8양은 곧 8괘이다."

또 말하였다. "온갖 사물과 온갖 변화가 모두 이 속에서부터 흘러나오니, 이는 심법이 모두 가운데로부터 시작되는 것이다."

【小註】新安程氏ㅣ 曰先天學은 心法也니 圖ㅣ 皆從中起라하니 曰皆者는 其故何也오 兼方圓圖而言也라 天地定位는 圓圖之從中起也요 雷以動之와 風以散之는 方圖之從中起也니 皆五與十所寄之位也라 故로 圓圖는 左旋하야 起於六十四之坤하고 右轉하야 起於一之乾하니 是는 中이 起於天地之定位也요 方圖는 西北與東南之交也는 起於震、巽하고 東北與西南之交也는 起於恒、益하고 南北相直也는 則起於恒、震、巽、益하고 東西相直也는 則起於震、益、恒、巽하니 是는 中이 起於雷風之動散也라 由此而論하면 圓者는 動이라 以定位爲本하고 方者는 靜이라 以動散爲用이라 故로 動而无動과 靜而无靜은 固先天之心法歟인저 是不可不皆求之圖也니라 ○雙湖胡氏ㅣ 曰程氏此論이 甚的이라 愚因推之컨대 天地定位는 起南北子午之中하고 山澤通氣는 次西北東南之卦하고 雷風相薄은 次東北西南之卦하고 水火不相射은 又次東西之卦하니 圓圖는 自南北之中起也라 雷以動之와 風以散之는 正居方圖中心하고 雨以潤之와 日以烜之는 則坎次巽、離次震하고 艮以止之와 兌以說之는 則艮次坎、兌次離하고 乾以君之와 坤以藏之는 則乾次兌、坤次艮하니 實由中而

달호서북동남 방도 역자중기야
達乎西北東南하니 方圖도 亦自中起也니라

寄 : 기댈, 의지할, 부쳐 살 기. 値 : 만날 치. 的 : 분명할 적. 達 : 이를, 도달할 달.

신안 정씨가 말하였다. "'선천학은 심법이니 그림이 모두 가운데로부터 일어난다.'라고 하였으니, '모두〔皆〕'라고 한 것은 무슨 까닭인가? 방도와 원도를 겸하여 말한 것이다.

'하늘〔乾 ䷀〕과 땅〔坤 ䷁〕이 자리를 정해 있다.'라는 것은 원도가 가운데(남북)로부터 시작되는 것이고, '우레〔震 ䷲〕로 진동한다.'라는 것과 '바람〔巽 ䷸〕으로 흩트린다.'라는 것은 방도가 가운데로부터 시작되는 것이니,[165] 모두 5와 10이 의지해 있는 자리이다. 그러므로 원도는 좌선하여 64번째 괘인 곤(坤 ䷁)에서 시작하고 우선하여 1번째 괘인 건(乾 ䷀)에서 시작하니,[166] 이는 하늘과 땅이 자리를 정해 있는 가운데로부터 시작되는 것이다. 방도는 서북방〔乾 ䷀〕과 동남방〔坤 ䷁〕의 사귐은 진(震 ䷲) · 손(巽 ䷸)에서 시작하고, 동북방〔泰 ䷊〕과 서남방〔否 ䷋〕의 사귐은 항(恒 ䷟) · 익(益 ䷩)에서 시작하며, 남쪽과 북쪽이 서로 만나는 것은 항(恒 ䷟) · 진(震 ䷲)과 손(巽 ䷸) · 익(益 ䷩)에서 시작하고, 동쪽과 서쪽이 서로 만나는 것은 진(震 ䷲) · 익(益 ䷩)과 항(恒 ䷟) · 손(巽 ䷸)에서 시작하니, 이는 우레〔震 ䷲〕와 바람〔巽 ䷸〕이 진동시키고 흩트리는 가운데에서 시작하는 것이다. 이로 말미암아 논해보면, 원도는 동적인데 하늘〔乾 ䷀〕과 땅〔坤 ䷁〕이 자리를 정해 있는 것을 근본으로 삼고, 방도는 정적인데 우레〔震 ䷲〕와 바

---

165) '우레〔震 ䷲〕로……것이니 : 복희씨의 64괘 방도에서 진(震 ䷲)과 손(巽 ䷸)이 각각 정중앙에 위치해 있기 때문에 이렇게 말한 것이다.

166) 원도는……시작하니 : 복희씨의 64괘 원도의 좌측은 곤(坤 ䷁) 다음의 복(復 ䷗)에서 시작하여 시계방향(좌선)으로 돌아 건(乾 ䷀)에서 끝나고, 원도의 우측은 건(乾 ䷀) 다음의 구(姤 ䷫)에서 시작하여 시계방향(우선)으로 돌아 곤(坤 ䷁)에서 끝남을 말한 것이다.

람〔巽 ☴〕이 진동시키고 흩트리는 것을 용(用)으로 삼는다. 그러므로 동적이면서도 동적이지 않고 정적이면서도 정적이지 않은 것은 참으로 선천도의 심법일 것이다. 이러한 점을 모두 그림에서 찾지 않아서는 안 된다.”

○쌍호 호씨가 말하였다. “신안 정씨의 이 의론이 매우 적절하다. 내가 이로 인하여 미루어보건대, ‘하늘〔乾 ☰〕과 땅〔坤 ☷〕이 자리를 정해 있다.’라는 것은 남쪽과 북쪽 자방(子方)과 오방(午方)의 중(中)으로부터 시작되는 것이고, ‘산〔艮 ☶〕과 못〔兌 ☱〕이 기운을 통한다.’라는 것은 다음의 서북쪽과 동남쪽의 괘이고, ‘우레〔震 ☳〕와 바람〔巽 ☴〕이 서로 부딪친다.’라는 것은 다음의 동북쪽과 서남쪽의 괘이고, ‘물〔坎 ☵〕과 불〔離 ☲〕이 서로 해치지 않는다.’라는 것은 또한 다음의 동쪽과 서쪽의 괘이니, 원도는 남쪽과 북쪽의 가운데로부터 시작되는 것이다. ‘우레〔震 ☳〕로 진동한다.’라는 것과 ‘바람〔巽 ☴〕으로 흩트린다.’라는 것은 바로 〈진괘와 손괘가〉 방도의 중앙에 자리해 있음을 말하고, ‘비〔坎 ☵〕로 윤택하게 하고 해〔離 ☲〕로 말린다.’라는 것은 감(坎 ☵)이 손(巽 ☴) 다음에 자리하고 이(離 ☲)가 진(震 ☳) 다음에 자리함을 말하고, ‘간(艮 ☶)으로 그친다.’라는 것과 ‘태(兌 ☱)로 기쁘게 한다.’라는 것은 간(艮 ☶)이 감(坎 ☵) 다음에 자리하고 태(兌 ☱)가 이(離 ☲) 다음에 자리함을 말하고, ‘건(乾 ☰)으로 임금노릇 한다.’라는 것과 ‘곤(坤 ☷)으로 갈무리한다.’라는 것은 건(乾 ☰)이 태(兌 ☱) 다음에 자리하고 곤(坤 ☷)이 간(艮 ☶) 다음에 자리함을 말하니, 참으로 가운데로 말미암아 서북방과 동남방으로 도달하는 것이니, 방도도 가운데로부터 시작되는 것이다.”

문도수무문 오 종일언지 불이호시 하야 왈선천도금소사자 시
問圖雖無文이나 吾ㅣ 終日言之에 不離乎是는 何也오 曰先天圖今所寫者는 是
이일세지운언지 약대이고금십이만구천육백년 역지시저권자 소이
以一歲之運言之니 若大而古今十二萬九千六百年도 亦只是這圈子요 小而
일일십이시 역지시저권자 도종복상추기거 우왈이월언지 자
一日十二時도 亦只是這圈子니 都從復上推起去니라 又曰以月言之하면 自

坤而震은 月之始生初三日也요 至兌則月之上弦初八日也요 至乾則月之望十五日也요 至巽則月之始虧十八日也요 至艮則月之下弦二十三日也요 至坤則月之晦三十日也니라 又曰一日은 有一日之運하고 日歲는 有一歲之運하야 大而天地之終始와 小而人物之生死와 遠而古今之世變이 皆不外乎此하니 只是一箇盈虛消息之理라 如納甲法에 乾納甲壬、坤納乙癸、離納己、坎納戊、巽納辛、震納庚、兌納丁、艮納丙도 亦是此니라

寫 : 그릴, 묘사할 사. 虧 : 이지러질 휴.

묻기를 "그림에 비록 글은 없지만 내가 종일토록 말하더라도 여기에서 떠나지 않는다 함은 무엇을 말하는 것인가?" 하니, 다음과 같이 대답하였다.

"선천도에 지금 그려져 있는 것은 1세(歲)의 운행을 가지고 말한 것이니, 만약 극대화하여 말하면 고금 129,600년[167]도 다만 바로 이 원일 뿐이고 작게 말하면 1일 12시도 다만 바로 이 원일 뿐이니, 모두 복괘(復卦 ䷗)로부터 미루어 나가는 것이다."

또 말하였다. "달을 가지고 말하면, 곤(坤 ☷)으로부터 진(震 ☳)까지는 달이 처음 떠오르는 초3일이고 태(兌 ☱)에 이르면 달이 상현(上弦)인 초8일이고 건(乾 ☰)에 이르면 달이 보름인 15일이고 손(巽 ☴)에 이르면 달이 처음 이지러지는 18일이고 간(艮 ☶)에 이르면 달이 하현(下弦)인 23일이고 곤(坤 ☷)에 이르면 달이 그믐인 30일이다."

또 말하였다. "1일은 1일의 운행이 있고 1세는 1세의 운행이 있어서 크게는 천지의

---

167) 129,600년 : 129,600년은 1원(元)이다. 소옹의 《황극경세서(皇極經世書)》에 의하면 30년이 1세(世)이고 12세가 1운(運 360년)이고 30운이 1회(會 10,800년)이고 12회가 1원(元 129,600년)이다.

종시와 작게는 인물의 생사와 멀리는 고금의 세상 변화가 모두 여기에서 벗어나지 않으니, 다만 한 개의 차고 비고 소멸하고 생식하는 이치일 뿐이다. 예컨대, 납갑법(納甲法)에 건(乾)에 갑(甲)·임(壬)을 들이고, 곤(坤)에 을(乙)·계(癸)를 들이고, 이(離)에 기(己)를 들이고, 감(坎)에 무(戊)를 들이고, 손(巽)에 신(辛)을 들이고, 진(震)에 경(庚)을 들이고, 태(兌)에 정(丁)을 들이고, 간(艮)에 병(丙)을 들이는 것도 바로 이것이다."

【小註】玉齋胡氏ㅣ 曰自有先天圖以後로 如納甲法과 道家修養法과 下至火珠林占筮等書도 莫不自先天圖出하니 所謂天地萬物之理ㅣ 盡在其中者是也니라

옥재 호씨가 말하였다. "선천도가 있은 뒤로부터 납갑법(納甲法)과 도가의 수양법과 이하로 《화주림(火珠林)》이나 점서(占筮) 등의 책도 선천도로부터 나오지 않은 것이 없으니, 이른바 '천지 만물의 이치가 모두 그 가운데에 있다.' 라는 것이 이것이다."

○易은 訓變易하고 又訓交易하니 是博易之義니 觀先天圖하면 便可見이라 東邊一畫陰은 便對西邊一畫陽하니 蓋東一邊은 本皆是陽이요 西一邊은 本皆是陰이며 東邊陰畫은 本皆是自西邊來요 西邊兩畫은 都是自東邊來라 姤在西는 是東邊五畫陽過來요 復在東은 是西邊五畫陰過來하야 互相博易而成이니 易之變이 雖多般이나 然이나 此是第一變이니라 又曰陽中有陰하고 陰中有陽하야 兩

변교역 각각상대 기실 비차왕피래 지시기상여차 연 성인
邊交易하야 各各相對하니 其實은 非此往彼來요 只是其象如此라 然이나 聖人
당초 역불임지사량 지시획일개음 획일개양 매개변생양개 취일
當初에 亦不恁地思量이요 只是畫一箇陰 畫一箇陽에 每箇便生兩箇라 就一
개양상 우생일개양 일개음 취일개음상 우생일개음 일개양 지
箇陽上에 又生一箇陽 一箇陰하고 就一箇陰上에 又生一箇陰 一箇陽하야 只
관임지거 자일위이 이위사 사위팔 팔위십육 십육위삼십이 삼십이위
管恁地去하면 自一爲二 二爲四 四爲八 八爲十六 十六爲三十二 三十二爲
육십사 기성 변여차제정 개시천지본연지묘 원여차 단략가성
六十四하야 旣成에 便如此齊整하니 皆是天地本然之妙ㅣ 元如此라 但略假聖
인수 획출래
人手하야 畫出來니라

博 : 바꿀 박. 般 : 가지(종류를 세는 단위) 반. 只管 : 오로지. 그저. 恁地 : 이렇게. 이와 같이.

○역(易)은 변역한다고 새기고 또 교역한다고 새기니, 바로 바꾼다는 뜻으로서 선천도를 보면 볼 수 있다. 동쪽 한 획의 음은 곧 서쪽 한 획의 양과 상대하니, 대개 동쪽 한쪽은 본래 모두 양이고 서쪽 한쪽은 본래 모두 음이며, 동쪽의 음획은 본래 모두 서쪽에서 온 것이고 서쪽의 양획은 모두 동쪽에서 온 것이다. 서쪽에 있는 구(姤 ䷫)는 동쪽의 5획 양이 오고 동쪽에 있는 복(復 ䷗)은 서쪽의 5획 음이 와서 서로 바꾸어 이루어진 것이니, 역의 변화가 비록 여러 가지이지만 그러나 이것이 제1의 변화이다.[168]

또 말하였다. "양 가운데 음이 있고 음 가운데 양이 있어서 양쪽이 교역하여 각각 상대하니, 그 실상은 여기에서 가고 저기에서 온 것이 아니고 다만 그 상(象)이 이와 같을 뿐인 것이다. 그러나 성인이 당초에 또한 이렇게 생각한 것은 아니고, 다만 한 개의 음획(--)을 긋고 한 개의 양획(—)을 그음에 매 개마다 곧 〈음획 · 양획〉 두 개씩 생겨난 것이다. 한 개의 양(—) 위에 나아가 또 한 개의 양(—)과 한 개의 음(--)이 생겨나고, 한 개의 음(--) 위에 나아가 또 한 개의 음(--)과 한 개의 양(—)이 생겨나니, 다만

168) 제1의 변화이다 : 가장 첫 번째의 변화임을 말한다.

이렇게 나아가면 1에서 2가 되고 2에서 4가 되고 4에서 8이 되고 8에서 16이 되고 16에서 32가 되고 32에서 64가 되어 이미 이루어지고 난 이후에 곧 이처럼 정돈되고 가지런한 것일 뿐이니, 모두 천지 본연의 오묘함이 원래 이러한 것이다. 단지 약간 성인의 손일 빌려서 그려낸 것일 뿐이다."

○問先天圖 有自然之象數하니 伏羲ㅣ 當初亦知其然否아 曰也不見得如何라 但橫圖는 據見在底畫하야 較自然이요 圓圖는 便是就這中間拗做兩截하야 恁地轉來底是奇요 恁地轉去底是偶니 有些造作하야 不甚依他元初畫底라 伏羲ㅣ 當初에 也只見太極下面에 有箇陰陽하야 便知得一生二、二又生四、四又生八하야 恁地推去에 做成這物事요 不覺成來却如此齊整하시니라

較 : 견줄 교. 拗 : 꺾을, 비틀 요. 兩截 : 두 토막. 두 조각. 不甚 : 그다지…하지 않다. 些 : 약간, 조금 사.

○묻기를 "선천도에는 자연의 상(象)과 수(數)가 있으니, 복희씨가 당초에 또한 그러함을 알았는가?" 하니, 다음과 같이 대답하였다.

"또한 어떠한지 알지 못하였다. 다만 횡도(〈복희팔괘차서지도〉)는 현재의 획에 근거해 볼 때 비교적 자연스럽고 원도(〈복희팔괘방위지도〉)는 곧 중간을 잘라 두 조각으로 만들어서 이렇게 굴러오는 것은 기(奇 ⚊)이고 이렇게 굴러가는 것은 우(偶 ⚋)이니, 조금 조작이 있어서 그다지 원초의 획을 따르지는 않았다. 복희씨가 당초에 또한 다만 태극의 하면에 음양이 있는 것을 보아서 곧 1이 2를 낳고 2가 또 4를 낳고 4가 또 8을 낳아서 이렇게 미루어 나감에 이 사물(그림)이 이루어지게 됨을 알았을 뿐이고, 이루어진 뒤에 곧 이처럼 정제하리라고는 생각지 못하셨다."

○答葉永卿曰先天之說은 此須先將六十四卦하야 作一橫圖하면 則震巽復姤ㅣ 正在中間하니 先自震復却行하야 以至於乾하고 乃自巽姤而順行하야 以至於坤하면 便成圓圖而春夏秋冬、晦朔弦望、晝夜昏旦이 皆有次第하니 此ㅣ 作圖之大指也라 又左方百九十二爻는 本皆陽이요 右方百九十二爻는 本皆陰이니 乃以對望하야 交相博易而成此圖라 若不從中起以向兩端하고 而但從頭至尾하면 則此等類ㅣ 皆不可通矣니 試用此意推之하면 當自見得也리라

葉 : 성 섭. 將 : 써 장. '以'와 뜻이 같음. 却行 : 뒤로 물러감. 却 : 물러날 각.

○섭영경(葉永卿)에게 답하여 다음과 같이 말하였다. "선천도의 설은, 모름지기 먼저 64괘를 가지고 하나의 횡도를 만들면 진(震 ䷲)·손(巽 ䷸)과 복(復 ䷗)·구(姤 ䷫)가 바로 중간에 위치한다. 그런데 먼저 진(震 ䷲)·복(復 ䷗)으로부터 뒤로 물러나서 건(乾 ䷀)에 이르고 이에 손(巽 ䷸)·구(姤 ䷫)로부터 순행하여 곤(坤 ䷁)에 이르면 곧 원도가 이루어지게 되는데, 이렇게 되면 봄·여름·가을·겨울, 그믐·초하루·상하현·보름, 낮·밤·저녁·아침이 모두 순서가 있게 되니, 이것이 그림을 만드는 요지이다. 또한 왼쪽의 192효는 본래 모두 양이고 오른쪽의 192효는 본래 모두 음인데, 다만 상대하여 바라보아 서로 바뀌어 이 그림이 이루어진 것이다. 만약 중간에서 시작하여 양 끝으로 향해 가지 않고 다만 머리로부터 꼬리로 이르게 되면 이런 유(類)가 모두 통하지 못하게 되니, 시험삼아 이러한 뜻으로 미루어 생각해 보면 스스로 터득할 수 있을 것이다."

○先天은 乃伏羲本圖요 非康節所自作이니 雖无言語나 而所該ㅣ 甚廣이라 凡今易中一字一義ㅣ 无不自其中流出者니라

該 : 갖출 해.

○선천도는 바로 복희씨가 본래 그린 것이지 소강절이 스스로 만든 것이 아니니, 비록 언어는 없지만 갖추고 있는 것은 매우 광대하다. 무릇 지금 역 가운데 하나의 글자와 하나의 뜻이 그 가운데로부터 흘러나오지 않은 것이 없다.

문선천도여태극도부동 여하 왈중간허자 변시태극 타도 설종
○問先天圖與太極圖不同은 如何오 日中間虛者는 便是太極이니 他圖는 說從
중기 금불합방도 재중간색 각대취출방외 타양변생자 즉시
中起하니 今不合方圖ㅣ 在中間塞일새 却待取出放外니라 他兩邊生者는 卽是
음근양양근음 저개 유대 종중출자 무대
陰根陽陽根陰이니 這箇는 有對하고 從中出者는 无對하니라

塞 : 막힐 색.

○묻기를 "선천도가 〈태극도(太極圖)〉[169]와 같지 않은 것은 어째서인가?" 하니, 다음과 같이 대답하였다.

"중간에 빈 것이 곧 태극이다. 저 그림은 설명이 가운데로부터 시작되니, 지금 방도

---

169) 〈태극도(太極圖)〉 : 송대의 학자 염계(濂溪) 주돈이(周敦頤, 1017~1073)가 만든 도형으로, 그가 지은 〈태극도설(太極圖說〉에 보인다. 《상설고문진보대전후집(詳說古文眞寶大全後集)》에 실려 있는 그림을 첨부하면 다음과 같다. 《상설고문진보대전후집(詳說古文眞寶大全後集)》, 學民文化社, p.561. 〈태극도〉 옆의 소주는 다음과 같다. "태극은 그 본체이다. 양(陽)은 동적이다는 것은 태극의 용(用)이고 음(陰)은 정적이다는 것은 태극의 체(體)이니, 양은 변화시키고 음은 합한다. 수(水)·금(金)은 음으로 오른 쪽에 자리하고, 화(火)·목(木)은 양으로 왼쪽에 자리하며, 토(土)는 천지사이의 조화로운 기운이므로 가운데에 자리한다. 음은 양에 뿌리하고 양은 음에 뿌리하며 음양과 오행(五行)이 합하여 만물이 생겨난다.〔太極者, 其本體也, 陽動者, 太極之用, 陰靜者, 太極之體, 陽變而陰合. 水金, 陰也, 居右, 火木, 陽也, 居左, 土, 沖氣, 故居中, 陰根陽陽根陰, 二五合, 萬物生.〕"

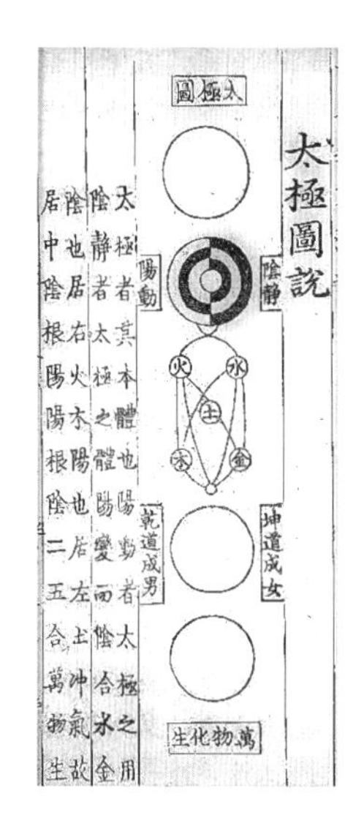

(方圖)가 중간에 있어서 막힌 것과 부합하지 않으므로 취하여 밖으로 낸 것이다. 저[170] 양쪽에 생긴 것은 곧 '음이 양에 뿌리하고 양이 음에 뿌리한다.'는 것이니, 이것은 상대가 있고 가운데로부터 시작되는 것은 상대가 없다."

문 선 천 도　여 하 이 출 방 도 재 하　왈 시 모 도 출
○問先天圖에 如何移出方圖在下오 曰是某挑出이니라

○묻기를 "선천도에 어찌하여 아래에 있던 방도를 안으로 옮긴 것인가?" 하니, 다음과 같이 대답하였다.

"이는 내가 도출해 낸 것이다."

임 천 오 씨　왈 희 황　시 획 팔 괘　인 이 중 지　단 유 방 원 이 도 이
【小註】臨川吳氏ㅣ 曰羲皇이 始畫八卦하고 因而重之하니 但有方圓二圖而

무 서 야　후 성　인 지　작 연 산　귀 장　주 역　수 일 본　희 황 지 도 이
无書也러니 後聖이 因之하야 作連山、歸藏、周易하니 雖一本諸羲皇之圖而

기 취 용　우 각 부 동 언　삼 역　기 망 기 이 이 주 역　독 존　세 유 송 습
其取用은 又各不同焉이라 三易에 旣亡其二而周易이 獨存하니 世儒誦習하야

지 유 주 역 이 이　희 황 괘 도　선 혹 전 수 이 륜 락 어 방 기 가　수 기 설　구 현
知有周易而已라 羲皇卦圖는 鮮或傳授而淪落於方技家하니 雖其說이 具見

어 계 사　설 괘 이 독 자　막 지 찰 야　지 소 자　시 득 이 발 휘 지　어 시
於繫辭、說卦而讀者ㅣ 莫之察也러니 至邵子하야 始得而發揮之하니 於是에

인 내 지 유 희 황 지 역　부 지 어 연 류 이 미 기 원 언　궐 공 대 의
人乃知有羲皇之易하야 不至於沿流而迷其源焉하니 厥功大矣로다

諸 : 어조사 저. '之於'와 뜻이 같음. ~에. ~에서. 誦 : 욀, 암송할 송.
揮 : 휘두를, 옮길 휘. 迷 : 미혹할, 어지럽게 할 미.

임천 오씨가 말하였다. "복희씨가 처음 팔괘를 긋고 인하여 거듭하였으니,

---

170) 저 : 성백효는 선천도(先天圖)로 보았고 김석진은 태극도로 보았다. 金碩鎭, 앞의 책, p.111. ; 成百曉, 앞의 책, p.67. 참조.

다만 방도와 원도 두 그림만 있고 글은 없었다. 그런데 후대의 성인이 이것으로 인하여 《연산(連山)》과 《귀장(歸藏)》과 《주역》을 만들었으니, 비록 똑같이 복희씨의 그림에 근원한 것이지만 그 가져다 쓴 것은 또한 각각 같지 않았다. 세 개의 역(易) 가운데 두 개는 없어지고 《주역》만이 홀로 보존되었으니, 세상의 유학자들은 외고 익혀서 《주역》이 있는 줄만 알 따름이다. 복희씨의 괘와 그림은 드물게 더러 전수되었으나 방기가(方技家)로 전락해 버리니, 비록 그 설이 〈계사전〉과 〈설괘전〉에 모두 보이지만 읽는 자들이 살피지 못하였다. 그런데 소자에 이르러 비로소 터득하여 발휘해 냈으니, 이에 사람들이 비로소 복희씨의 역이 있음을 알게 되어 흐름을 따라 올라가서 그 근원을 헷갈리는 지경에 이르지 않게 되었으니, 그 공이 위대하다."

6) 〈문왕팔괘차서지도(文王八卦次序之圖)〉

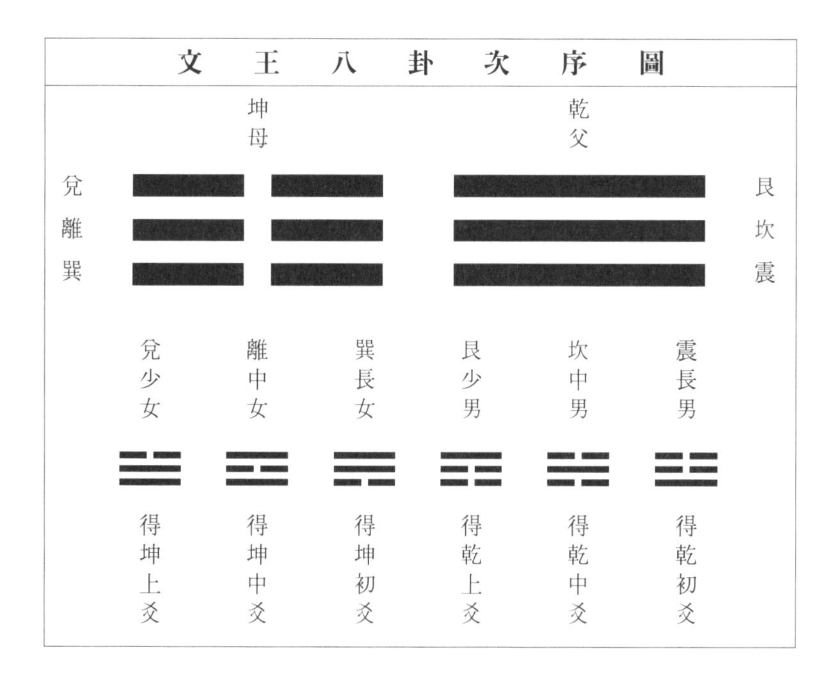

우 현설괘
右는 **見說卦**라

이상은 〈설괘전(說卦傳)〉에 보인다.[171)]

---

171) 이상은 〈설괘전(說卦傳)〉에 보인다 : 〈설괘전〉 제10장에 "건(乾 ☰)은 하늘이다. 그러므로 아버지라 칭하고, 곤(坤 ☷)은 땅이다. 그러므로 어머니라 칭하고, 진(震 ☳)은 첫 번째 구하여 사내를 얻는다. 그러므로 장남이라 이르고, 손(巽 ☴)은 첫 번째 구하여 딸을 얻는다. 그러므로 장녀라 이르고, 감(坎 ☵)은 두 번째 구하여 사내를 얻는다. 그러므로 중남이라 이르고, 이(離 ☲)는 두 번째 구하여 딸을 얻는다. 그러므로 중녀라 이르고, 간(艮 ☶)은 세 번째 구하여 사내를 얻는다. 그러므로 소남이라 이르고, 태(兌 ☱)는 세 번째 구하여 딸을 얻는다. 그러므로 소녀라 이른다.〔乾, 天也. 故稱乎父, 坤, 地也. 故稱乎母, 震, 一索而得男. 故謂之長男, 巽, 一索而得女. 故謂之長女, 坎, 再索而得男. 故謂之中男, 離, 再索而得女. 故謂之中女, 艮, 三索而得男. 故謂之少男, 兌, 三索而得女. 故謂之少女.〕"라고 하였다.

【附錄】

朱子ㅣ 曰坤求於乾하야 得其初九而爲震이라 故로 曰一索而得男이요 乾求於坤하야 得其初六而爲巽이라 故로 曰一索而得女며 坤再求而得乾之九二하야 以爲坎이라 故로 曰再索而得男이요 乾再求而得坤之六二하야 以爲離라 故로 曰再索而得女며 坤三求而得乾之九三하야 以爲艮이라 故로 曰三索而得男이요 乾三求而得坤之六三하야 以爲兌라 故로 曰三索而得女니라 又曰乾索於坤而得女하고 坤索於乾而得男하니 初間畫卦時엔 不是恁地요 只是畫卦後에 便見有此象耳니라

索 : 찾을, 구할 색.

주자가 말하였다. "곤(坤 ☷)이 건(乾 ☰)에서 구하여 그 초구(初九)를 얻어 진(震 ☳)이 된다. 그러므로 '첫 번째 구하여 사내를 얻는다.'고 한 것이고, 건(乾 ☰)이 곤(坤 ☷)에서 구하여 그 초육(初六)을 얻어 손(巽 ☴)이 된다. 그러므로 '첫 번째 구하여 딸을 얻는다.'고 한 것이며, 곤(坤 ☷)이 두 번째 구하여 건(乾 ☰)의 구이(九二)를 얻어 감(坎 ☵)이 된다. 그러므로 '두 번째 구하여 사내를 얻는다.'고 한 것이고, 건(乾 ☰)이 두 번째 구하여 곤(坤 ☷)의 육이(六二)를 얻어 이(離 ☲)가 된다. 그러므로 '두 번째 구하여 딸을 얻는다.'고 한 것이며, 곤(坤 ☷)이 세 번째 구하여 건(乾 ☰)의 구삼(九三)을 얻어 간(艮 ☶)이 된다. 그러므로 '세 번째 구하여 사내를 얻는다.'고 한 것이고, 건(乾 ☰)이 세 번째 구하여 곤(坤 ☷)의 육삼(六三)을 얻어 태(兌 ☱)가 된다. 그러므로 '세 번째 구하여 딸을 얻는다.'고 한 것이다."

또 말하였다. "건(乾 ☰)이 곤(坤 ☷)에서 구하여 딸을 얻고 곤(坤 ☷)이 건(乾 ☰)에

서 구하여 아들을 얻으니, 처음 괘를 그었을 때에 이와 같지 않았고 다만 괘를 그은 뒤에 곧 이런 상(象)이 있음을 본 것일 뿐이다."

【小註】玉齋胡氏ㅣ 曰三男은 陽也라 乾之似也어늘 乃歸之於坤求而後에 得하고 三女는 陰也라 坤之似也어늘 乃歸之於乾求而後에 得은 何也오 蓋三男은 本坤體로 各得乾一陽而成하니 此는 陽根於陰이라 故로 歸之坤也요 三女는 本乾體로 各得坤一陰而成하니 此陰根於陽이라 故로 歸之乾也라 邵子ㅣ 曰母孕長男而爲復하고 父生長女而爲姤하니 陰陽互根之義를 可見矣라하니라

옥재 호씨가 말하였다. "세 아들은 양(陽)이다. 건(乾 ☰)과 유사한데 이에 곤(坤 ☷)이 〈건에서〉 구한 뒤에 얻었다고 귀결시키고, 세 딸은 음(陰)이다. 곤(坤 ☷)과 유사한데 이에 건(乾 ☰)이 〈곤에서〉 구한 뒤에 얻었다고 귀결시킨 것은 어째서인가. 대개 세 아들은 본래 곤(坤 ☷)의 체(體)로 각각 건(乾 ☰)의 한 양을 얻어서 이루어지니, 이는 양이 음에 뿌리하고 있는 것이다. 그러므로 곤(坤 ☷)에 귀결시킨 것이고, 세 딸은 본래 건(乾 ☰)의 체로 각각 곤(坤 ☷)의 한 음을 얻어서 이루어지니, 이는 음이 양에 뿌리하고 있는 것이다. 그러므로 건(乾 ☰)에 귀결시킨 것이다."

소자가 말하였다. "어머니가 장남을 잉태하여 복(復 ䷗)이 되고, 아버지가 장녀를 낳아 구(姤 ䷫)가 되니, 음양이 서로 뿌리하고 있는 뜻을 볼 수 있다."

7) 〈문왕팔괘방위지도(文王八卦方位之圖)〉

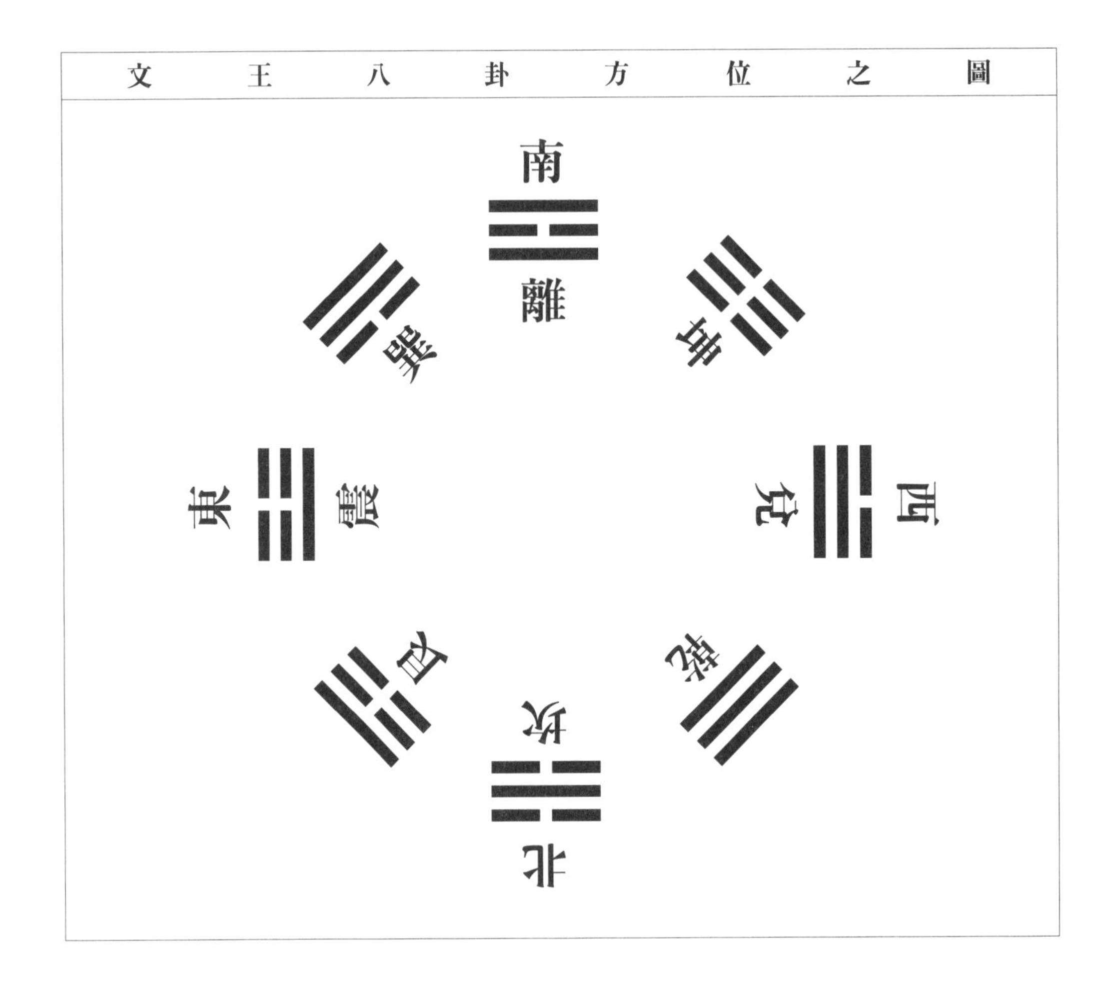

우 현설괘 소자 왈차 문왕팔괘 내입용지위 후천지학야
右는 見說卦라 邵子ㅣ 曰此는 文王八卦니 乃入用之位니 後天之學也라

이상은 〈설괘전(說卦傳)〉에 보인다.[172] 소자가 말하였다. "이것은 문왕팔괘이다. 바로 용(用)으로 들어간 자리이니, 후천학이다."

【附錄】

소자 왈지재 문왕지작역야 기득천지지용호 고 건곤교이위태
邵子ㅣ 曰至哉라 文王之作易也여 其得天地之用乎인저 故로 乾坤交而爲泰하

감이교이위기 제야 건생어자 곤생어오 감종어인 이종어
고 坎離校而爲旣[173]濟也라 乾生於子하고 坤生於午하고 坎終於寅하고 離終於

---

172) 이상은 〈설괘전(說卦傳)〉에 보인다 : 〈설괘전〉 제5장에 다음과 같이 말하였다. "제(帝)가 진(震 ☳)에서 나와서, 손(巽 ☴)에서 가지런하고, 이(離 ☲)에서 서로 보고, 곤(坤 ☷)에서 일이 이루어지고, 태(兌 ☱)에서 기뻐하고, 건(乾 ☰)에서 싸우고, 감(坎 ☵)에서 위로하고, 간(艮 ☶)에서 이룬다. 만물이 진(震 ☳)에서 나오니, 진(震 ☳)은 동쪽에 위치한다. 손(巽 ☴)에서 가지런하니, 손(巽 ☴)은 동남쪽에 위치한다. 가지런하다는 것은 만물이 깨끗하고 가지런함을 말한다. 이(離 ☲)는 밝음이니, 만물이 모두 서로 보기 때문이니 남쪽에 위치하는 괘이다. 성인이 남면하여 천하 사람들의 말을 들어서 밝음을 향하여 다스리니, 대개 여기에서 취한 것이다. 곤(坤 ☷)은 땅이니, 만물이 모두 길러지기 때문에 곤(坤 ☷)에서 일이 이루어진다고 한 것이다. 태(兌 ☱)는 바로 가을이니, 만물이 기뻐하기 때문에 태(兌 ☱)에서 기뻐한다고 한 것이다. 건(乾 ☰)에서 싸운다는 것은, 건(乾 ☰)은 서북쪽에 위치하는 괘이니, 음양이 서로 부딪힘을 말한다. 감(坎 ☵)은 물을 상징하니, 정북쪽에 위치하는 괘이니, 만물이 귀숙하는 바이기 때문에 감(坎 ☵)에서 위로한다고 한 것이다. 간(艮 ☶)은 동북쪽에 위치하는 괘이니, 만물이 끝을 이루는 바이면서 처음을 이루는 바이기 때문에 간(艮 ☶)에서 이룬다고 한 것이다.〔帝出乎震, 齊乎巽, 相見乎離, 致役乎坤, 說言乎兌, 戰乎乾, 勞乎坎, 成言乎艮. 萬物, 出乎震, 震, 東方也. 齊乎巽, 巽, 東南也, 齊也者, 言萬物之潔齊也. 離也者, 明也, 萬物, 皆相見, 南方之卦也, 聖人, 南面而聽天下, 嚮明而治, 蓋取諸此也. 坤也者, 地也, 萬物, 皆致養焉, 故曰致役乎坤. 兌, 正秋也, 萬物之所說也, 故曰說言乎兌. 戰乎乾, 乾, 西北之卦也, 言陰陽相薄也. 坎者, 水也, 正北方之卦也, 勞卦也, 萬物之所歸也, 故曰勞乎坎. 艮, 東北之卦也, 萬物之所成終而所成始也, 故曰成言乎艮.〕"

173) 【校】 旣 : "未"의 오자(誤字)이다. 〈문왕팔괘방위지도〉에서 이(離 ☲)는 위에 위치하고 감(坎 ☵)은 아래에 위치해 있다. 이(離 ☲)가 상괘이고 감(坎 ☵)이 하괘이면 미제(未濟 ䷿)가 된다. 번역문에 수정하여 번역하였다.

申하야 以應天之時也하며 置乾於西北하고 退坤於西南하야 長子ㅣ 用事而長女ㅣ 代母하고 坎離ㅣ 得位而兌艮이 爲偶하야 以應地之方也하니 王者之法이 其盡於是矣니라

소자가 말하였다. "지극하도다, 문왕께서 역을 만드심이여. 천지의 용(用)을 얻었도다. 그러므로 건(乾 ☰)과 곤(坤 ☷)이 사귀어 태(泰 ䷊)가 되고, 감(坎 ☵)과 이(離 ☲)가 사귀어 미제(未濟 ䷿)가 된다. 건(乾 ☰)은 자방(子方)에서 생겨나고 곤(坤 ☷)은 오방(午方)에서 생겨나며 감(坎 ☵)은 인방(寅方)에서 다하고 이(離 ☲)는 신방(申方)에서 다하여 하늘의 때에 응하며,174) 건(乾 ☰)은 서북쪽에 위치하고 곤(坤 ☷)은 서남쪽으로 물러나서 장자는 용사하고 장녀는 어머니를 대신하며, 감(坎 ☵)·이(離 ☲)가 자리를 얻고 태(兌 ☱)·간(艮 ☶)이 짝이 되어 땅의 방정함에 응하니, 왕자의 법175)이 여기에서 다하였다."

【小註】朱子ㅣ 曰此는 言文王이 改易伏羲卦圖之意也라 蓋自乾南坤北而交하면 則乾北坤南而爲泰矣요 自離東坎西而交하면 則離西坎東而爲旣176)濟矣라 乾坤之交者는 自其所以成而反其所由生也라 故로 再變則乾退乎西北하고 坤退乎西南也라 坎離之變者는 東自上而西하고 西自下而東也라 故로

174) 건(乾 ☰)은……응하며 : 이는 〈문왕팔괘방위지도〉를 가지고 말한 것이다.

175) 왕자의 법 : 이는 〈문왕팔괘방위지도〉를 설명한 부분이므로 왕자(王者)는 그림을 만든 문왕(文王)을 가리키고, 왕자의 법은 문왕이 〈문왕팔괘방위지도〉를 만든 법을 말한다.

176) 【校】旣 : "未"의 오자(誤字)이다. 〈문왕팔괘방위지도〉에서 이(離 ☲)가 위에 있고 감(坎 ☵)이 아래에 있으면 미제(未濟 ䷿)가 된다. 번역문에 수정하여 번역하였다.

乾坤旣退하면 則離得乾位而坎得坤位也라 震用事者는 發生於東方이요 巽代母者는 長養於東南也니라 ○玉齋胡氏ㅣ 曰乾南坤北、離東坎西者는 先天卦位니 乾坤이 由南北而交하야 坤南乾北하면 則坤上乾下라 故로 交而爲泰也요 離坎이 由東西而交하면 則坎[177]上離[178]下라 故로 交而爲旣[179]濟也라 先天卦는 乾居午而云生於子者는 以乾陽始生於復하니 復은 子之半也라 坤居子而云生於午者는 以坤陰始生於姤하니 姤는 午之半也라 午는 乾之所已成이어늘 今下而交坤於子하니 是는 反其所由生也요 子는 坤之所已成이어늘 今上而交乾於午하니 是는 反其所由生也라 故로 再變而爲後天卦하면 則乾退西北하고 坤退西南也라 先天卦는 離當寅而云終於申者는 申은 乃坎之位요 離交坎而終於申也라 坎當申而云終於寅者는 寅은 乃離之位요 坎交離而終於寅也라 東者는 離之本位로대 其變則交於坎而向西하니 是東自上而西也요 西者는 坎之本位로대 其變則交於離而向東하니 是西自下而東也라 故로 再變而爲後天卦라 乾坤旣退하면 則離上而得乾位하고 坎下而得坤位也라 震은 代父始事而發生於東方하고 巽은 代母繼事而長養於東南也라 先天은 主乾

177) 【校】坎 : "離"의 오자(誤字)이다. 〈문왕팔괘방위지도〉에서 이(離 ☲)는 남쪽으로 올라가고 감(坎 ☵)은 북쪽으로 내려간다. 번역문에 수정하여 번역하였다.

178) 【校】離 : "坎"의 오자(誤字)이다. 〈문왕팔괘방위지도〉에서 감(坎 ☵)은 북쪽으로 내려가고 이(離 ☲)는 남쪽으로 올라간다. 번역문에 수정하여 번역하였다.

179) 【校】旣 : "未"의 오자(誤字)이다. 〈문왕팔괘방위지도〉에서 이(離 ☲)가 위에 있고 감(坎 ☵)이 아래에 있으면 미제(未濟 ䷿)가 된다. 번역문에 수정하여 번역하였다.

坤、坎離之交하니 其交也ㅣ 將變而无定位하야 天時之不窮也라 故로 曰應天이요 後天은 主坎離、震兌之交하니 其交也ㅣ 不變而有定位하야 地方而有常也라 故로 曰應地라하니 此는 文王作易所以得天地之用而邵子ㅣ 以至哉之辭로 贊之也니라 ○雙湖胡氏ㅣ 曰邵子以此圖로 屬之文王八卦하니 蓋本之坤卦下之辭라 卦辭는 文王所作而謂西南得朋하고 東北喪朋은 正此圖之方位也니라

繼 : 이을 계. 喪 : 잃을 상. 正 : 바로 정.

주자가 말하였다. "이는 문왕이 〈복희팔괘방위지도〉를 바꾼 뜻을 말한 것이다. 대개 남쪽에 있는 건(乾 ☰)과 북쪽에 있는 곤(坤 ☷)으로부터 사귀면 건(乾 ☰)은 북쪽으로 가고 곤(坤 ☷)은 남쪽으로 가서 태(泰 ䷊)가 되고, 동쪽에 있는 이(離 ☲)와 서쪽에 있는 감(坎 ☵)으로부터 사귀면 이(離 ☲)는 서쪽으로 가고 감(坎 ☵)은 동쪽으로 가서 미제(未濟 ䷿)가 된다. 건(乾 ☰) · 곤(坤 ☷)의 사귐은, 이루어진 곳에서부터 말미암아 생겨나는 곳으로 돌아가는 것이다. 그러므로 거듭 변하면 건(乾 ☰)은 서북쪽으로 물러나고 곤(坤 ☷)은 서남쪽으로 물러나는 것이다. 감(坎 ☵) · 이(離 ☲)의 변화는, 동쪽에서 위로부터 서쪽으로 가고 서쪽에서 아래로부터 동쪽으로 간다. 그러므로 건(乾 ☰) · 곤(坤 ☷)이 이미 물러나면 이(離 ☲)는 건(乾 ☰)의 자리를 얻고 감(坎 ☵)은 곤(坤 ☷)의 자리를 얻는 것이다. 진(震 ☳) 장남이 용사한다는 것은 동방에서 발생함을 말하고, 손(巽 ☴) 장녀가 어머니를 대신한다는 것은 기르고 양성하여 동남쪽에 위치함을 말한다."

○옥재 호씨가 말하였다. "건(乾 ☰)은 남쪽, 곤(坤 ☷)은 북쪽, 이(離 ☲)는 동쪽, 감(坎 ☵)은 서쪽에 자리하는 것은 선천도의 괘 자리이다. 건(乾 ☰) · 곤

(坤 ☷)이 남쪽 · 북쪽에서부터 사귀어 곤(坤 ☷)은 남쪽으로 가고 건(乾 ☰)은 북쪽으로 가면 곤(坤 ☷)은 올라가고 건(乾 ☰)은 내려간다. 그러므로 사귀어 태(泰 ䷊)가 된다. 이(離 ☲) · 감(坎 ☵)이 동쪽 · 서쪽에서부터 사귀면 이(離 ☲)는 올라가고 감(坎 ☵)은 내려간다. 그러므로 사귀어 미제(未濟 ䷿)가 된다.

복희씨의 선천팔괘에서 건(乾 ☰)은 오방(午方)에 자리하는데 '자방(子方)에서 생겨난다.'라고 한 것은, 건(乾 ☰)의 양(陽)이 처음 복(復 ䷗)에서 생겨나니, 복(復 ䷗)은 자방(子方)의 반(半)이기 때문이다. 곤(坤 ☷)은 자방(子方)에 자리하는데 '오방(午方)에서 생겨난다.'라고 한 것은 곤(坤 ☷)의 음(陰)이 처음 구(姤 ䷫)에서 생겨나니, 구(姤 ䷫)는 오방(午方)의 반(半)이기 때문이다. 오방은 건(乾 ☰)이 이미 이루어진 곳인데 지금 내려가서 곤(坤 ☷)과 자방에서 사귀니 이는 말미암아 생겨나는 곳으로 돌아가는 것이고, 자방은 곤(坤 ☷)이 이미 이루어진 곳인데 지금 올라가서 건(乾 ☰)과 오방에서 사귀니 이는 말미암아 생겨나는 곳으로 돌아가는 것이다. 그러므로 거듭 변하여 문왕의 후천팔괘가 되면 건(乾 ☰)은 서북쪽으로 물러나고 곤(坤 ☷)은 서남쪽으로 물러나는 것이다.

복희씨의 선천팔괘에서 이(離 ☲)는 인방(寅方)에 해당하는데 '신방(申方)에서 끝난다.'라고 한 것은, 신방은 바로 감(坎 ☵)의 자리이고 이(離 ☲)가 감(坎 ☵)과 사귀어 신방에서 끝나기 때문이다. 감(坎 ☵)은 신방(申方)에 해당하는데 '인방(寅方)에서 끝난다.'라고 한 것은 인방은 바로 이(離 ☲)의 자리이고 감(坎 ☵)이 이(離)와 사귀어 인방에서 끝나기 때문이다. 동쪽은 이(離 ☲)의 본래 자리인데 변하면 감(坎 ☵)과 사귀어 서쪽으로 가니, 이는 동쪽에서 위로부터 서쪽으로 가는 것이다. 서쪽은 감(坎 ☵)의 본래 자리인데 변하면 이(離 ☲)와 사귀어 동쪽으로 가니, 이는 서쪽에서 아래로부터 동쪽으로 가는 것이다. 그러므로 거듭 변하여 문왕의 후천팔괘가 되는 것이다.

건(乾 ☰)과 곤(坤 ☷)이 이미 물러나면, 이(離 ☲)는 올라가서 건(乾 ☰)의 자리를 얻고 감(坎 ☵)은 내려가서 곤(坤 ☷)의 자리를 얻는다. 진(震 ☳)은 아버지를 대신해 일을 시작하여 동방에서 발생하고, 손(巽 ☴)은 어머니를 대신해 일을 계승하여 동남쪽에서 기르고 양성한다. 복희씨의 선천팔괘방위지도는 건(乾 ☰) · 곤(坤 ☷)과 감(坎 ☵) · 이(離 ☲)의 사귐을 위주로 하는데, 사귀면 장차 변하여 일정한 자리가 없어지니 이는 천시(天時)가 다하지 않는 것이다. 그러므로 '하늘의 때에 응한다.'라고 한 것이다. 문왕의 후천팔괘방위지도는 감(坎 ☵) · 이(離 ☲)와 진(震 ☳) · 태(兌 ☱)의 사귐을 위주로 하는데, 사귀면 변하지 않아서 일정한 자리가 있게 되니 이는 땅이 방정하여 일정함이 있는 것이다. 그러므로 '땅의 방정함에 응한다.'라고 한 것이다. 이는 문왕이 역을 만듦에 천지의 용(用)을 얻은 것으로서 소자가 '지극하도다.'라는 말로 찬미한 까닭이다."

○쌍호 호씨가 말하였다. "소자는 이 그림을 문왕팔괘에 소속시켰으니, 대저 곤괘(坤卦) 괘사에 근본한 것이다. 괘사는 문왕이 지은 것인데 그 기록에 '서쪽과 남쪽에서는 벗을 얻고, 동쪽과 북쪽에서는 벗을 잃는다.'라고 한 것은 바로 이 〈문왕팔괘방위지도〉의 방위를 이른 것이다."[180]

又曰易者는 一陰一陽之謂也니 震兌는 始交者也라 故로 當朝夕之位하고 坎離는 交之極者也라 故로 當子午之位하고 巽艮은 不交而陰陽猶雜也라 故로 當用中之偏하고 乾坤은 純陽純陰也라 故로 當不用之位也니라

---

180) 괘사는……것이다." : 곤괘(坤卦) 괘사에 '서쪽과 남쪽에서는 벗을 얻는다.'라고 하였다. 이는 〈문왕팔괘방위지도〉에서 서쪽과 남쪽이 음방(陰方)으로, 어머니와 장녀, 중녀, 소녀인 손(巽 ☴) · 이(離 ☲) · 곤(坤 ☷) · 태(兌 ☱) 네 음괘(陰卦)가 자리해 있기 때문에 이렇게 말한 것이다. 또한 곤괘 괘사에 '동쪽과 북쪽에서는 벗을 잃는다.'라고 했는데, 이는 〈문왕팔괘방위지도〉에서 동쪽과 남쪽이 양방(陽方)으로, 아버지, 장남, 중남, 소남인 건(乾 ☰) · 감(坎 ☵) · 간(艮 ☶) · 진(震 ☳) 네 양괘(陽卦)가 자리해 있기 때문에 이렇게 말한 것이다.

또 말하였다. "역(易)은 한 번은 음(陰)하고 한 번은 양(陽)하는 것을 이르니, 진(震 ☳)과 태(兌 ☱)는 처음 사귀는 것이기 때문에 아침과 저녁의 자리에 해당하고, 감(坎 ☵)과 이(離 ☲)는 사귐이 지극한 것이기 때문에 자방과 오방의 자리에 해당하고, 손(巽 ☴)과 간(艮 ☶)은 사귀지 않지만 음과 양이 오히려 섞여 있기 때문에 중(中)을 쓰는 자리의 구석에 해당하고, 건(乾 ☰)과 곤(坤 ☷)은 순수한 양과 순수한 음이기 때문에 쓰이지 않는 자리에 해당하는 것이다."

【小註】西山蔡氏ㅣ 曰此一節은 論陰陽이 以易位爲交하니 陽本在上하고 陰本在下라 艮은 一陽在上하고 巽은 一陰在下라 故로 云不交요 震은 一陽在下하고 兌는 一陰在上이라 故로 爲始交요 坎은 陽在中하고 離는 陰在中이라 故로 爲交之極이라 春은 陽之始라 故로 震居之하고 秋는 陰之始라 故로 兌居之하고 夏는 陽極陰生이라 故로 離居之하고 冬은 陰極陽生이라 故로 坎居之하고 艮은 一陽二陰이요 巽은 二陽一陰이니 猶有用하고 乾은 純陽이요 坤은 純陰하야 不爲用이라 東方은 爲陽하야 主用하고 西方은 爲陰하야 不用이라 故로 乾坤은 居西隅하고 艮巽은 居東隅也라 乾艮은 爲陽이요 坤巽은 爲陰이니 北爲地之陽하고 南은 爲地之陰이라 故로 乾艮은 居北隅而巽坤은 居南隅也니라

서산 채씨가 말하였다. "이 한 절은 음(陰)과 양(陽)이 자리를 바꾸는 것을 가지고 사귄다고 논하였으니, 양은 본래 위에 있고 음은 본래 아래에 있다. 간(艮 ☶)은 하나의 양이 위에 있고 손(巽 ☴)은 하나의 음이 아래에 있으므로 '사귀지 않는다.'라고 한 것이고, 진(震 ☳)은 하나의 양이 아래에 있고 태(兌 ☱)는 하나의 음이 위에 있으므로 '처음 사귄다.'라고 한 것이고, 감(坎 ☵)은 양이 가운데 있고 이(離 ☲)는 음이 가운데 있으므로 '사귐이 지극하다.'라고 한 것이다.

봄은 양의 시작이므로 진(震 ☳)이 자리하고, 가을은 음의 시작이므로 태(兌 ☱)가 자리하고, 여름은 양이 지극하되 음이 생겨나므로 이(離 ☲)가 자리하고, 겨울은 음이 지극하되 양이 생겨나므로 감(坎 ☵)이 자리하는 것이다.

간(艮 ☶)은 하나의 양에 두 개의 음이고 손(巽 ☴)은 두 개의 양에 하나의 음이니 오히려 쓰임이 있고, 건(乾 ☰)은 순수한 양이고 곤(坤 ☷)은 순수한 음이므로 쓰임이 되지 못한다. 동쪽은 양이 자리하는 방위로 쓰임을 위주로 하고 서쪽은 음이 자리하는 방위로 쓰이지 않는다. 그러므로 건(乾 ☰)과 곤(坤 ☷)은 〈쓰이지 않는〉 서쪽 모퉁이에 자리하고 간(艮 ☶)과 손(巽 ☴)은 〈쓰이는〉 동쪽 모퉁이에 자리하는 것이다.

건(乾 ☰)과 간(艮 ☶)은 양이고 곤(坤 ☷)과 손(巽 ☴)은 음이니, 북쪽은 땅의 양이고 남쪽은 땅의 음이다. 그러므로 건(乾 ☰)과 간(艮 ☶)은 북쪽 모퉁이에 자리하고 손(巽 ☴)과 곤(坤 ☷)은 남쪽 모퉁이에 자리하는 것이다."

又曰兌離巽은 得陽之多者也요 艮坎震은 得陰之多者也라 是以爲天地用也며 乾은 極陽이요 坤은 極陰이라 是以不用也니라 又曰震兌橫而六卦縱은 易之用也니라

또 말하였다. "태(兌 ☱) · 이(離 ☲) · 손(巽 ☴)은 양을 얻음이 많고, 간(艮 ☶) · 감(坎 ☵) · 진(震 ☳)은 음을 얻음이 많기 때문에 천지의 쓰임이 된다. 건(乾 ☰)은 지극한 양이고 곤(坤 ☷)은 지극한 음이기 때문에 쓰이지 않는 것이다."

또 말하였다. "진(震 ☳)과 태(兌 ☱)가 가로로 있고 여섯 괘가 세로로 배열되어 있는 것이 역(易)의 용(用)이다."

【小註】朱子ㅣ 曰嘗考此圖而更爲之說하노니 曰震東、兌西者는 陽主進이라

故로 以長爲先而位乎左하고 陰主退라 故로 以少爲貴而位乎右也라 坎北者는 進之中也요 離南者는 退之中也라 男北而女南者는 互藏其宅也니 四者는 皆當四方之正位而爲用事之卦라 然이나 震兌始而坎離終하고 震兌輕而坎離重也라 乾西北、坤西南者는 父母既老而退居不用之地也라 然이나 母親而父尊이라 故로 坤猶半用而乾全不用也라 艮東北、巽東南者는 少男은 震之後而長女는 退之先이라 故로 亦皆不用也라 然이나 男未就傅하고 女將有行이라 故로 巽稍向用而艮全未用也라 四者는 皆居四隅不正之位라 然이나 居東者는 未用而居西者는 不復用也라 故로 下文에 歷擧六子而不數乾坤하니 至其水火、雷風、山澤之相偶하야는 則又用伏羲卦云이라 ○盤澗董氏ㅣ 曰天地以中相易하야 爲坎離水火하고 以上下相易하야 爲震兌澤雷[181]하고 以上下相易하야 爲巽艮風山하고 以上下交相易하야 爲乾坤하니 六子는 竝以一爻變이로대 惟乾坤은 變其二爻하니 陰陽之純故也라 故로 震兌橫而六卦縱은 有自然之象矣니라 ○思齋翁氏ㅣ 曰坎離는 是乾坤中爻之交니 在八卦位中에 只有東西南北四正位하니 位之極好라 先天則位坎離以卯酉하고 後天則位坎離以子午하니 只此四位에 陽中有陰하고 陰中有陽하니 皆是羲、文微意니라 ○隆山陳氏ㅣ 曰離爲日하니 大明生於東이라 故로 在先天에 居東하고 日正照於午하니 日

---

181) 【校】 澤雷 : 문맥에 근거할 때 마땅히 '雷澤'이 되어야 할 듯하다. 번역문에 수정하여 번역하였다.

中時也라 故로 在後天에 居南하니라 坎爲月하니 月生於西라 故로 在先天에 居西하고 月正照於子하니 夜分時也라 故로 在後天에 居北하니라 在先天則居生之地하고 在後天則居旺之地하니 不特坎離라 後天卦位는 皆以生旺爲序하니 震木은 旺於卯하고 兌金은 旺於酉라 土旺中央이라 故로 坤位金火之間하고 艮位水木之間이라 兌는 陰金이요 乾은 陽金이라 故로 乾次兌하야 居西北이라 震은 陽木이요 巽은 陰木이라 故로 巽次震하야 居東南이라 皆以五行生旺爲序하니 此所謂易之用也니라 ○平菴項氏ㅣ 曰後天之序는 播五行於四時也라 震巽二木은 主春이라 故로 震在東方하고 巽東南이 次之하며 離火는 主夏라 故로 爲南方之卦하고 兌乾二金은 主秋라 故로 兌爲正秋하고 乾西北이 次之하며 坎水는 主冬이라 故로 爲北方之卦하고 土旺四季라 故로 坤土는 在夏秋之交하야 爲西南之卦하고 艮土는 在東春之交하야 爲東北之卦라 木金土各二者는 以形王也요 水火各一者는 以氣王也라 坤은 陰土라 故로 在陰地하고 艮은 陽土라 故로 在陽地하며 震은 陽木이라 故로 正東하고 巽은 陰木이라 故로 近南而接乎陰하고 兌는 陰金이라 故로 正西요 乾은 陽金이라 故로 近北而接乎陽也니 觀於說卦에 帝出乎震章하면 其指瞭然矣니라

傅 : 스승 부. 行 : 시집갈 행. 王 : 왕성할 왕. '旺'과 동자(同字).
播 : 뿌릴, 베풀 파. 瞭 : 밝을, 뚜렷할 료.

주자가 말하였다. "일찍이 이 그림을 상고하여 다음과 같이 다시 설명한다. 진(震 ☳)은 동쪽 태(兌 ☱)는 서쪽에 있는 것은, 양(陽)은 나아감을 주장하므로 장남을 처음으로 삼아서 왼쪽에 자리하는 것이고 음(陰)은 물러남을 주장하므

로 소녀를 귀하게 여겨 오른쪽에 자리하는 것이다. 감(坎 ☵)이 북쪽에 있는 것은 나아감의 중간이기 때문이고, 이(離 ☲)가 남쪽에 있는 것은 물러남의 중간이기 때문이다. 남자는 북쪽에 있고 여자는 남쪽에 있는 것은, 서로 그 집에 감추어 있는 것이다. 이 네 괘는 모두 사방의 바른 자리에 해당하여 용사하는 괘가 된다. 그러나 진(震 ☳)·태(兌 ☱)는 시작이고 감(坎 ☵)·이(離 ☲)는 끝이며, 진(震 ☳)·태(兌 ☱)는 가볍고 감(坎 ☵)·이(離 ☲)는 무겁다.

건(乾 ☰)은 서북쪽에 자리하고 곤(坤 ☷)은 서남쪽에 자리하는 것은, 부모는 이미 노쇠하여 물러나 쓰이지 않는 자리에 머무는 것이다. 그러나 어머니는 친밀하고 아버지는 존귀하므로 곤(坤 ☷)은 그래도 반쯤 쓰이지만 건(乾 ☰)은 완전히 쓰이지 않는 것이다. 간(艮 ☶)은 동북쪽에 자리하고 손(巽 ☴)은 동남쪽에 자리하는 것은, 소남은 나아감의 뒤이고 장녀는 물러남의 앞이므로 또한 모두 쓰이지 않는 것이다. 그러나 소남은 아직 스승에게 나아가지 않고 장녀는 장차 시집을 가므로 손(巽 ☴)은 조금 쓰임으로 향하지만 간(艮 ☶)은 완전히 쓰이지 않는 것이다. 이 네 괘는 모두 사방 모퉁이의 바르지 않은 자리에 거한다. 그러나 동쪽에 자리하는 것은 아직 쓰이지 않은 것이지만 서쪽에 자리하는 것은 다시 쓰이지 않는 것이다. 그러므로 아래 글에 여섯 괘를 낱낱이 들면서 건(乾 ☰)·곤(坤 ☷)을 세지 않은 것이니, 물〔坎 ☵〕과 불〔離 ☲〕, 우레〔震 ☳〕와 바람〔巽 ☴〕, 산〔艮 ☶〕과 못〔兌 ☱〕이 서로 짝이 되는 것으로 말하면 또한 복희씨의 〈복희팔괘방위지도〉를 사용한 것이다."

○반간 동씨가 말하였다. "하늘〔乾 ☰〕과 땅〔坤 ☷〕이 가운데 효를 서로 바꾸어 감(坎 ☵)과 이(離 ☲)의 물과 불이 되고, 위와 아래 효를 서로 바꾸어 진(震 ☳)과 태(兌 ☱)의 우레와 못이 되고, 위와 아래 효를 서로 바꾸어 손(巽 ☴)과 간(艮 ☶)의 바람과 산이 되고, 위와 아래가 모두 서로 바꾸어 건(乾 ☰)과 곤(坤 ☷)이 된다. 여섯 괘는 모두 한 효만 변하였지만 오직 건(乾 ☰)과 곤(坤 ☷)만은 두 효가 변하였으니, 순수한 음과 양이기 때문이다. 그러므로 진(震 ☳)과

태(兌 ☱)는 가로로 자리하고 나머지 여섯 괘는 세로로 자리하는 것은 자연스러운 상(象)이 있는 것이다."

○사재 옹씨가 말하였다. "감(坎 ☵)과 이(離 ☲)는 건(乾 ☰)과 곤(坤 ☷)의 가운데 효가 사귄 것으로 팔괘의 자리 가운데에 있어서 다만 동쪽과 서쪽, 남쪽과 북쪽 사방 바른 자리에만 있으니, 자리가 매우 좋다. 선천도에서는 감(坎 ☵)과 이(離 ☲)가 유방(酉方)과 묘방(卯方)에 자리하고, 후천도에서는 감(坎 ☵)과 이(離 ☲)가 자방(子方)과 오방(午方)에 자리한다. 단지 이 네 자리에만 양 가운데 음이 있고 음 가운데 양이 있으니, 모두 복희씨와 문왕의 은미한 뜻이다."

○융산 진씨(隆山陳氏)[182]가 말하였다. "이(離 ☲)는 태양이니, 태양은 동쪽에서 생겨난다. 그러므로 선천도에서는 동쪽에 자리하고, 태양은 정오(正午)에 직사광선을 비추니 태양이 중앙에 다다른 때이다. 그러므로 후천도에서는 남쪽에 자리하는 것이다. 감(坎 ☵)은 달이니, 달은 유방(酉方)에서 생겨난다. 그러므로 선천도에서는 서쪽에 자리하고, 달은 자정(子正)에 직사광선을 비추니 한밤중일 때이다. 그러므로 후천도에서는 북쪽에 자리하는 것이다. 선천도에서는 생겨나는 자리에 거하고 후천도에서는 왕성한 자리에 거하니, 감(坎 ☵)과 이(離 ☲)뿐만 아니라 후천괘의 자리는 모두 생겨나고 왕성한 것으로 차서를 삼는다. 진(震 ☳) 목(木)은 묘방(卯方)에서 왕성하고, 태(兌 ☱) 금(金)은 유방(酉方)에서 왕성한다. 토(土)는 중앙에서 왕성하기 때문에 곤(坤 ☷)은 금(金)과 화(火)의 사이에 자리하고 간(艮 ☶)은 수(水)와 목(木)의 사이에 자리하는 것이다. 태(兌 ☱)는 음금(陰金)이고 건(乾 ☰)은 양금(陽金)이기 때문에 건(乾 ☰)이 태(兌 ☱) 다음에 자리하여 서북쪽에 거하며, 진(震 ☳)은 양목(陽木)

---

182) 융산 진씨(隆山陳氏) : 융우문(隆友文)으로, 송나라 때 사람이다.

이고 손(巽 ☴)은 음목(陰木)이기 때문에 손(巽 ☴)이 진(震 ☳) 다음에 자리하여 동남쪽에 거하는 것이다. 모두 오행이 생겨나고 왕성한 것으로 차서를 삼으니, 이것이 이른바 역의 용(用)이라는 것이다."

○평암 항씨(平菴項氏)[183] 가 말하였다. "후천괘의 차서는 오행을 사시(四時)에 베푼 것이다. 진(震 ☳) · 손(巽 ☴) 두 목(木)은 봄을 주장한다. 그러므로 진(震 ☳)은 동방에 있고 손(巽 ☴)은 동남쪽에서 진(震 ☳)의 다음에 자리하는 것이며, 이(離 ☲) 화(火)는 여름을 주장한다. 그러므로 남방의 괘가 되고, 태(兌 ☱) · 건(乾 ☰) 두 금(金)은 가을을 주장한다. 그러므로 태(兌 ☱)는 정추(正秋)가 되고 건(乾 ☰)은 서북쪽에서 태(兌 ☱)의 다음에 자리하는 것이며, 감(坎 ☵) 수(水)는 겨울을 주장한다. 그러므로 북방의 괘가 되고, 토(土)는 사계절에 왕성한다. 그러므로 곤(坤 ☷) 토(土)는 여름과 가을이 교차하는 지점에 있어서 서남쪽의 괘가 되고 간(艮 ☶) 토(土)는 겨울과 봄이 교차하는 지점에 있어서 동북쪽의 괘가 되는 것이다. 목(木) · 금(金) · 토(土)는 각 두 괘씩 해당하는 것은 형(形)으로써 왕성하기 때문이고, 수(水) · 화(火)는 각 한 괘씩 해당하는 것은 기(氣)로써 왕성하기 때문이다.

곤(坤 ☷)은 음토(陰土)이다. 그러므로 음지(陰地)에 있고, 간(艮 ☶)은 양토(陽土)이다. 그러므로 양지(陽地)에 있는 것이며, 진(震 ☳)은 양목(陽木)이다. 그러므로 정동쪽에 있고, 손(巽 ☴)은 음목(木)이다. 그러므로 남쪽에 가까이 자리하여 음과 접하며, 태(兌 ☱)는 음금(陰金)이다. 그러므로 정서에 있고, 건(乾 ☰)은 양금(陽金)이다. 그러므로 북쪽에 가까이 자리하여 양과 접하니, 〈설괘전(說卦傳)〉에서 '제(帝)가 진(震 ☳)에서 나온다.'라고 한 제5장을 살펴보면

183) 평암 항씨(平菴項氏) : 송나라 때 인물 항안세(項安世, ?~1208)로, 자는 평부(平父), 호는 평암(平庵)이다.

그 뜻이 명료하다."

○朱子ㅣ 答袁樞曰來喩에 謂冬春爲陽하고 夏秋爲陰이라하니 以文王八卦論之하면 則自西北之乾으로 以至東方之震은 皆父與三男之位也요 自東南之巽으로 以至西方之兌는 皆母與三女之位也라 故로 坤、蹇、解卦之彖辭ㅣ 皆以東北爲陽方하고 西南爲陰方하니 然則謂冬春爲陽하고 夏秋爲陰이 亦是一說이라 但說卦에 又以乾爲西北하니 則陰有不盡乎西요 以巽爲東南하니 則陽有不盡乎東이니 此亦以來書之說推之而說卦之文이 適與彖辭로 相爲表裏하니 亦可以見此圖之出於文王也라 但此自是一說이니 與他說十二卦之類로 各不相通耳니라

適 : 마침 적. 彖辭 : 괘사(卦辭).

○주자가 원추(袁樞)에게 답하여 말하였다. "보내온 편지에 '겨울과 봄은 양(陽)이 되고 여름과 가을은 음(陰)이 된다.'라고 하였는데, 문왕팔괘를 가지고 논해보면, 서북쪽의 건(乾 ☰)으로부터 동방의 진(震 ☳)에 이르기까지는 모두 아버지와 세 아들의 자리이고, 동남쪽의 손(巽 ☴)으로부터 서방의 태(兌 ☱)에 이르기까지는 모두 어머니와 세 딸의 자리입니다. 그러므로 곤괘(坤卦 ䷁)·건괘(蹇卦 ䷦)·해괘(解卦 ䷧)의 괘

사에 모두 동북쪽을 양의 방위라 하였고 서남쪽을 음의 방위라 하였으니,[184] 그렇다면 겨울과 봄은 양이 되고 여름과 가을은 음이 된다고 하는 것이 또한 하나의 설입니다. 다만 〈설괘전〉에 또한 건(乾 ☰)을 서북쪽의 괘라 하였으니 음이 서쪽에서 다하지 않음이 있는 것이고, 손(巽 ☴)을 동남쪽에 자리한다고 하였으니 양이 동쪽에서 다하지 않음이 있는 것입니다. 이 또한 보내온 편지의 설을 가지고 미루어 본 것으로서 〈설괘전〉의 글이 마침 괘사와 더불어 서로 표리가 되니, 또한 이 그림이 문왕에게서 나왔음을 볼 수 있습니다. 다만 이것은 따로 하나의 설이니, 다른 12괘를 설명한 유(類)[185]와는 각각 서로 통하지 않습니다."

우왈거소씨설 선천자 복희소획지역야 후천자 문왕소연지역야
又曰據邵氏說하면 先天者는 伏羲所畫之易也요 後天者는 文王所演之易也라
복희지역 초무문자 지유일도 이우기상수이천지만물지리 음양
伏羲之易은 初无文字하고 只有一圖하야 以寓其象數而天地萬物之理와 陰陽
시종지변 구언 문왕지역 즉금지주역이공자소위작전자 시야 공
始終之變이 具焉하고 文王之易은 卽今之周易而孔子所爲作傳者ㅣ 是也라 孔

---

184) 곤괘(坤卦 ䷁)·건괘(蹇卦 ䷦)·해괘(解卦 ䷧)의……하였으니 : 곤괘(坤卦 ䷁) 괘사에 "서쪽과 남쪽에서는 벗을 얻고, 동쪽과 북쪽에서는 벗을 잃는다.〔西南得朋, 東北喪朋.〕"라고 하였고, 건괘(蹇卦 ䷦) 괘사에 "건(蹇 ䷦)은 서남쪽에서는 이롭고 동북쪽에서는 이롭지 않다.〔蹇, 利西南, 不利東北.〕"라고 하였고, 해괘(解卦 ䷧) 괘사에 "해(解 ䷧)는 서남쪽이 이롭다.〔解, 利西南.〕"라고 하였다.

185) 다른……유(類) : 12괘는 십이벽괘(十二辟卦)를 가리키는 듯하다. 십이벽괘는 12괘를 음양으로 나누어 12달에 배정한 것으로, 아래의 표와 같다. 또한 십이벽괘는 12소식괘(消息卦)라고도 한다

〈십이벽괘표(十二辟卦表)〉

달(음력)	1月	2月	3月	4月	5月	6月	7月	8月	9月	10月	11月	12月
卦	䷊ 泰	䷡ 大壯	䷪ 夬	䷀ 乾	䷫ 姤	䷠ 遯	䷋ 否	䷓ 觀	䷖ 剝	䷁ 坤	䷗ 復	䷒ 臨
陰陽	3陽	4陽	5陽	純陽	1陰	2陰	3陰	4陰	5陰	純陰	1陽	2陽

子ㅣ 既因文王之易하사 以作傳하시니 則其所論이 固當專以文王之易爲主라 然이나 不推本伏羲始畫之易하고 只從中半說起하면 不識向上根原 矣라 故로 十翼之中에 如八卦成列、因而重之와 太極、兩儀、四象、八卦而天地、山澤、雷風、水火之類는 皆本伏羲畫卦之意라 而某於啓蒙原卦畫一篇에 亦分兩義하야 伏羲ㅣ 在前하고 文王이 在後하니 必欲知聖人作易之本인댄 則當考伏羲之畫이요 若只欲知今易書文義인댄 則但求之文王之經과 孔子之傳이면 足矣니 兩者ㅣ 初不相妨而亦不可以相雜也니라

演 : 펼, 넓힐 연. 翼 : 날개, 도울 익. 妨 : 방해할 방.

또 말하였다. "소자의 설에 근거하면, 선천도는 복희씨가 그은 역이고 후천도는 문왕이 부연한 역이다. 복희씨의 역은 애당초 문자가 없고 단지 하나의 그림만 있어서 그 상(象)과 수(數)를 붙였는데 천지 만물의 이치와 음양 시종의 변화가 갖추어져 있고, 문왕의 역은 곧 지금의 《주역》으로 공자가 전(傳 십익)[186]을 지으신 것이 이것이다. 공자께서 이미 문왕의 역으로 인하여 전을 지으셨으니, 그 논한 바가 참으로 오로지 문왕의 역을 위주로 한 것이다. 그러나 복희씨가 처음 그은 역을 미루어 근본하지 않고 다만 중반에서부터 설을 시작하면 위로 향하는 근원을 알지 못하게 된다. 그러

186) 전(傳) : 공자가 역(易)의 뜻을 알기 쉽게 설명하여 지은 십익(十翼)을 말한다. 십익은 단전(彖傳) 상·하, 상전(象傳) 상·하, 계사전(繫辭傳) 상·하, 문언전(文言傳), 설괘전(說卦傳), 서괘전(序卦傳), 잡괘전(雜卦傳)의 7종 10편으로 이루어져 있다.

므로 십익(十翼) 가운데 '팔괘가 열을 이루고, 인하여 거듭하였다.'[187]라는 것과 태극, 양의, 사상, 팔괘와[188] 천지, 산택, 뇌풍, 수화의 유(類)[189]는 모두 복희씨가 괘를 그은 뜻에 근본한 것이다. 내가 《계몽(啟蒙)》〈원괘획(原卦畫)〉 한 편에 또한 두 뜻을 나누어 복희씨는 앞에 두고 문왕은 뒤에 두었으니, 반드시 성인이 역을 만든 근본을 알고자 한다면 마땅히 복희씨가 그은 획을 상고해야 하고 만약 지금 역서(易書)의 글 뜻만을 알고자 한다면 단지 문왕의 경(經)과 공자의 전(傳)에서 구하면 충분할 것이니, 두 가지가 애당초 서로 방해되지 않으면서 또한 서로 섞이지도 않는다."

又曰自初未有畫時로 說到六畫滿處者는 邵子所謂先天之學也요 卦成之後에 各因一義推說은 邵子所謂後天之學也니 如繫辭說卦三才六位之說은 卽所謂後天者也라 先天後天이 旣各自爲一義요 而後天說中에 取義ㅣ 又多不同이로되 彼此ㅣ 自不相妨하니 不可執一而廢百也니라

또 말하였다. "애초 획이 있지 않았을 때로부터 6획이 가득한 곳에 이르기까지 설명한 것은 소자가 이른바 선천학이고, 괘가 이루어진 뒤에 각각 하나의 뜻으로 인하여 미루어 설명한 것은 소자가 이른바 후천학이다. 예컨대 〈계사전〉과 〈설괘전〉에 삼재

---

187) '팔괘가……거듭하였다.' : 〈계사하전(繫辭下傳)〉 제1장에 "팔괘가 열을 이루니 상(象)이 그 가운데 있고, 인하여 거듭하니 효(爻)가 그 가운데 있다.〔八卦成列, 象在其中矣, 因而重之, 爻在其中矣.〕" 하였다.

188) 태극……팔괘와 : 〈계사상전(繫辭上傳)〉 제11장에 "易有太極, 是生兩儀, 兩儀生四象, 四象生八卦."라 하였다.

189) 천지……유(類) : 〈설괘전(說卦傳)〉 제3장에 "天地定位, 山澤通氣, 雷風相薄, 水火不相射."이라 하였다.

(三才)와 육위(六位)의 설[190]은 곧 이른바 후천학이다. 선천과 후천이 이미 각각 따로 한 가지 뜻이 되고 후천설 가운데 뜻을 취한 것이 또한 많이 같지 않으나 피차간에 서로 해롭지 않으니, 하나를 고집하여 백 가지를 폐해서는 안 된다."

○西山蔡氏ㅣ 曰伏羲八卦는 是數之自然이요 文王八卦는 乃是見之於用이니라 或謂先天은 乃模寫天地所以然하니 純乎天理者也요 後天은 乃整頓天地所當然之理하니 參以人事라하니 此意固好라 然이나 先天이 豈非人事며 後天이 亦是天理之自然이로되 固有明體致用之不同이니 二者ㅣ 不可相无라 故로 夫子ㅣ 釋帝出乎震一章에 又以先天으로 說六子之用也하시고 邵子는 以帝出乎震으로 爲文王所定이라 今觀連山하면 首艮하야 以萬物成終成始하니 恐古亦有此矣니라

頓 : 가지런히 할 돈. 夫子 : 공자(孔子)의 높임말. 夫 : 선생 부. 恐 : 아마도 공.

○서산 채씨가 말하였다. "복희팔괘는 수(數)의 자연이고, 문왕팔괘는 바로 용(用)에 드러난 것이다. 혹자는 이르기를 '선천학은 바로 천지의 소이연(所以然)의 이치를

---

190) 〈계사전〉과……설 : 〈계사하전(繫辭下傳)〉 제10장에 "역의 책은 광대하고 자세하게 갖추어져 있어서 천도(天道)가 있고 인도(人道)가 있고 지도(地道)가 있으니, 삼재를 겸하여 두 번 하였기 때문에 6획이다. 6은 다름이 아니라 삼재의 도이다.〔易之爲書也, 廣大悉備, 有天道焉, 有人道焉, 有地道焉, 兼三才而兩之. 故六, 六者, 非他也, 三才之道也.〕" 하였고, 〈설괘전(說卦傳)〉 제2장에 "옛날 성인이 역을 만드신 것은 장차 성명(性命)의 이치를 순히 따르고자 해서였다. 이 때문에 하늘의 도를 세워 음과 양이라 하고, 땅의 도를 세워 유(柔)와 강(剛)이라 하고 사람의 도를 세워 인(仁)과 의(義)라 하니, 삼재를 겸하여 두 번 하였다. 그러므로 역이 6획으로 괘가 이루어지고 음으로 나누고 양으로 나누며, 유와 강을 번갈아 쓴다. 그러므로 역이 여섯 자리로 문장(문채)을 이루는 것이다.〔昔者聖人之作易也, 將以順性命之理, 是以, 立天之道曰陰與陽, 立地之道曰柔與剛, 立人之道曰仁與義, 兼三才而兩之. 故易, 六畫而成卦, 分陰分陽, 迭用柔剛. 故易, 六位而成章.〕" 하였다.

그려낸 것이니 천리에 순수한 것이고, 후천학은 바로 천지의 소당연(所當然)의 이치를 정돈한 것이니 인사로서 참작한 것이다.'라고 하니, 이 뜻이 참으로 좋다. 그러나 선천이 어찌 인사가 아니겠으며, 후천도 천리의 자연이다. 다만 체(體)를 밝힌 것이냐 용(用)을 다한 것이냐 하는 차이가 있을 뿐이니, 두 가지가 서로 없어서는 안 된다. 그러므로 부자(공자)께서 '제출호진(帝出乎震)' 한 장을 해석하시고 또한 선천으로 여섯 괘[191]의 용(用)을 설명하신 것이고, 소자는 '제출호진'을 문왕이 정한 것이라 하였다. 지금《연산역(連山易)》을 보면 간괘(艮卦 ䷳)를 첫 번째로 놓아서 만물이 끝을 이루고 처음을 이루었으니, 아마도 옛날에 또한 이것이 있었던 듯하다."

【小註】玉齋胡氏ㅣ 曰先天卦는 乾以君言하니 則所主者ㅣ 在乾하고 後天卦는 震以帝言하니 則所主者ㅣ 又在震은 何哉오 此正夫子ㅣ 發明羲、文尊陽之意也라 蓋乾爲震之父하고 震爲乾之子하니 以統臨으로 謂之君하면 則統天者ㅣ 莫如乾而先天卦位는 宗一乾也라 此乾方用事하면 則震居東北而緩其用也라 以主宰로 謂之帝하나니 主器者ㅣ 莫若長子하니 後天卦位는 宗一震也라 此乾不用하면 則震居正東而司其用也라 先天所重者는 在正南하고 後天所重者는 在正東하니 如此則文王이 改易伏羲卦圖로대 均一尊陽之心을 可見矣니라 又曰愚ㅣ 嘗合先後天之易而參之圖書矣로니 伏羲先天之易은 固以河圖爲本而其卦位ㅣ 未嘗不與洛書合이라 且以乾南、兌東南하니 則老陽

---

191) 여섯 괘 : 건(乾 ☰)·곤(坤 ☷)을 제외한 진(震 ☳)·이(離 ☲)·태(兌 ☱)·손(巽 ☴)·감(坎 ☵)·간(艮 ☶) 6괘를 말한다.

사구지위야 이동 진동북 즉소양 삼팔지위야 손서남 감서
四九之位也요 離東、震東北하니 則少陽[192] 三八之位也요 巽西南、坎西하니

즉소음 이칠지위야 간서북 곤북 즉노음일육지위야 기괘 실여
則少陰[193] 二七之位也요 艮西北、坤北하니 則老陰一六之位也니 其卦ㅣ 實與

낙서합언 문왕후천지역 수단본지복희 연 역미상불여하도합
洛書合焉이라 文王後天之易은 雖但本之伏羲라 然이나 亦未嘗不與河圖合이

차이감이당남북지정 자오지중 즉양괘 각당부수화지일상 이
라 且以坎離當南北之正、子午之中하니 則兩卦ㅣ 各當夫水火之一象하야 離

당지이천칠지화이거남 감당천일지육지수이거북 외차육괘즉매
當地二天七之火而居南하고 坎當天一地六之水而居北하며 外此六卦則每

괘각당일상 진자 목지생 당천삼지목어동 손자 목지성
卦各當一象하니 震者는 木之生이라 當天三之木於東하고 巽者는 木之成이라

당지팔지목어동남 태자 금지생 당지사지금어서 건자 금지
當地八之木於東南하고 兌者는 金之生이라 當地四之金於西하고 乾者는 金之

성 당천구지금어서북 간자 토지생 당천오지토어동북 곤
成이라 當天九之金於西北하고 艮者는 土之生이라 當天五之土於東北하고 坤

자 토지성 당지십지토어서남 곤간 소이속배부중궁지오십자
者는 土之成이라 當地十之土於西南이라 坤艮이 所以屬配夫中宮之五十者는

이토실기왕어사계 무호부재 고 배부중수이 기괘 실여하도합
以土實寄旺於四季하야 无乎不在라 故로 配夫中數耳니 其卦는 實與河圖合

언 원기초 복희 단거하도이작역 미필예견어서 문왕 단거
焉이라 原其初하면 伏羲는 但據河圖以作易이라 未必預見於書요 文王은 但據

선천팔괘 이위후천팔괘 미필추고어도 이방위기성 자묵상부
先天八卦하야 以爲後天八卦라 未必追考於圖로대 而方位旣成에 自黙相符

합 우이견천지지간 하낙자연지수 기여성인심의지소위 자유불
合하니 于以見天地之間에 河洛自然之數ㅣ 其與聖人心意之所爲로 自有不

기합이합자 차리지소필동야 불가불찰언 쌍호호씨 왈선천
期合而合者하니 此理之所必同也라 不可不察焉이니라 ○雙湖胡氏ㅣ 曰先天

건중효하변곤중효 즉성감이습곤지위 고 천기하강이건위서북
乾中爻下變坤中爻하면 則成坎而襲坤之位라 故로 天氣下降而乾位西北하

---

192) 【校】陽 : '陰'의 오자(誤字)이다. 〈洛書〉의 3 · 8은 〈복희팔괘방위지도〉의 少陰의 자리이므로 '陽'은 마땅히 '陰'이 되어야 한다. 번역문에 수정하여 번역하였다.

193) 【校】陰 : '陽'의 오자(誤字)이다. 〈洛書〉의 2 · 7은 〈복희팔괘방위지도〉의 少陽의 자리이므로 '陽'은 마땅히 '陰'이 되어야 한다. 번역문에 수정하여 번역하였다.

고 先天坤中爻上變乾中爻하면 則成離而襲乾之位라 故로 地氣上騰而坤位西南하고 先天離下爻變坎下爻하면 則成兌하야 襲先天坎之位라 故로 離居南而爲夏하고 兌居西而次夏爲秋하며 先天坎上爻變離上爻하면 則成震하야 襲先天離之位라 故로 坎居北而爲冬하고 震居東而次冬爲春하며 後天乾旣位西北하야 而當先天艮之位하면 則艮進而位於東北하야 襲先天震之位하니 艮은 亦震之反也요 後天坤이 旣位西南하야 而當先天巽之位하면 則巽退而位於東南하야 襲先天兌之位하니 巽亦兌之反也라 後天四正四隅之卦所由定이如此하니 夫豈舍先天而自爲之哉리오

襲 : 인습할, 물려받을 습. 舍 : 버릴 사.

옥재 호씨가 말하였다. "선천괘에서는 건(乾 ☰)을 임금으로 말하니 위주가 되는 것이 건(乾 ☰)에 있고, 후천괘에서는 진(震 ☳)을 상제로 말하니 위주가 되는 것이 또한 진(震 ☳)에 있으니, 무엇 때문인가. 이것은 바로 부자께서 복희씨와 문왕이 양(陽)을 존중하는 뜻을 발명하신 것이다. 대개 건(乾 ☰)은 진(震 ☳)의 아버지이고 진(震 ☳)은 건(乾 ☰)의 아들이다. 통솔하여 임하는 것을 가지고 임금이라고 이르니, 천하를 통솔하는 것은 건(乾 ☰)만 같은 것이 없으므로 선천도의 괘 자리는 하나의 건(乾 ☰)을 종주로 삼는 것이고, 이 건(乾 ☰)이 바야흐로 용사하면 진(震 ☳)은 동북쪽에 거하여 그 용(用)을 늦추는 것이다. 주재하는 것을 가지고 상제라 이르니, 제기(祭器)를 주관하는 자는 장자만한 이가 없으므로 후천도의 괘 자리는 하나의 진(震 ☳)을 종주로 삼는 것이고, 이 건(乾 ☰)이 쓰이지 않으면 진(震 ☳)이 정동에 거하여 그 용(用)을 맡는 것이다. 선천괘에서 중시하는 것은 정남쪽에 있고 후천괘에서 중시하는 것은 정동에 있으니, 이와 같은즉 문왕이 복희씨의 팔괘방위지도를 바꾸었으나 균

일하게 양(陽)을 존중하는 마음을 볼 수 있다.”

또 말하였다. “내가 일찍이 선천과 후천의 역을 합하여 하도와 낙서를 참작해보니, 복희씨의 선천역은 참으로 하도를 근본으로 삼았으나 그 괘의 자리는 낙서와 더불어 부합하지 않는 것이 없다. 우선 〈〈복희팔괘방위지도〉에서〉 건(乾 ☰)은 남쪽에 있고 태(兌 ☱)는 동남쪽에 있으니 〈이는 낙서의〉 노양 4 · 9의 자리이고, 이(離 ☲)는 동쪽에 있고 진(震 ☳)은 동북쪽에 있으니 〈이는 낙서의〉 소음 3 · 8의 자리이고, 손(巽 ☴)은 서남쪽에 있고 감(坎 ☵)은 서쪽에 있으니 〈이는 낙서의〉 소양 2 · 7의 자리이고, 간(艮 ☶)은 서북쪽에 있고 곤(坤 ☷)은 북쪽에 있으니 〈이는 낙서의〉 노음 1 · 6의 자리이니, 그 괘가 실상 낙서와 더불어 부합한다.

문왕의 후천역은 비록 단지 복희팔괘에 근본한 것이지만 그러나 또한 하도와 더불어 부합하지 않는 것이 없다. 우선 감(坎 ☵) · 이(離 ☲)가 남북 정방인 자방과 오방의 중앙에 해당하니, 두 괘가 각각 저 수(水)와 화(火) 한 상(象)에 해당하여 이(離 ☲)는 지수 2와 천수 7의 화(火)에 해당하여 남쪽에 거하고 감(坎 ☵)은 천수 1과 지수 6의 수(水)에 해당하여 북쪽에 거한다. 이밖에 여섯 괘가 매 괘마다 각각 하나의 상(象)에 해당하니, 진(震 ☳)은 목(木)의 생수로서 동쪽에서 천수 3의 목(木)에 해당하고, 손(巽 ☴)은 목(木)의 성수로서 동남쪽에서 지수 8의 목(木)에 해당하며, 태(兌 ☱)는 금(金)의 생수로서 서쪽에서 지수 4의 금(金)에 해당하고, 건(乾 ☰)은 금(金)의 성수로서 서북쪽에서 천수 9의 금(金)에 해당하며, 간(艮 ☶)은 토(土)의 생수로서 동북쪽에서 천수 5의 토(土)에 해당하고, 곤(坤 ☷)은 토(土)의 성수로서 서남쪽에서 지수 10의 토(土)에 해당한다. 곤(坤 ☷)과 간(艮 ☶)이 유독 중궁(中宮) 5 · 10과 짝하는 까닭은,

토(土)는 실상 사계절에 붙어 왕성하여 있지 아니한 곳이 없다.[194] 그러므로 중궁 수 5 · 10과 짝하는 것이니, 그 괘가 실상 하도와 더불어 부합한다.

그 처음을 근원하여 올라가보면, 복희씨는 단지 하도에 근거하여 역을 만들었을 뿐이다. 반드시 미리 낙서를 본 것은 아니었고, 문왕은 단지 복희씨의 선천팔괘에 근거하여 후천팔괘를 만들었을 뿐이고, 반드시 하도를 추고한 것은 아니다. 그러나 방위가 이미 이루어짐에 자연스럽게 묵묵히 서로 부합하니, 여기에서 천지 사이에 하도 · 낙서의 자연의 수가 성인의 마음이 하는 바와 더불어 자연히 부합하기를 기약하지 않아도 부합함이 있다는 것을 볼 수 있다. 이는 이치가 반드시 같기 때문이니, 살피지 않아서는 안 된다."

○쌍호 호씨가 말하였다. "선천도에서 건(乾 ☰) 중효(中爻)가 내려가서 곤(坤 ☷)의 중효를 변화시키면 감(坎 ☵)이 되어 곤(坤 ☷)의 자리를 물려받는다. 그러므로 하늘의 기(氣)가 하강하여 건(乾 ☰)이 서북쪽에 자리하는 것이다. 선천도에서 곤(坤 ☷)의 중효가 위로 건(乾 ☰)의 중효를 변화시키면 이(離 ☲)가 되어 건(乾 ☰)의 자리를 물려받는다. 그러므로 땅의 기가 위로 뛰어올라가 곤(坤 ☷)이 서남쪽에 자리하는 것이다. 선천도에서 이(離 ☲)의 하효(下爻)가 감(坎 ☵)의 하효를 변화시키면 태(兌 ☱)가 되어 선천도의 감(坎 ☵)의 자리를 물려받는다. 그러므로 이(離 ☲)가 남쪽에 거하여 여름이 되고 태(兌 ☱)가 서쪽에 거하여 여름 다음의 가을이 되는 것이다. 선천도에서 감(坎 ☵)의 상효가 이(離 ☲)의 상효를 변화시키면 진(震 ☳)이 되어 선천도의 이(離 ☲)의 자리를 물려받는다. 그러므로 감(坎 ☵)이 북쪽에 거하여 겨울이 되고 진(震 ☳)이 동쪽에 거하여 겨울 다음의 봄이 되는 것이다. 후천도의 건(乾 ☰)이 이미 서북

194) 토(土)는……없다 : 오행(五行)이 1년 365일에 72일씩 맡아 왕성한 기운을 펼치는데, 중앙 토(土)는 72일을 계속해서 왕성하지 못하고 사계절의 끝에 붙어 18일씩 왕성한 기운을 펼친다. 그러므로 '붙어서 왕성한다〔寄旺〕'고 하는 것이다.

쪽에 자리하여 선천도 간(艮 ☶)의 자리를 차지하면 간(艮 ☶)은 나아가서 동북쪽에 자리하여 선천도 진(震 ☳)의 자리를 물려받으니, 간(艮 ☶)은 또한 진(震 ☳)의 반대이다. 후천도의 곤(坤 ☷)이 이미 서남쪽에 자리하여 선천도 손(巽 ☴)의 자리를 차지하면 손(巽 ☴)은 물러나서 동남쪽에 자리하여 선천도 태(兌 ☱)의 자리를 물려받으니, 손(巽 ☴)은 또한 태(兌 ☱)의 반대이다. 후천도의 사방 정위와 사방 모퉁이에 자리하는 괘가 말미암아 정해지는 것이 이와 같으니, 무릇 어찌 선천도를 버리고서 스스로 만들어진 것이겠는가."

8) 〈괘변도(卦變圖)〉

彖傳에 **或以卦變**으로 **爲說**하니 **今作此圖**하야 **以明之**라 **蓋易中之一義**요 **非畫卦作易之本指也**니라

彖 : 판단할 단.

〈단전(彖傳)〉에 혹 괘변(卦變)으로 설명하였으니, 지금 이 그림을 만들어 밝힌다. 대개《주역》가운데 한 가지 뜻이고 괘를 긋고 역을 만든 본디의 취지는 아니다.

凡一陰一陽之卦 各六 皆自復姤而來【五陰五陽 卦同圖異】					
䷗	䷆	䷎	䷏	䷇	䷖
復	師	謙	豫	比	剝
䷫	䷌	䷉	䷈	䷍	䷪
姤	同人	履	小畜	大有	夬

凡二陰二陽之卦 各十有五 皆自臨遯而來【四陰四陽 卦同圖異】											
臨	明夷	震	屯	頤			遯	訟	巽	鼎	大過
	升	解	坎	蒙				无妄	家人	離	革
		小過	蹇	艮					中孚	睽	兌
			萃	晉						大畜	需
				觀							大壯

凡三陰三陽之卦 各二十 皆自泰否而來											
		泰	歸妹	節	損			否	漸	旅	咸
			豊	旣濟	賁				渙	未濟	困
				隨	噬嗑					蠱	井
					益						恒
			恒	井	蠱				益	噬嗑	隨
				困	未濟					賁	旣濟
					渙						豊
				咸	旅					損	節
					漸						歸妹
					否						泰

凡四陰四陽之卦 各十有五 皆自大壯觀而來【二陰二陽 卦已見前】											
			大壯	需	大畜				觀	晉	萃
				兌	睽					艮	蹇
					中孚						小過
				革	離					蒙	坎
					家人						解
					无妄						升
				大過	鼎					頤	屯
					巽						震
					訟						明夷
					遯						臨

凡五陰五陽之卦 各六 皆自夬剝而來【一陰一陽 卦已見前】					
				䷪	䷍
				夬	大有
					䷈
					小畜
					䷉
					履
					䷌
					同人
					䷫
					姤
				䷖	䷇
				剝	比
					䷏
					豫
					䷎
					謙
					䷆
					師
					䷗
					復

右는 **易之圖九**라 **有天地自然之易**하며 **有伏羲之易**하며 **有文王周公之易**하며 **有孔子之易**하니 **自伏羲以上**으로는 **皆无文字**하고 **只有圖畫**하야 **最宜深玩**하니 **可見作易本原精微之意**요 **文王以下**는 **方有文字**하니 **即今之周易**이라 **然**이나 **讀者**ㅣ **亦宜各就本文消息**이요 **不可便以孔子之說**로 **爲文王之說也**니라

이상은 역(易)의 그림 아홉 가지이다. 천지자연의 역이 있고, 복희씨의 역이 있고, 문왕과 주공의 역이 있고, 공자의 역이 있다. 복희씨 이전에는 모두 문자가 없고 단지 그림과 획만 있어서 가장 깊이 완미해야 하니, 역을 지은 본원의 정미한 뜻을 볼 수 있다. 문왕 이후에 비로소 문자가 있으니, 곧 지금의《주역》이다. 그러나 독자가 또한 마땅히 본문에 나아가 연구해야 할 것이고, 공자의 설을 문왕의 설로 삼아서는 안 된다.

【附錄】

董銖ㅣ 問近略考卦變컨대 以彖辭考之하면 說卦變者ㅣ 凡九卦니 蓋言成卦之由하니 凡彖辭는 不取成卦之由면 則不言所變之爻라 程子는 專以乾坤言變卦라 然이나 只是上下兩體ㅣ 皆變者라야 可通이요 若只一體變者則不通이라 兩體變者는 凡七卦니 隨蠱賁咸恒漸渙이 是也요 一體變者는 兩卦니 訟无妄이 是也라 七卦中에 取剛來下柔 剛上柔下之類者는 可通이요 至一體變者하야는 則以來爲自外來라 故로 說得有礙라 大凡卦變은 須觀兩體上下爲變이라야 方知其所由以成之卦니이다

蠱 : 벌레, 괘 이름 고. 礙 : 거리낄 애. 須 : 모름지기 수.

동수(董銖)가 다음과 같이 물었다. “근래에 대략 괘변(卦變)을 살펴보니, 〈단전〉의 글[195]을 가지고 고찰해보면 괘변을 설명한 것이 모두 9괘이니 대개 괘가 이루어진 연유를 말한 것입니다. 무릇 〈단전〉의 글은 괘가 이루어진 연유를 취하지 않았으면 변한 바의 효를 말하지 않았습니다. 정자는 오로지 건(乾 ☰) · 곤(坤 ☷)만을 가지고 변괘(變卦)를 말하였습니다. 그러나 단지 상하 두 체가 모두 변한 것이라야 통할 수 있고 만약 한 체만 변한 것은 통하지 않습니다. 〈상하〉 두 체가 변한 것은 모두 7괘이니, 수(隨 ䷐) · 고(蠱 ䷑) · 비(賁 ䷕) · 함(咸 ䷞) · 항(恒 ䷟) · 점(漸 ䷴) · 환(渙 ䷺)이 이것이고, 한 체만 변한 것은 2괘이니 송(訟 ䷅) · 무망(无妄 ䷘)이 이것입니다. 7괘 가운데 ‘강(剛 —)이 와서 유(柔 --)에게 낮췄다.’라고 한 것과 ‘강(剛 —)은 올라가고 유(柔 --)는 내려간다.’라는 것을 취한 유는 통할 수 있고, 한 체만 변한 것에 이르러서는 오는 것을 밖에서부터 왔다고 하였기 때문에 설명에 막힘이 있습니다. 대체로 괘변은 모름지기 상하 두 체가 변한 것을 보아야 비로소 말미암아 이루어진 괘를 알 수 있습니다.”

朱子ㅣ 曰便是此處ㅣ 說得有礙라 且程傳賁卦所云豈有乾坤重而爲泰하고 又自泰而變爲賁之理리오하시니 若其說果然이면 則所謂乾坤變而爲六子하고 八卦重而爲六十四ㅣ 皆有乾坤而變者리니 其說이 不得而通矣라 蓋有則俱有니 自一畫而二요 二而四요 四而八而八卦ㅣ 成이요 八而十六이요 十六而三十二요 三十二而六十四而重卦ㅣ 備라 故로 有八卦則有六十四矣니 此ㅣ 康節所

195) 〈단전〉의 글 : 원문은 ‘彖辭’이다. 단사(彖辭)는 본래 문왕(文王)이 지은 괘사(卦辭)를 뜻하나, 여기서는 공자(孔子)가 지은 〈단전〉의 내용, 글을 뜻한다. 왜냐하면 괘사에는 괘변이 언급되어 있지 않기 때문이다. 이하 상동.

謂先天者也라 若震一索而得男以下는 乃是已有此卦了에 就此卦生出此義니 皆所謂後天之學也라 今所謂卦變者는 亦是有卦之後에 聖人見得有此象이라 故로 發於彖辭하시니 安得謂之乾坤重而爲是卦하면 則更不可變而爲他卦耶아 若論先天하면 一卦亦无요 既畫之後에 乾一兌二離三震四로 至坤居末하니 又安有乾坤變而爲六子之理리오 凡今易中所言은 皆是後天之易이라 以此로 見得康節先天後天之說이 最爲有功이니라

주자가 다음과 같이 대답하였다. "곧 이러한 부분은 설명에 막힘이 있다. 또한 비괘(賁卦 ䷕) 정전(程傳)에 '어찌 건(乾 ☰) · 곤(坤 ☷)이 겹쳐서 태(泰 ䷊)가 되고, 또 태(泰 ䷊)에서 변하여 비(賁 ䷕)가 되는 이치가 있겠는가.'라고 하였으니, 만약 그 설이 과연 옳다면 이른바 '건(乾 ☰) · 곤(坤 ☷)이 변하여 나머지 여섯 괘가 되고 팔괘가 겹쳐서 64괘가 되었다.'라는 것[196]이 모두 건(乾 ☰) · 곤(坤 ☷)으로 말미암아 변한 것이 되어 버리니, 그 설이 통하지 못한다. 대개 있으면 모두 있는 것이니, 1획으로부터 2가 되고 2에서 4가 되고 4에서 8이 되어 팔괘가 이루어지고, 8에서 16이 되고 16에서 32가 되고 32에서 64가 되어 중괘(重卦)가 갖추어진다. 그러므로 팔괘가 있으면 64괘가 있는 것이니, 이것이 소강절의 이른바 선천학이다. 예컨대 '진(震 ☳)이 첫 번째 구하여 사내를 얻는다.'라고 한 것 이하는 바로 이미 이 괘가 있고난 이후에 이 괘에 나아가 이 뜻을 만들어 낸 것이니, 이른바 후천학이다.

지금 이른바 괘변이라는 것은 또한 괘가 있고난 이후에 성인(공자)이 이런 상(象)이 있음을 보았으므로 〈단전〉의 글에 말씀하신 것이니, 어찌 '건(乾 ☰) · 곤(坤 ☷)이 변

---

196) '건(乾 ☰) · 곤(坤 ☷)이……것 : 비괘(賁卦 ䷕) 정전(程傳)에 보인다.

하여 이 괘가 되었으면 다시 변하여 다른 괘가 될 수 없다.'라고 말할 수 있겠는가. 만약 선천을 논한다면 한 괘도 없으며, 이미 괘를 그은 뒤에는 건(乾 ☰) 1, 태(兌 ☱) 2, 이(離 ☲) 3, 진(震 ☳) 4로부터 곤(坤 ☷)이 끝에 위치하는 데에까지 이르니, 또 어찌 건(乾 ☰) · 곤(坤 ☷)이 변하여 여섯 괘가 되는 이치가 있겠는가. 무릇 지금 《주역》 가운데에 말한 것은 모두 후천역일 뿐이다. 이 때문에 소강절의 선천, 후천의 설이 가장 공이 있음을 볼 수 있다."

○太極兩儀四象八卦者는 伏羲畫卦之法也요 說卦의 天地定位로 至坤以藏之는 以見伏羲所畫八卦之位也요 帝出乎震以下는 文王이 卽伏羲已成之卦하야 而推其義類之辭也라 如卦變圖의 剛來柔進之類는 亦是就卦已成後에 用意推說하야 以見此爲自彼卦而來耳요 非眞先有彼卦而後에 方有此卦也라 古註에 說賁卦自泰卦而來라한대 先儒ㅣ 非之하야 以爲乾坤合而爲泰하니 豈有泰復變爲賁之理리오하니 殊不知若論伏羲畫卦하면 則六十四卦ㅣ 一時俱了하야 雖乾坤이라도 亦无能生諸卦之理요 若如文王孔子之說이면 則縱橫曲直이 反覆相生하야 无所不可라 要在看得活絡하야 无所拘泥하니 則无不通耳니라

絡 : 이을 락. 泥 : 거리낄, 구애될 니.

○태극, 양의, 사상, 팔괘는 복희씨가 괘를 그은 법이고, 〈설괘전〉에 '하늘과 땅이 자리를 정했다.'라는 것부터 '곤(坤)으로 갈무리하였다.'라는 데에 이르기까지는 복희씨가 그은 팔괘의 자리를 나타낸 것이고, '상제가 진(震)에서 나왔다.' 이하는 문왕이 복희씨가 이미 완성한 괘에 나아가서 그 뜻과 유(類)를 미루어 설명하신 말씀이다. 예컨대 괘변도에서 '강(剛)이 오고 유(柔)가 나아갔다.'라는 유는 또한 괘가 이

미 완성된 뒤에 나아가 뜻을 미루어 설명하여 이 괘가 저 괘에서부터 온 것임을 나타낸 것일 뿐이고, 참으로 먼저 저 괘가 있고난 이후에 비로소 이 괘가 있게 되었다는 것은 아니다.

옛 주석에 비괘(賁卦 ䷕)가 태괘(泰卦 ䷊)에서부터 왔다고 설명하였는데, 선유(정이천)가 그르다고 하여 말하기를 '건(乾 ☰)과 곤(坤 ☷)이 합하여 태(泰 ䷊)가 되었으니, 어찌 태괘(泰卦 ䷊)가 다시 변하여 비괘(賁卦 ䷕)가 되는 이치가 있겠는가.'라고 하였다. 이는 만약 복희씨가 괘를 그은 것을 논하면 64괘가 일시에 모두 갖추어져서 비록 건(乾 ☰)과 곤(坤 ☷)이라 하더라도 또한 여러 괘를 낳을 수 있는 이치가 없고, 만약 문왕이나 공자의 설과 같다면 종횡과 곡직으로 반복 상생하여 불가한 바가 없다는 것을 전혀 모른 것이다. 요컨대 능동적으로 보아서 구애되지 않는 데에 달려 있으니, 이렇게 하면 통하지 않는 것이 없다.

○伊川은 不取卦變之說하야 至柔來而文剛、剛自外來而爲主於內諸處에 皆牽强說了하고 王輔嗣卦變은 又變得不自然이러니 某之說은 却覺得有自然氣象하니 只是換了一爻라 非是聖人이 合下作卦如此요 自是卦成了에 自然有此象이니라

牽 : 이끌 견. 合下 : 당초. 본래.

○이천(伊川)은 괘변설을 취하지 않아서 '유(柔 ⚋)가 와서 강(剛 ⚊)을 문식하였다.'

라는 것[197]과 '강(剛 ⚊)이 밖에서 와서 안에서 주가 되었다.'라는 등[198]의 여러 곳에 대하여 모두 견강부회하여 설명하였고, 왕보사(王輔嗣)[199]의 괘변은 또한 변화가 자연스럽지 못하다. 그러나 나의 설은 깨닫고 나면 자연스러운 기상이 있으니, 다만 한 효만 바꿀 뿐이다. 이는 성인이 당초 괘를 만들 때에 이처럼 만드신 것이 아니고 괘가 이루어진 뒤에 자연스럽게 이러한 상(象)이 있게 된 것이다.

○朱漢上易卦變은 只變到三爻而止하야 於卦辭에 多有不通處러니 某ㅣ 更推盡去하야 方通이라 如无妄剛自外來而爲主於內는 只是初剛이 自訟二移下來요 晉柔進而上行은 只是五柔ㅣ 自觀四埃上去니 此等類는 按漢上卦變하면 則通不得이니라

挨 : 밀칠 애.

○주한상(朱漢上)의 역괘변[200]은 단지 변화가 세 효에 이르러 그쳐서 괘사에 통하

---

197) '유(柔 ⚋)가……것 : 비괘(賁卦 ䷕) 〈단전(彖傳)〉에 보인다. 비괘(賁卦 ䷕)는 상괘는 간(艮 ☶)이고 하괘는 이(離 ☲)로 이루어져 있는데, 이천(伊川)은 정전(程傳)에서, 하괘의 체(體)는 본래 건(乾 ☰)으로 유(柔 ⚋)가 와서 건(乾 ☰)의 중효를 문식하여 이(離 ☲)가 되어 문명(文明)한 상(象)을 이룬다고 설명하였다.

198) '강(剛 ⚊)이……등 : 무망괘(无妄卦 ䷘) 〈단전(彖傳)〉에 보인다. 무망괘(无妄卦 ䷘)는 상괘는 건(乾 ☰)이고 하괘는 진(震 ☳)으로 이루어져 있는데, 이천(伊川)은 정전(程傳)에서, 내괘는 곤(坤 ☷)의 초효가 변하여 진(震 ☳)이 된 것으로 이는 강(剛 ⚊)이 밖에서 온 것이고 진(震 ☳)은 초효가 위주가 되기 때문에 '안에서 주가 되었다.'라고 설명하였다.

199) 왕보사(王輔嗣) : 위(魏)나라 때의 학자 왕필(王弼, 226~249)로, 자가 보사(輔嗣)이다.

200) 주한상(朱漢上)의 역괘변 : 송나라 때의 저명한 이학자(理學者) 주진(朱震, 1072~1138)으로, 호는 한상 선생(漢上先生)이다. 『주역괘도(周易卦圖)』, 『주역총설(周易叢說)』, 『한상역집전(漢上易集傳)』 등을 저술했다.

지 않는 부분이 많이 있는데, 내가 다시 미루어 모두 제거하여 비로소 통하게 되었다. 예컨대 무망괘(无妄卦 ䷘) 〈단전(彖傳)〉에 "무망은 강(剛 ⚊)이 밖에서 와서 안에 주가 되었다."라는 것은 다만 초구(初九)의 강(剛 ⚊)이 송괘(訟卦 ䷅)의 구이(九二)로부터 옮겨서 내려온 것이고, 진괘(晉卦 ䷢) 〈단전〉에 "유(柔 ⚋)가 나아가 위로 올라갔다." 라는 것은 다만 육오(六五)의 유(柔 ⚋)는 관괘(觀卦 ䷓)의 육사(六四)가 밀고 올라간 것이니, 이러한 유는 주한상의 괘변을 살펴보면 통하지 않는다.

괘유양양생 유종양의사상가배생래저 유괘중호환자생일괘저
○卦有兩樣生하야 有從兩儀四象加倍生來底하고 有卦中互換自生一卦底하니
호환성괘 불과환양효 저반변괘 이천파지 급도나강래이득중
互換成卦는 不過換兩爻라 這般變卦는 伊川破之로되 及到那剛來而得中하야는
각추불행 대솔재취의리상간 불과여강자외래이득중 분강상이문유
却推不行이라 大率在就義理上看은 不過如剛自外來而得中과 分剛上而文柔
등처간 기여 다재점처용야 변절지상 저수무긴요 연 후면
等處看이요 其餘는 多在占處用也라 賁變節之象은 這雖无緊要나 然이나 後面에
유수처단사 불여차간 무래처 해부득
有數處彖辭하니 不如此看이면 无來處하야 解不得이니라

換 : 바꿀 환. 緊 : 요긴할 긴.

○괘가 생겨나는 형태에는 두 가지가 있어서 양의에서 사상이 생겨나듯 갑절로 더하여 생겨나는 경우가 있고, 괘 가운데에서 서로 맞바꾸어 한 괘가 생겨나는 경우가 있다. 서로 맞바꾸어 괘가 이루어지는 것은 두 효를 바꾸는 것에 불과하다. 이러한 변괘는 이천이 설파하였으나, '강(剛 ⚊)이 와서 중(中)을 얻었다.' 라는 것[201]에 이르러서는 미루어 설명할 수 없다. 대체로 의리상에 나아가 보아

---

201) '강(剛)이……얻었다.' : 송괘(訟卦 ䷅) 〈단전(彖傳)〉에 보인다.

야 할 곳은 예컨대 '강(剛 ⚊)이 밖에서부터 와서 중(中)을 얻었다.'라는 것[202]과 '강(剛 ⚊)을 나누어 올라가 유(柔 ⚋)를 문식했다.'는 등[203]의 부분을 보는데 불과하고, 그 나머지는 대부분 점치는 곳에서 쓰인다. 비(賁 ䷕)가 절(節 ䷻)로 변하는 상은 비록 긴요한 것은 없다. 그러나 후면에 여러 곳의 〈단전〉의 글이 있는데 이처럼 보지 않으면 온 곳이 없어서 풀이할 수 없다.

【小註】雙湖胡氏ㅣ 曰按彖傳中本義所釋卦變은 訟、泰、否、隨、蠱、噬嗑、賁、无妄、大畜、咸、恒、晉、睽、蹇、解、升、鼎、漸、渙只十九卦요 且所釋自訟、晉은 與圖同하고 外餘는 皆不合하며 如隨自困、噬嗑、未濟、旣濟來는 據圖則自泰、否來之類ㅣ 是也라 蓋圖ㅣ 雖因彖傳而作이나 而卦變則无所不通하니 不可以一定拘也라 嘗考此圖之變이 各生於兩卦하니 凡陽爻變陰하면 則陽自下而上하야 往居陰位하고 陰自上而下하야 來居陽位하니 如復變師에 復初ㅣ 上爲師之二하고 復二ㅣ 下爲師之初之類ㅣ 是也라 凡陰爻變陽하면 則陰自下而上하야 往居陽位하고 陽自上而下하야 來居陰位하니 如姤變同人에 姤初ㅣ 上爲同人之二하고 姤二ㅣ 下爲同人之初之類ㅣ 是也라 此圖變法이 又自是一例라 不過陰陽爻ㅣ 移上換下而與初九變爲初爻之八과 初六變

---

202) '강(剛 ⚊)이……것 : 송괘(訟卦 ䷅) 〈단전(彖傳)〉의 정전(程傳)에 보인다. 송괘(訟卦 ䷅)는 하괘가 감(坎 ☵)인데 구이(九二)가 양(陽)·강(剛)으로 밖에서부터 와서 중(中)을 얻었으니 이는 강(剛)으로써 와서 송사하여 지나치지 않는 뜻이 된다고 이천(伊川)은 풀이하였다.

203) '강(剛 ⚊)을……등 : 비괘(賁卦 ䷕) 〈단전(彖傳)〉에 보인다. 비괘(賁卦 ䷕)는 상괘는 간(艮 ☶)이고 하괘는 이(離 ☲)인데, 이천은 정전(程傳)에서, 하괘의 체(體)인 건(乾 ☰)의 중효를 나누어 올라가서 상괘 간(艮 ☶)의 상효를 문식했다고 풀이하였다.

爲初爻之七者로 其例ㅣ 又不同이라 要之컨대 卜筮所用은 必八九六七之變이니 如啓蒙三十三圖變例라야 乃爲備也라 ○鄱陽董氏ㅣ 曰鶴山魏氏ㅣ 謂朱子易은 大抵得於邵子爲多하니 不讀邵易하면 則茫不知啓蒙本義之所以作이라하니 今觀此諸圖하면 則魏氏之言이 爲尤信이라 朱子ㅣ 嘗稱邵傳羲畫이라하니 愚ㅣ 亦謂朱子는 又所以傳邵易云이로라

茫 : 아득할 망.

쌍호 호씨가 말하였다. "살피건대, 〈단전(彖傳)〉 가운데 본의(本義)에서 해석한 괘변은 송(訟 ䷅), 태(泰 ䷊), 수(隨 ䷐), 비(否 ䷋), 고(蠱 ䷑), 서합(噬嗑 ䷔), 비(賁 ䷕), 무망(无妄 ䷘), 대축(大畜 ䷙), 함(咸 ䷞), 항(恆 ䷟), 진(晉 ䷢), 규(睽 ䷥), 건(蹇 ䷦), 해(解 ䷧), 승(升 ䷭), 정(鼎 ䷱), 점(漸 ䷴), 환(渙 ䷺) 19괘일 뿐이다. 또한 풀이한 송(訟 ䷅)과 진(晉 ䷢)은 괘변도와 같고, 그밖에 나머지는 모두 부합하지 않으며, 예컨대 수(隨 ䷐)가 곤(困 ䷮), 서합(噬嗑 ䷔), 미제(未濟 ䷿), 기제(既濟 ䷾)로부터 온 것은 〈괘변도〉에 근거해 보면 '태(泰 ䷊)와 비(否 ䷋)로부터 왔다.'라는 유(類)가 이것이다. 대개 도(圖)는 비록 〈단전〉으로 인하여 만든 것이지만 괘변은 통하지 않는 것이 없으니, 일정하게 구애되어서는 안 된다.

일찍이 살펴보니, 이 괘변도의 변화는 각각 두 괘에서 생겨난다. 무릇 양효가 음효로 변하면 양이 아래에서부터 올라가서 음의 자리에 거하고 음이 위에서부터 내려와서 양의 자리에 거하니, 예컨대 복(復 ䷗)에서 사(師 ䷆)로 변함에 복(復 ䷗)의 초구(初九)가 올라가서 사(師 ䷆)의 구이(九二)가 되고 복(復 ䷗)의 육이(六二)가 내려가서 사(師 ䷆)의 초육(初六)이 되는 유(類)가 이것이다. 무릇 음효가 양효로 변하면 음이 아래에서부터 올라가서 양의 자리에 거하고 양이 위에서부터 내려와서 음의 자리에 거하니, 예컨대 구(姤 ䷫)가 변하여 동

인(同人 ䷌)이 됨에 구(姤 ䷫)의 초육(初六)이 올라가서 동인(同人 ䷌)의 육이(六二)가 되고 구(姤 ䷫)의 구이(九二)가 내려가서 동인(同人 ䷌)의 초구(初九)가 되는 유(類)가 이것이다. 이 〈괘변도〉의 변하는 법은 또한 따로 하나의 예이니, 음효와 양효가 위로 옮겨가고 아래로 바뀜에 불과하여 초구가 변하여 초효의 팔(八)이 되고 초육이 변하여 초효의 칠(七)이 되는 것과는 그 예가 또한 같지 않다. 요컨대 복서(卜筮)에서 사용하는 것은 반드시 7 · 8, 9 · 6의 변화이니, 예컨대《역학계몽》의 33도 변례(變例)와 같아야 비로소 갖추어지게 된다."

○파양 동씨가 말하였다. "학산 위씨가 이르기를 '주자의 역은 대저 소자의 역에서 얻은 것이 많으니, 소자의 역을 읽지 않으면 아득하여 주자의《역학계몽》과 본의(本義)가 지어진 까닭을 알지 못한다.'라고 하였으니, 지금 이 여러 그림을 보면 위씨의 말이 더욱 미덥다. 주자는 일찍이 '소자가 복희씨의 획(畫)을 전술했다.'라고 칭했는데, 나 또한 '주자는 또한 소자의 역을 전술했다.'라고 이르노라."

참고문헌

원전

《孟子》, 學民文化社, 1998

《詳說 古文眞寶大全 後集》, 學民文化社, 1992

《書經》, 學民文化社, 1990

《周易 附諺解》, 學民文化社, 1998

《退溪集 啓蒙傳疑》

邵雍《皇極經世書》, 국립중앙도서관 소장, 古1231-35

李滉, 《聖學十圖》, 국립중앙도서관 소장, 한古朝17-178

역서

金碩鎭, 《周易傳義大全譯解 上 · 下》, 大有學堂, 2014

金再斗, 《國譯 周易傳義大全》, 學民文化社, 1997

成百曉, 《懸吐完譯周易傳義 上 · 下》, 傳統文化硏究會, 2007

成百曉·申相厚, 《譯註 周易正義 1》, 傳統文化硏究會, 2019

웹사이트

고전번역서 각주정보(https://db.itkc.or.kr/kakju/)

국립중앙도서관(https://www.nl.go.kr/)

동양고전종합DB(http://db.cyberseodang.or.kr/front/main/main.do)

바이두(http://www.baidu.com/)

한국고전번역원(https://db.itkc.or.kr/)

《주역전의(周易傳義)》〈역본의도(易本義圖)〉역주

2020년 10월 23일 초판 1쇄 인쇄
2020년 10월 30일 초판 1쇄 발행

지은이 오승환

펴낸이 권혁재

편 집 권이지

인 쇄 성광인쇄
펴낸곳 학연문화사
등 록 1988년 2월 26일 제2-501호
주 소 서울시 금천구 가산디지털1로 168 우림라이온스밸리 B동 712호

전 화 02-2026-0541
팩 스 02-2026-0547
E-mail hak7891@chol.com

책값은 뒷표지에 있습니다.
잘못된 책은 바꾸어 드립니다.

ISBN 978-89-5508-421-4 (03140)

이 도서의 국립중앙도서관 출판예정도서목록(CIP)은 서지정보유통지원시스템 홈페이지(http://seoji.nl.go.kr)와 국가자료종합목록 구축시스템(http://kolis-net.nl.go.kr)에서 이용하실 수 있습니다. (CIP제어번호 : CIP2020045156)